Ma vie selon Moi

Sylvaine Jaoui

Illustrations de Colonel Moutarde

Ma vie selon Moi

Le grand moment que j'attendais

RAGEOT

Cet ouvrage a été imprimé sur un papier
issu de forêts gérées durablement,
de sources contrôlées.

Une première édition de ces textes
a paru sous les titres
Rien à déclarer?, *Mais qui aime qui?*,
et *À la folie, pas du tout!* (Bac and Love).

Notes et articles de Sylvaine Jaoui.

ISBN : 978-2-7002-3762-7

Pour Antoine.

LE CASTING

Le club des CI K (lire cinq ou « c'est un cas » au choix)

Justine : seize ans. Un mètre soixante-dix pour cinquante kilos. Toujours en jean et en Converse. Fleur bleue, gaffeuse et rêveuse. Aime les films et les chansons d'amour. Vit avec ses parents et son frère Théo. Terminale S sans conviction. Meilleure amie : Léa (et aussi Patou, la girafe du zoo).

Léa : dix-sept ans. Petite et plutôt ronde. Porte de la dentelle noire, des Doc et de gros bijoux d'argent. Surnommée la sorcière, elle s'intéresse à la voyance et au paranormal. Vit avec sa mère et sa grand-mère depuis la mort de son père. Terminale L spécialité théâtre.

Nicolas : dix-sept ans. Dom Juan. A un langage de charretier. Adore tout ce qui est informatique et bricolage. Cousin de Justine et meilleur ami de Jim. Vit avec son père depuis un an à cause de disputes fréquentes avec sa mère. Terminale STI.

Jim : dix-sept ans. Brun musclé. Vrai gentil qui a toujours des attentions pour chacun mais grand nerveux. A arrêté ses études et travaille au *Paradisio* en attendant de passer son monitorat de judo. A traversé une période difficile (fugues nombreuses) et a avec son père une relation exécrable.

LE CASTING

Ingrid : dix-sept ans. Bimbo du groupe. Passe son temps à tester son pouvoir de séduction sur tous les garçons ce qui a le don d'agacer toutes les filles. Enfant unique d'un couple âgé. Préoccupée par la mode, les vêtements et les chanteuses à succès. Est sortie avec Jim et Nicolas, il y a longtemps. Terminale ES.

LES AUTRES PERSONNAGES

Thibault : beau garçon châtain, élégant et énigmatique.
Adam : étudiant en lettres. Très attiré par Léa.
Peter : prof d'art dramatique de Léa. Joue avec son cœur.
Anna : double d'Yseult, son amie. Vit pour chanter.
Yseult : double d'Anna, son amie. Vit pour chanter. (Anna et Yseult sont surnommées les jumelles.)
Patou : la girafe du zoo, animal fétiche de Justine.
Claire : mère de Léa.
Eugénie : grand-mère infernale et géniale de Léa.
Laurent et Sophie : parents de Justine.
Théo : petit frère surdoué de Justine.

Step et Tagada

Léa – Mais pourquoi on lui a dit oui?

Justine – Parce qu'on avait envie de lui faire plaisir et que c'était l'occasion de se bouger.

Léa – Et ça va durer jusqu'à la fin de l'année?

Justine – Non, a priori, c'est juste pour deux semaines.

Léa – Moi, je ne tiendrai jamais, je te préviens.

Justine – Tu ne crois pas que tu exagères?

Léa – C'est vraiment grave si je ne viens pas?

Justine – Oui.

Léa – Tu es sûre?

Justine – Certaine! Je pense même que c'est ta présence qui lui sera la plus utile.

Léa – Tu veux me faire culpabiliser?

Justine – Absolument pas.

Léa – Je ne vois pas en quoi je peux lui être utile, je hais le sport sous toutes ses formes.

Justine – C'est exactement pour ça que tu es indispensable. Jim doit absolument s'entraîner à gérer un groupe de débutants aux compétences différentes. La proposition de Gilberto d'assurer le remplacement du prof de step est une super occasion pour lui. Il n'a pas le droit à l'erreur, il doit faire ses preuves dès les premières minutes.

Léa – Ça j'ai compris, mais moi, je risque de fausser sa vision des choses. Ce n'est pas que j'aie un niveau différent des autres, c'est que je suis, comment dire? Je suis...

Justine – Un pur esprit?

Léa – Voilà c'est ça! Je suis un pur esprit. Vous croyez que j'ai un corps alors que c'est juste une forme visible pour apparaître. Je ne suis pas en mesure de l'utiliser à d'autres fins.

Justine – N'importe quoi! Allez Fantômette, il est onze heures moins cinq, on descend.

Léa – Non, attends un peu... C'est pas très grave si on loupe le début.

Justine – Si, c'est grave, c'est essentiel l'échauffement! Allez courage ma Léa, une heure de step, ça n'a jamais tué personne!

Léa – Si, moi! Déjà que monter les escaliers pour venir chez toi ça me fatigue, alors monter dix fois de suite la même marche à toute allure pour rien...

Justine – Dix fois de suite? Tu rêves?

Léa – Quoi, c'est plus de dix fois?

Justine – Je te laisse la surprise.

Léa – Je t'en supplie, Justine, je ne peux pas y aller. Fais quelque chose pour moi! Je t'ai aidée dans des situations critiques alors essaie de me trouver une solution honorable. Si tu refuses, je suis fichue.

J'ai éclaté de rire. La proposition de Jim de donner un ou deux cours de step au club des CIK+I avait été très bien accueillie par tout le monde, sauf par Léa. Les garçons y voyaient l'occasion de se forger un ventre façon plaquette de chocolat et Ingrid répétait à qui voulait l'entendre qu'un coach perso lui ferait un point commun de plus avec Marie-Ange Casta.

En ce qui me concerne, j'étais folle de joie à l'idée de partager une activité le dimanche matin avec mon prince. Ce serait plus facile dans ces conditions de lui proposer un déjeuner, de rester l'après-midi sur son canapé et peut-être de finir dans son lit.

Seule Léa était désespérée.

Léa – On va faire ça dans le jardin ?

Justine – Non, le temps ne s'y prête pas. Thibault a proposé son salon. En poussant le canapé et la table basse, on aura suffisamment de place.

Léa – Je suis coincée, pire qu'une souris prise au piège.

Justine – Oui, mais une jolie souris avec un ventre plat et des fesses en acier.

Jim

À tous mes potes : Oui, moi je vais encore vous pousser à faire du sport surtout après lecture de ceci.

Le sport n'est pas juste un passe-temps, il est bénéfique sur bien des plans :

1- les troubles cardio-vasculaires ;

2- les problèmes traumatologiques ;

3- les conséquences d'un hyperfonctionnement sur l'appareil locomoteur ;

4- les problèmes liés au dopage.

Aujourd'hui, 11h08 · J'aime · Commenter

Thibault aime ça.

Lorsque nous sommes descendues, Jim était arrivé et prenait un café avec Thibault. Mon prince a ouvert avec un grand sourire.

Thibault – Bonjour les filles !

Justine – Salut !

Jim – Prêtes à vous modeler un corps de rêve ?

Justine – Pourquoi, tu pratiques aussi la chirurgie esthétique ?

Jim – T'en as pas besoin.

Justine – Ah oui ? Tu m'as vue de profil ?

Jim – Oui, ça fait des années que je te vois de profil et je te trouve super sexy ! Tous les garçons ne fantasment pas sur le 95 C, tu sais.

Thibault – Je suis d'accord avec Jim. Même de très près et surtout sans vêtements, je te trouve très sexy.

J'ai mitraillé Thibault du regard. Mais il est fou ou quoi, de balancer devant Jim qu'il m'a vue toute nue ? Je suis censée faire quoi maintenant ? Adopter un air dégagé ? Baisser les yeux comme une fille prise en flag ? Je suis mal, hyper mal...

Jim – Ah désolé, j'ai dû louper un épisode.

Je m'apprêtais à hurler : « Non, il ne s'est rien passé, t'as rien loupé », quand Thibault m'a devancée. Il a dit d'un air décontracté à mon meilleur ami :

Thibault – Je ne savais pas qu'il fallait t'envoyer un faire-part le jour J.

Jim a esquissé un sourire, mais à la façon dont il a serré les poings j'ai compris qu'il se retenait de ne pas sauter sur Thibault pour le réduire en bouillie. Léa s'est penchée vers moi discrètement. C'est sûr, elle allait me rassurer sur la rivalité des deux lions...

Léa – Je raterai le deuxième cours, je serai à Londres.

Justine – Quoi???

Léa – Je loupe le prochain cours de step puisque je pars en Angleterre, jeudi soir, avec ma classe. Je suis trop soulagée.

Mais je rêve, là? C'est vraiment elle, ma meilleure amie? Mon frère de lait et mon amant sont à deux doigts de s'étriper à cause de moi, on est limite fait divers de *Closer*, et elle se réjouit de manquer un cours de step! Je lui ai chuchoté d'un air plein de reproches :

Justine – Tu ne crois pas qu'il y a plus grave?

Léa – Quoi?

À son air étonné, j'ai compris que l'écoute compassionnelle ultrasonique de ma sorcière bien-aimée avait une limite : la perspective de fournir des efforts physiques.

– Salut la compagnie!

Oh non! Pas elle, pas à jeun...

Jim – Bonjour Ingrid.

J'ai accroché avec difficulté un sourire à mes lèvres et je me suis retournée pour la saluer. C'est vrai, il y avait assez de tension sans que j'en rajoute avec mon antipathie naturelle pour cette fille. Malheureusement, le spectacle qu'elle m'a offert ne m'a pas permis de rester plus longtemps sur cette énergie positive.

Ingrid, en minishort et body rose satin, nous regardait d'un regard faussement mutin. Elle avait poussé le vice jusqu'à se maquiller les yeux, la bouche et les joues dans un dégradé de rose bonbon brillant.

Ingrid – Alors, vous me trouvez comment?

Jim – T'es quand même pas venue comme ça depuis chez toi?

Ingrid – Non... Je n'ai pas envie de déprimer toutes les femmes que je croise. J'avais mis ça par-dessus.

Et ressortant dans le jardin, elle a ramassé la doudoune rose flashy (taillée pour un Pygmée ayant des problèmes de croissance) qu'elle avait laissée dans l'herbe. Elle l'a enfilée.

Ingrid – Et voilà le travail !

Justine – Ah oui, c'est beaucoup plus discret comme ça !

Ingrid – Oui, on voit moins mon corps, source universelle de désirs.

Mais elle est stupide ! Je viens de lui balancer une remarque assassine et elle croit que c'est du premier degré.

Ingrid – Bon, et à part Justine qui joke, qu'en pensent les autres ?

Ah ben non, elle a compris.

Jim – C'est... comment dire ? Très joli mais... pas très adapté à un cours de step. Il vaudrait mieux un tee-shirt en coton pour transpirer et un short large. Tu n'as pas ça dans ton armoire ?

Ingrid – Ah non, quelle horreur !

Comment ça quelle horreur ??? On va faire une heure de step, pas un documentaire sur les go-go-danseuses.

Jim – Bon, il est déjà onze heures dix, on commence le cours.

Léa – On n'attend pas Nicolas ?

Jim – Non, je lui ai déjà téléphoné cinq fois, s'il ne se lève pas, tant pis.

Léa – C'est pas sympa de commencer sans lui, je vais le prévenir, moi !

C'est la première fois que Léa insiste pour réveiller mon cousin ! Il faut croire qu'une heure de step l'épouvante vraiment.

Elle s'est littéralement envolée à l'étage.

Jim – Nous sommes obligés d'attendre maintenant.

Ingrid a soupiré et s'est allongée sur le canapé. Elle a sorti de son sac – rose évidemment – un livre.

Ingrid – C'est trop top…

Thibault – Ah oui ? C'est de qui ?

Ingrid – Nicole Richie, la richissime héritière. Quand tu lis cette autobiographie si sensible, tu te rends compte que cette fille a une profondeur.

Justine – De bonnets…

Ingrid – Quoi ?

Justine – La profondeur, c'est juste pour les bonnets de son soutien-gorge. Il n'y a que là qu'elle en a…

Je reconnais que ce n'était pas très malin comme remarque mais je n'ai pas pu m'en empêcher. Sachant que les seules préoccupations de Nicole Richie dans la vie, ce sont ses mèches et son dernier sac Fendi, je me sens obligée d'intervenir quand on parle de sa profondeur d'esprit !

Ingrid – C'est vraiment dommage, Justine, que tu t'attaches tant aux apparences.

C'est à moi qu'elle s'adresse, la reine de la superficialité ? Les grognements d'ours de mon cousin m'ont empêchée de remettre la peste à sa place.

Nicolas – Putain, on avait programmé fin de matinée, je peux savoir pourquoi vous me gonflez aux aurores ?

Jim – Regarde ta montre.

Nicolas – Je préférerais boire un café.

Une vraie réussite, ce rendez-vous sportif ! On mesure une superbe solidarité.

Thibault – Je propose un petit-déjeuner light pour chacun, histoire de se réveiller et de ne pas infliger sa mauvaise humeur aux autres.

Nicolas – C'est pour moi que tu dis ça ?

Thibault – Non, pourquoi ?

Jim – Arrêtez le massacre. Je sais que vous me rendez service en acceptant d'être des cobayes pour mon cours, mais ça a l'air d'être une vraie galère pour vous. Alors, n'en parlons plus.

Durant un quart de seconde, j'ai vu briller une flamme de joie dans les yeux de Léa, pourtant, très vite, son amitié pour Jim l'a emporté.

Léa – Au contraire ! C'est un super cadeau que tu nous fais, Jim, et on en a tous conscience. Il faut juste s'organiser... Moi, je compte sur toi pour faire disparaître mes bourrelets.

Nicolas – Ne le prends pas mal, mec, tu sais bien que je suis un vrai pitbull le matin.

Justine – Je n'ai rien à ajouter, tout a été dit. Nous pouvons donc commencer la séance.

Jim – Vous êtes sûrs ?

Thibault – Absolument certains.

Jim a installé un step en face de chacun de nous et on a suivi avec attention sa présentation. On en était à : « le cours consiste en une série de montées et de descentes successives sur une plate-forme de quinze centimètres » lorsque Léa s'est écriée :

Léa – Où est Ingrid ?

Tiens, c'est vrai, la peste a disparu ! Remarquez, ce n'est pas à moi qu'elle manque lorsqu'elle est absente. À tous les coups, on va la retrouver dans la salle de bains, en train de s'épiler un poil imaginaire ou de remettre une couche de rose girly sur ses ongles.

Nicolas a hurlé :

Nicolas – Ingrid, dépêche, on t'attend.

Elle a répondu depuis la salle de bains :

Ingrid – J'arrive... deux secondes... Je viens d'avoir une idée de génie.

Je me suis allongée sur le parquet près des portes-fenêtres et j'ai regardé le ciel à l'envers. J'adore... Cette position donne l'impression d'être une particule et d'être aspirée par les nuages. Les éclats de rire du club des CIK+I m'ont obligée à redescendre sur terre à une allure vertigineuse.

Nicolas – Mais qu'est-ce que tu lui as infligé, à ce malheureux ?

Je me suis redressée et là, le spectacle le plus « incredible » du monde s'est offert à moi. Lulu Cracra, le furet, lové dans les bras d'Ingrid, avait la queue entièrement teinte en rose fuchsia.

Jim – Il va rester comme ça à vie ?

Ingrid – Non, ça part à l'eau. J'avais acheté une bombe pour me faire des mèches mais j'ai préféré customiser Lulu. T'as pas un appareil, Thibault ? Comme ça j'aurai une photo hyper tendance pour mon book.

Je ne sais pas s'il a un appareil, en tout cas moi j'ai le numéro de la SPA. Non, mais c'est dingue la capacité qu'a cette fille de transformer un être vivant en accessoire de mode.

Thibault – Oui, j'ai un excellent appareil numérique, je vais le chercher.

Ben voyons, t'as raison, cours mon garçon. Une photo comme celle-ci ne se rate pas ! Finalement, je me demande si Thibault est l'homme dont je rêve. Je l'imaginais plus centré, plus calme, pas le genre à se laisser manipuler par Pink-Peste.

Thibault – Vas-y Ingrid, prends la pose, je mitraille.

Il n'en a pas fallu plus à Miss Chamallow pour jouer la star. Et une pose lascive sur le canapé, une ! Et une roulade sur le parquet, les yeux dans les yeux avec Lulu Cracra, une ! Et un sourire Ultrabrite avec le furet sur l'épaule, sa queue en écharpe, un.

D'Ingrid ou de Thibault, je ne savais plus très bien lequel j'avais envie d'attraper pour taper sur l'autre.

Léa a rapproché son tapis du mien. Oh Léa, mon amie fidèle, ma valeur sûre, j'ai besoin de ton soutien pour supporter le spectacle de mon homme rendant hommage à la féminité d'une autre. Elle a chuchoté :

Léa – Comme Jim travaille à treize heures, le cours ne durera pas plus de trente minutes. Longue vie à Ingrid la rose !

Je crois que je les déteste tous.

Nicolas – Putain, on le commence ce cours ! Je me suis pas levé à l'aube pour voir une meuf avec un pauvre furet punk.

Non, pink le furet. Ah oui, punk aussi...

La tagueuse de Lulu et le paparazzi ont réintégré leurs tapis et la séance a repris.

Jim – Je recommence ma présentation. Désolé pour ceux qui l'ont déjà entendue, mais c'est important pour moi de faire un cours en continu. Donc, je reprends : le cours consiste en une série de montées et de descentes successives sur une plate-forme de quinze centimètres. Vous pourrez utiliser un surélévateur de vingt ou vingt-cinq centimètres en fonction de votre niveau de pratique.

Je me suis penchée vers Léa en ricanant.

Justine – Tu vois, fallait pas t'inquiéter. Si c'est trop facile pour toi, tu pourras corser le mouvement en rehaussant ton step.

Ma meilleure amie ne s'est pas donné la peine de se retourner, mais j'ai senti des ondes négatives vibrer tout autour de moi.

Jim – N'oubliez pas de vous hydrater régulièrement et pensez à bien dérouler le pied en montant sur le step. Quand vous redescendez, ne vous éloignez pas de plus d'un pas du step. D'accord ?

On a répondu d'une seule voix moins une (inutile de vous préciser laquelle) :

– D'accord !

Jim – Avant de commencer la chorégraphie, nous allons procéder à l'échauffement.

Léa s'est retournée vers moi affolée.

Léa – Quoi, on va danser, aussi ???

Justine – Non, c'est l'ensemble des différents pas qu'on appelle comme ça.

Léa – Comment ça des pas différents ? Un pas c'est un pas, non ?

Jim – Un problème, Justine ?

Justine – Non, Léa me demandait juste ce qu'était la chorégraphie.

Jim – C'est l'ensemble des différents pas. Ne t'inquiète pas, Léa, tu les mémoriseras sans problème.

J'ai entendu Léa bougonner :

Léa – On mémorise un poème, mais comment on mémorise de la marche à pied ?

Je n'ai pas commenté.

Jim – Bien, commençons l'échauffement.

Léa – Ce n'était pas ça l'échauffement ?

Jim – Non. Là, c'était juste la présentation du cours. L'échauffement a deux buts : chauffer les muscles et augmenter les pulsations cardiaques.

À l'annonce de « chauffer les muscles » et « augmenter les pulsations cardiaques », j'ai imaginé la grimace atroce qui devait déformer le joli visage de ma meilleure amie.

Léa – Je crois que je ne vais pas y arriver.

Jim lui a souri comme un dentiste sourit à son patient lorsqu'il approche de sa bouche avec sa fraise qui vrille. Un sourire de réconfort qui signifie : « Désolé, mais il faut en passer par là. »

C'est drôle parce que nous étions cinq élèves à ce cours, pourtant on n'entendait que les plaintes de Léa. Son stress emplissait l'espace. J'ai soudain réalisé que nous avions tous nos zones d'inaptitude et qu'à tour de rôle nous nous réconfortions les uns les autres. Cette fois-ci, nous étions là pour protéger Léa. Elle le méritait.

Ingrid a glissé discrètement à Thibault (enfin discrètement pour Ingrid, c'est à peu près soixante mille décibels, on en a donc tous profité) :

Ingrid – Eh ben, elle a du mal Léa ! Au lieu de lire des auteurs compliqués qui prennent la tête, elle devrait faire plus de sport. C'est important de savoir qu'on a un corps. Remarque, en ce qui me concerne, je ne peux pas l'oublier, les garçons me le rappellent en permanence.

Je vais lui rappeler que j'ai des poings, moi, si elle s'avise d'approcher MON homme de trop près.

Jim – J'aimerais que vous vous absteniez de vous mêler des difficultés de vos voisins durant le cours. On reprend... Vous écartez les jambes, fléchissez-les légèrement...

Jim a regardé Léa, il a répété en insistant sur la dernière partie de la phrase.

Jim – Fléchissez légèrement... Fléchissez...

Léa qui s'était d'abord hissée sur la pointe des pieds s'est accroupie d'un coup.

Jim – Fléchissez, je n'ai pas dit « pliez » !

24

Ma meilleure amie, qui habituellement chipote sur la moindre nuance de vocabulaire, n'a pas compris ce qu'il lui demandait. Il a fallu que Jim lui montre la bonne position.

Jim – Bien... On s'étire vers le plafond, on se grandit, les deux mains à la taille. Rentrez les abdos, serrez les fessiers, flexion des jambes.

Jim est passé dans les rangs. Enfin, dans le rang puisqu'on n'était que cinq.

Jim – Ingrid, tes abdos... Nicolas et Justine c'est bien. Thibault, fléchis les jambes. Léa...

Notre coach perso n'a pas fini sa phrase. Il y avait de quoi ! Léa avait inventé une posture qui n'avait strictement rien à voir avec celle demandée.

Jim n'a pas cherché à lui redonner la consigne oralement, il a enfoncé son index dans son ventre pour qu'elle contracte ses abdos puis il a appuyé lourdement sur ses jambes pour qu'elle les fléchisse. Un peu comme si Léa était en pâte à modeler.

Jim – Bien, maintenant, vous tirez les épaules vers l'arrière. Vers l'arrière Léa... On fait un mouvement de balancier avec les bras de droite à gauche. Attention, cercle avec les bras... Ah merde !

Nicolas – Quoi ?

Jim – J'ai complètement oublié de mettre la musique.

Nicolas – Mets-la maintenant.

Jim – Ouais, mais il ne faut surtout pas que je l'oublie le jour de mon premier cours au *Paradisio*.

Jim a branché son iPod sur ses minibaffles.

Nicolas – C'est quoi cette daube ?

Jim – C'est le rythme qu'il faut pour l'entraînement. Donc je reprends : mouvement de balancier, cercle avec les bras, les mains volent vers le plafond...

Léa – Des mains qui volent... enfin un peu de poésie !

Jim – On pousse les bras vers la poitrine, pointes de pieds vers le sol, poings serrés.

Jim nous a observés avec attention pour voir si nous respections ses instructions. Lorsqu'il a regardé Léa, il a réprimé un sourire. Je ne sais pas quel lien existe chez ma meilleure amie entre le corps et la langue française, mais si je ne la connaissais pas depuis l'enfance j'aurais juré qu'elle n'était pas francophone. Elle levait ses deux poings en l'air comme un leader politique annonçant la victoire de son parti. Elle a vite réalisé que sa posture ne ressemblait en rien à celle de Nicolas qui était à ses côtés et, se tournant vers moi, elle a tenté de m'imiter. Peine perdue.

Jim – Bien... Maintenant que vous avez compris les mouvements, on va les combiner sur un rythme de quatre : balancier, cercle, bras vers la poitrine, épaules en arrière. Et un, et deux, et trois, et quatre... Vous avez l'ensemble dans la tête ?

Encore une fois, cinq voix moins une ont répondu :

– Oui !

Jim – Alors on tape le step avec les pieds, talon droit, talon gauche. Maintenant la pointe, et droite... Et gauche... et un, et deux, et trois, et quatre... D'abord la droite, Léa... La droite !

J'ai senti comme une nuance d'agacement dans le ton de Jim.

Jim – La droite, c'est le côté de la main avec laquelle tu écris.

Léa – J'ai fait exactement comme toi.

Jim – Oui, mais comme je suis en face de toi, tu dois inverser la posture.

Léa – Ah si tu fais exprès de nous montrer des trucs faux pour nous emmêler, je ne vois pas bien comment on peut y arriver. C'est comme si j'apprenais à lire à un enfant en lui mettant le livre à l'envers parce que je suis de l'autre côté de la table.

Déstabilisé par l'agressivité de Léa, Jim s'est senti obligé de se justifier.

Jim – En temps normal, il y a un miroir sur le mur devant moi, donc vous pouvez copier les mouvements.

Je pensais que les explications de Jim adouciraient ma meilleure amie. Pas du tout. Elle a continué à râler. Lorsque deux peurs de mal faire se rencontrent, ça ne laisse pas beaucoup de place pour l'échange.

Jim – On reprend ! Maintenant on étire la jambe, le talon sur le step, jambe arrière fléchie...

Notre prof bien-aimé a continué l'échauffement : dix minutes de talons écrasés, de jambes droite puis gauche sur le step, de dos arrondi de plus en plus rapidement.

On n'entendait plus une remarque ni un rire. Tout le monde était concentré sur son effort. Tout le monde ? Non... Tout le monde sauf une irréductible petite Gauloise.

Je ne peux rendre compte avec des mots de la prestation de Léa. Ses mouvements désynchronisés et au ralenti auraient laissé croire qu'elle le faisait exprès. Ce n'était rien comparé à ce qui allait suivre.

Alors qu'on effectuait les exercices les plus basiques de montée et de descente du step, non seulement elle a inversé la gauche et la droite, mais elle a aussi confondu l'avant et l'arrière. Résultat, elle s'est retrouvée devant le step et en levant la jambe pour remonter dessus, elle est tombée. On s'est précipités pour la relever. Nicolas n'a pas manqué de se moquer.

Nicolas – T'as bu, chérie ?

C'est la goutte de transpiration qui a fait déborder le step !!!
Léa nous a regardés avec un mépris infini et elle est partie en
claquant la porte. Jim a continué le cours totalement navré.
On sentait que le cœur n'y était plus. Il a d'ailleurs rapidement
arrêté, d'autant qu'il était l'heure pour lui de retourner travailler
au *Paradisio*.

J'ai rejoint ma meilleure amie qui s'était réfugiée dans la cuisine.
Elle était assise sur la table, les pieds sur la machine à laver, et
parlait à voix basse dans son portable. J'ai frappé doucement à la
porte ouverte pour la prévenir de ma présence.

Léa

Est-ce que quelqu'un m'obligera à faire du step après
lecture de ceci ?????

On estime en effet que la pratique sportive est responsable
d'environ un millier de décès par an et que 10 % des arrêts
maladies sont la conséquence d'une activité sportive. Les
incidents et accidents liés au sport peuvent se ranger sous
quatre catégories :

1- les troubles cardio-vasculaires ;

2- les problèmes traumatologiques ;

3- les conséquences d'un hyperfonctionnement sur
l'appareil locomoteur ;

4- les problèmes liés au dopage.

Aujourd'hui, 17h45 · J'aime · Commenter

Thibault aime ça.

Elle m'a chuchoté, la main sur le combiné :

Léa – Qu'est-ce que tu veux ?

Justine – Rien. Ça va ? Tu ne t'es pas fait mal ?

Léa – Non... Retourne avec les autres pour le cours.

Justine – Mais il est fini le cours !

Léa – Je termine ma conversation et je te rejoins.

Avec qui parlait-elle en cachette ?

Lorsque je suis arrivée dans le salon, Jim était parti travailler et Ingrid avait embarqué Lulu Cracra pour le montrer à son nouveau Jules. Ne me demandez pas lequel... Nicolas assis sur la terrasse fumait une cigarette, en écoutant son répondeur.

Justine – Et Thibault, il est où ?

Mon cousin m'a fait signe de me taire. A priori les affaires reprenaient pour lui. Il a souri en refermant le clapet de son portable.

Nicolas – Thibault ? Euh... il est parti raccompagner Ingrid.

Justine – Où ça ?

Nicolas – Je sais pas. Mais comme elle avait le furet, elle ne voulait pas y aller seule.

C'est pas vrai, quelle peste ! Je me vengerai... Et qu'on ne me demande plus d'être sympa avec elle parce qu'une fois dans sa vie mademoiselle a accompli une bonne action en nous réconciliant, Léa et moi.

– Justiiiiiine, tu montes déjeuner s'il te plaît.

J'ai levé la tête. Ma mère m'appelait depuis la fenêtre de ma chambre. Il ne manquait plus qu'elle.

La mère – Nicolas, tu viens aussi ? Ton père n'est pas là ce week-end, il m'a demandé de te nourrir. Je ne t'ai pas vu hier, tu ne m'échapperas pas aujourd'hui.

Nicolas a grommelé :

Nicolas – Il se souvient qu'il a un fils, lui ? Formidable.

Justine – On arrive, maman... Léa est là aussi mais je ne sais pas si elle rentre déjeuner chez elle ou pas. Elle est au téléphone.

La mère – Je rajoute un couvert, elle est la bienvenue.

Quand Léa nous a rejoints dans le jardin, Nicolas s'est précipité pour la prendre dans ses bras.

Nicolas – T'es fâchée?

Léa – Je préfère ne pas répondre.

Nicolas – Tu ne m'épouseras jamais alors?

Léa – Je n'ai pas l'intention de devenir une courtisane de harem.

Nicolas – Si c'est la seule chose qui te gêne, je les répudie toutes pour toi.

Mon cousin a eu un rire gêné comme s'il était le premier surpris par ses mots. Il s'est senti obligé d'ajouter :

Nicolas – C'est bon, je déconnais.

Léa – J'espère bien.

J'ai parfois l'impression que ces deux-là finiront ensemble. Non, c'est impossible! Quoique...

Justine – Tu déjeunes ici Léa?

Léa – Si tu veux. Tu viens, Nicolas?

Nicolas – Non merci.

Justine – Pourquoi?

Nicolas – Parce que soit c'est ta mère qui a cuisiné et j'ai pas envie de manger deux navets et trois carottes bouillis, soit c'est ton père et je risque l'intoxication alimentaire. Je préfère me taper un double cheese tout seul au Mac Do. Allez-y, je fermerai les volets de Thibault.

Justine – Pourquoi, il ne revient pas?

Nicolas – Non, on lui a téléphoné, il a des gens à voir. Il ne sera pas là avant ce soir.

Justine – Il ne repasse pas après avoir accompagné Ingrid?

Nicolas – Non.

Où est-ce qu'il va encore celui-là ???

Et si j'en profitais pour fouiller dans ses affaires ? Comme ça, je saurai enfin où il se rend chaque fois qu'un mystérieux inconnu ou une mystérieuse inconnue l'appelle sur son portable.

Je n'ai pas pu suivre l'exemple de Tobie, le héros de mon petit frère, car mes parents s'impatientaient, alors je suis montée à la maison avec Léa.

Léa – T'en fais une tête.

Justine – Imagine-toi qu'Ingrid a demandé à Thibault de la raccompagner.

Léa – Tu vas encore piquer une crise de jalousie ?

Je n'ai même pas eu le temps de répondre, mon père qui nous attendait sur le palier nous a accueillies bruyamment.

Le père – À table les filles, je vous ai mitonné une nouvelle recette !

J'ai chuchoté à Léa :

Justine – Le pire reste à venir.

On a beau se préparer à une catastrophe et penser que le malheur ne déçoit jamais, on est parfois au-dessous de la réalité ! Ajoutant sa touche perso à la fiche cuisine de *Elle* (marinade de cou d'oie farci et ses blettes du jardin), il nous a servi un truc immonde. On a frôlé le vomissement collectif.

Conscient du ratage total de sa recette, il n'a pas insisté pour qu'on goûte ses meringues à la bergamote. Remarquez, Théo l'avait menacé d'appeler le 119, Allô Enfance maltraitée, s'il l'obligeait à finir son assiette.

Avec Léa, on a profité du fou rire de ma mère pour nous replier dans ma chambre.

Justine – Je suis sincèrement désolée pour ce repas.

Léa – C'est ça l'amitié, traverser des épreuves douloureuses ensemble !

J'ai souri à ma meilleure amie. Elle a le chic pour dédramatiser n'importe quelle situation ! On s'est allongées tête-bêche sur mon lit comme on fait depuis qu'on est gamines.

Léa – Ça n'a vraiment pas l'air d'aller, toi. C'est les remontées acides du cou d'oie farci ?

Justine – Pas seulement.

Léa – Tu veux qu'on fasse une séance de la tribu des aimantes ?

Justine – Ouais.

Léa – Alors tu commences.

Ah mais vous ne savez pas, vous, ce qu'est une séance de la tribu des aimantes. C'est une invention de Léa. Sur ses cahiers bleus, elle a écrit un très joli conte dans lequel une petite orpheline rencontre, alors qu'elle est triste et perdue, la tribu des aimantes. C'est un groupe de femmes qui, à la nuit tombée, écoutent les malheurs de celle qui a besoin de se confier. Elles n'essaient pas de trouver des solutions, non, elles écoutent et pleurent avec la chagrinée jusqu'à ce qu'elle n'ait plus de larmes.

Léa et moi, de temps en temps, on programme une séance de la tribu des aimantes. On s'allonge sur le lit en fermant les yeux et à tour de rôle, on se confie ce qui ne va pas.

En vrac.

En général, on mange des fraises Tagada pour se donner du courage mais aujourd'hui, après l'attaque chimique concoctée par mon père, il n'en était pas question. Mieux valait parler à jeun, enfin si je peux dire...

Justine – Thibault m'agace. Il n'essaie pas de se retrouver seul avec moi chez lui. Pire, il évite. Je ne coucherai jamais avec lui. Je ne suis même plus certaine de le vouloir vraiment. Tout à l'heure, quand il a rendu Jim jaloux, j'ai eu envie de le massacrer. Et puis cette façon qu'il a eue de photographier Ingrid. Pauvre type... Il faisait son cirque, je l'ai trouvé lamentable. Ouais, c'est ça lamentable... Je crois que je vais le quitter. Et demain, c'est la rentrée. J'ai rien fichu pendant les vacances. Je vais louper mon bac. Déjà que je suis plate comme une limande. Et puis, je ne suis pas retournée valider ma pré-inscription de juin à la danse. Les cours reprennent jeudi soir, peut-être qu'il n'y aura plus de place. À toi, Léa, j'ai fini...

Léa – Peter ne me donnait plus aucun signe de vie... J'avais l'impression d'être un fantôme. Dans un sursaut, j'ai voulu me prouver que j'existais en sortant avec Adam. Après s'être embrassés en boîte la dernière fois, on est allés chez lui, il m'a déshabillée avec un mélange de passion et de respect. Il m'a confié qu'il m'aimait comme un fou depuis le premier jour. J'étais morte de peur. Je lui ai hurlé de me lâcher. Je lui ai dit que je ne l'aimais pas. Au moment où je m'en allais, Adam a pleuré. J'ai posé ma main sur son épaule pour lui demander pardon, il m'a ordonné de partir vite. Je me déteste de lui avoir fait du mal. J'ai essayé de le rappeler depuis mais je tombe toujours sur sa boîte vocale. Il m'a bloquée sur MSN. En ce qui concerne le lycée, je vais rater mon bac aussi. Je devais lire *Le Banquet* et le *Ménon* de Platon pour la rentrée, je ne les ai pas lus. J'espère que mon voyage à Londres se passera bien, je fais plein de cauchemars dans lesquels je me retrouve dans la rue sans vêtements. Je suis inquiète pour ma mère. Elle n'a personne dans sa vie. Et puis, j'ai été minable avec Jim tout à l'heure, je ne sais pas comment me faire pardonner.

Justine – Je crois que je vais quand même aller chercher les fraises Tagada.

Léa – Ouais, prends le pot de Nutella aussi.

Quand cinq minutes plus tard, j'ai dit à Léa que j'étais heureuse qu'elle soit ma meilleure amie et qu'elle m'a répondu que, sans moi, sa vie serait vraiment triste, on a failli éclater en sanglots. Mais avec notre filet de bave de fraises Tagada qui coulait sur le menton, on n'avait pas tout à fait l'étoffe d'héroïnes tragiques alors on a éclaté de rire.

Évidemment, Théo a pointé son nez.

Théo – Pourquoi vous riez comme ça?

Justine – On est des pauvres filles que plus aucun garçon n'aime.

Théo – Ben si, moi!

Léa – Oh t'es trop mignon Théo, viens dans mes bras!

Théo – Ah non, il faut pas exagérer.

Et il a disparu.

Avec Léa, on a comaté sur mon lit une bonne partie de l'après-midi en écoutant NRJ. Mes parents étaient partis boire un café chez des amis et avaient laissé mon petit frère devant le DVD de *Charlie et la chocolaterie*.

Justine – Je me demande qui sont ces gens que fréquente Thibault et dont il ne parle jamais.

Léa – Oui... Ce garçon cultive des zones d'ombre.

Justine – Tu crois qu'il voit une autre fille?

Léa – Je ne sais pas. Il y a quelque chose de très lisse chez Thibault, comme s'il avait un secret à cacher.

Justine – T'as vu une autre fille que moi dans tes cartes et tu n'oses pas me l'avouer?

Léa – Pas du tout. C'est juste une impression. Mais je croyais qu'il était lamentable et que tu ne l'aimais plus ?

Justine – Et ce serait à cause de cette fille au décolleté généreux qu'il ne veut pas coucher avec moi...

Léa – Arrête ton cinéma.

Justine – En fait, en boîte, il avait bu. Ce qui explique qu'il ait un peu dérapé. En réalité, il ne s'est rien passé parce qu'après m'avoir vue nue dans son lit il a réalisé qu'il n'aimait qu'elle et il l'a rejointe.

Léa – N'importe quoi. C'est dingue cette capacité à se monter la tête toute seule.

– Justine, je peux descendre dans le jardin ? Ma balle est passée par la fenêtre.

Justine – Il lui a fait l'amour toute la matinée et il est revenu près de moi, avec son air d'ange.

– Justine, je peux descendre dans le jardin ? Je dois aller chercher ma balle.

Théo me secouait le bras pour que je lui réponde. Comme si c'était le moment.

Justine – Ouiiiii, mais tu remontes immédiatement. Quand je pense qu'il a eu le culot de me mettre une rose dans les cheveux. Comment n'ai-je pas vu plus clair dans son jeu ?

Léa – Tu ne crois pas que tu t'emballes un peu là ?

Justine – Non, je suis enfin lucide. Crois-moi, ça ne se passera pas comme ça. Je le déteste.

Léa – Il vaudrait mieux que tu te calmes.

Justine – Si ça se trouve il lui raconte à quel point je suis ridicule avec mon grand amour et ils rient tous les deux allongés dans leur lit. C'est immonde ! Elle a dû bien rigoler s'il lui a dit que j'avais embrassé la porte-fenêtre.

– Justine, je suis remonté... Je peux rester un peu avec vous ? Justine, tu m'écoutes ???

Théo, une énorme glace au chocolat dans la main, me hurlait dans les oreilles.

Justine – Quoi ? Qu'est-ce qu'il y a ?

Théo – Je peux rester un peu avec vous ? Je m'ennuie tout seul.

Justine – Si tu veux... Mais qui t'a permis de prendre une glace dans le congélateur ?

Théo – Ce n'est pas une glace de la maison, c'est Thibault qui me l'a donnée.

Justine – Quand ?

Théo – Maintenant.

Justine – Il est chez lui ? Je croyais qu'il ne devait pas rentrer avant ce soir !

Théo – Il ne voulait pas que je joue devant ses fenêtres. Il m'a donné une glace et il a tiré les rideaux.

J'ai regardé Léa, désemparée.

Justine – Qu'est-ce que je te disais ??? En plus il l'amène ici... Comme s'ils ne pouvaient pas rester chez elle ! Je descends. Cette fois-ci, il faut qu'il choisisse entre elle et moi. Tu m'accompagnes ?

Léa – Certainement pas. Et je te demande de réfléchir avant de débarquer chez lui comme une pauvre folle hystérique. Je te rappelle qu'il y a à peine deux mois, on a fait le guet devant son appartement pour le confondre en plein rendez-vous avec Ingrid. Résultat : il était seul et nous ridicules. Le garçon était innocent...

Justine – Tu le défends ?

Léa – De quoi est-il accusé aujourd'hui ?

Justine – D'être avec une fille dans une position qui ne laisse aucun doute sur la nature de leurs rapports.

Léa – Tu as des preuves de ce que tu avances ? Peut-être que cette fille n'existe que dans ton imagination.

Justine – Tu as dit toi-même qu'il cultivait des zones d'ombre.

Léa – Oui, mais je n'ai pas parlé d'une autre fille.

Justine – J'y vais quand même.

Et j'ai descendu l'escalier comme une furie, plantant là une Léa mécontente.

À peine suis-je arrivée dans le jardin que mon cœur s'est mis à battre plus fort. Tant que j'étais dans ma chambre face à Léa, je me sentais prête à toutes les audaces, mais là, seule près des fenêtres de Thibault, ma détermination m'a abandonnée.

En admettant même que j'aie raison et que mon prince soit en train d'embrasser une fille sur son canapé, qu'allais-je bien pouvoir faire ?

Les regarder avec horreur et indignation ?

Me précipiter sur lui pour lui crever les yeux ?

Me jeter sur elle pour lui arracher sa tignasse blonde et ses implants mammaires ?

Pleurer toutes les larmes de mon corps en répétant : « Oh ciel, tu es témoin de sa trahison » ?

Me suicider sur ses baskets pour qu'il soit pétri de remords jusqu'à la fin de sa vie ?

Je n'ai été capable de rien.

Je suis remontée doucement. Léa était dans la cuisine lorsque je suis entrée. Elle m'avait préparé une tasse de thé et des Kleenex.

Léa – Viens boire une tasse d'Earl Grey, il n'y a que ça de vrai dans la vie.

Justine – Je n'y suis pas allée.

Léa – Je sais.

Justine – En fait, je crois que je l'aime vraiment.

Léa – Je sais.

Justine – Je suis verte de jalousie à l'idée qu'une autre fille l'approche.

Léa – Je sais.

Justine – Je voudrais qu'il m'appelle et qu'il me demande de passer la nuit avec lui.

Léa – Je sais.

Justine – Je ne rêve que de cette première fois avec lui.

Léa – Je sais.

Justine – Je voudrais effacer les horreurs que j'ai dites sur lui depuis ce matin.

Léa – Je sais.

Justine – On peut savoir ce que tu ne sais pas?

Léa – Oui, elles sont où les sucrettes pour le thé?

¡Hasta
la revolución,
siempre!

Justine – C'est quoi cette démarche de vieille?

Léa – J'ai des courbatures horribles.

Justine – À cause de quoi?

Léa – À cause de quoi? À cause de quoi? Tu te moques de moi? Tu ne te souviens pas de la séance de torture avec votre escalier à une marche?

Justine – Attends, j'y crois pas... Tu n'as pas fait un millième des exercices de step.

Léa – Peut-être mais tu vois le résultat. Quand je te dis que le sport est totalement toxique! Tu en as la preuve.

Justine – J'ai surtout la preuve que tu es une grosse flemmarde, ouais.

Léa – Flemmarde, j'accepte. Grosse, je te prierai de surveiller tes paroles. Et toi, tu n'as mal nulle part?

Justine – Si! Au moral... Moi, c'est cette cour de lycée que je trouve totalement toxique. Dès que je passe la grille d'entrée, j'ai des crampes à l'estomac. Quand je pense que les prochaines vacances, c'est pas avant Noël. Je ne sais pas si je tiendrai jusque-là. Aujourd'hui, j'ai deux heures de physique et une heure de maths, je n'ai qu'une envie, partir en courant.

Léa – T'as de la chance de pouvoir encore courir. Moi, avec mes courbatures, je n'ai même plus cette possibilité.

Justine – Mais quelle comédienne ! Je te rappelle qu'on a deux heures de gym, maintenant. Tu comptes sécher ?

Léa – Non, j'ai ma petite idée.

Effectivement, la sorcière avait une idée. Et je dois avouer que lorsque, au bout d'un tour de cour, je l'ai vue s'effondrer au sol, j'ai vraiment cru qu'elle s'était foulé la cheville. Il faut dire qu'il y avait de quoi se laisser duper. Léa nous a fait le numéro de la fille qui surmonte sa souffrance envers et contre tout, et cherche à se relever dignement. Mme Pivert, la prof, s'est précipitée pour l'aider.

La prof – Doucement, Léa. Surtout, ne posez pas votre pied gauche. Je vous accompagne à l'infirmerie.

Et comme je la regardais s'éloigner, Léa s'est retournée discrètement et m'a fait la grimace la plus infantile du monde. Mais elle a quel âge ???

La prof – Continuez à courir vous autres, je reviens.

Il ne faut pas qu'elle rêve, non plus. J'ai beau ne pas être allergique au sport comme certaines, je ne vais pas courir si je ne suis pas notée. Je me suis assise par terre pour attendre son retour.

Ninon, une fille de ma classe, m'a rejointe.

Ninon – Elle a l'air de s'être fait mal, Léa...

Le surnom de Ninon depuis la sixième est Radio langue de vipère, aussi vous comprendrez que je ne la mette pas dans la confidence.

Justine – Oui, ça a l'air sérieux.

Ninon – C'est pas de chance de se blesser à la première minute du cours de gym, le jour de la rentrée.

Justine – Non, c'est pas de chance.

Je ne suis pas trop géniale dans le rôle de l'écho ?

Ninon – L'avantage pour Léa, c'est qu'elle loupe deux heures de gym et qu'elle va se reposer à l'infirmerie, chez sa grande copine Louise. Ça ne doit pas trop lui déplaire.

Qu'est-ce que je disais à propos de cette fille ! Elle mérite vraiment son surnom.

J'ai tenté une diversion.

Justine – T'as passé de bonnes vacances ?

Ninon – Ouais, pas mal. T'es au courant pour Michael ?

Quoi encore ? Il est bisexuel avec toutefois une attirance particulière pour les chèvres d'alpage ? Il fait du racket de compotes de poires dans une maison de retraite ? Il est parti vivre avec la prof d'anglais dans un ashram au Tibet ? Qu'est-ce que Ninon allait colporter comme rumeur ?

Ninon – Il a été viré.

Justine – Non !!! T'es sûre ? Comment tu sais ça ?

Ninon – Par Lola. Les parents de Michael ont appelé sa mère parce qu'elle est parent délégué. Ils ont reçu la lettre de renvoi pendant les vacances. Ils sont à l'accueil. Le proviseur tarde à les recevoir. Michael est avec eux.

Justine – Mais pourquoi il a été renvoyé ?

Ninon a ménagé son effet.

Après avoir soupiré, elle a murmuré en baissant les yeux, façon Laurence Ferrari annonçant au journal de vingt heures que le serial killer de Pouilly-en-Auxois est un bon père de famille, directeur d'école et pompier bénévole :

Ninon – Les petites cuillères, c'était lui.

Si je n'avais pas été assise, j'aurais dégringolé par terre. Quoi, encore cette histoire ?

Je vous explique...

Au mois de février, l'an dernier, la CPE est passée d'un air grave dans les classes annoncer que tout élève surpris en possession de petites cuillères de la cantine serait sévèrement puni. On est tous tombés des nues. On ne savait pas que quelqu'un s'amusait à voler des couverts.

La psychose de la petite cuillère a continué. Quelques jours plus tard, un commando de surveillance a été mis en place. On ne pouvait plus prendre de couverts à la cantine sans avoir trois paires d'yeux braqués sur nos mains. Lorsque les adultes transforment un léger problème en question de principe, les choses deviennent absurdes. Du coup, les élèves ont cherché à ridiculiser l'action de la direction.

Des slogans ont commencé à circuler : « Une petite cuillère, sinon rien... Une petite cuillère, parce que je le vaux bien » ou encore « Lycée Colette, le numéro 1 de la petite cuillère en France ». Une élève de terminale option arts plastiques a fait ses planches pour le dossier du bac sur l'évolution des couverts au cours des siècles. Son dessin de petite cuillère stylisée était si beau que sa classe a décidé de le scanner et de l'imprimer sur des tee-shirts. Début mai, c'est devenu un commerce. Les terminales vendaient, à la sortie du lycée, des tee-shirts en trois tailles dans deux couleurs différentes. Un succès !!! Avec l'argent gagné, ils ont organisé une soirée spoon wave. Chacun devait venir avec une petite cuillère qu'il mettait dans un grand bac situé à l'entrée. Elles ont été déversées devant la cantine le lundi matin.

Cette initiative en a appelé d'autres. Une élève de première L a écrit *Le Monologue de la petite cuillère* et certains passages ont été tagués sur les murs extérieurs de l'établissement. Bref la spoon attitude a déferlé sur le lycée et a donné lieu chaque semaine à un happening.

Le bac et les vacances sont arrivés, on est passés à autre chose.

Mais le maniaque de la petite cuillère a de nouveau frappé à la rentrée. La répression n'a pas tardé. Deux semaines avant les vacances de la Toussaint, la CPE flanquée de deux surveillants « maton » a fait une descente dans toutes les classes avec pour seul message : tout élève pris en possession d'une petite cuillère de la cantine sera renvoyé sur-le-champ. Et ils nous ont distribué le nouveau règlement du lycée avec une procédure expresse d'exclusion en cas de subtilisation de couverts. Cette fois personne n'a ri. On a senti que la situation n'avait plus rien du gag et que ça allait saigner pour celui ou celle qui s'amuserait à défier l'autorité.

Alors apprendre ce matin que ce Che Guevara de la cuillère, ce Robespierre du couvert, n'était autre que mon copain Michael, ça m'a sciée. Certes, il avait déjà été inquiété pour antisèche dissimulée dans son portable, imitation de la baleine en rut durant le cours de maths et fausses excuses d'enterrement les jours de contrôles (à ce jour et à ma connaissance, Michael a enterré depuis la sixième trois grands-mères, deux oncles et une cousine) mais s'il avait joué un rôle quelconque dans l'affaire des petites cuillères, je l'aurais su.

Justine – Comment ils savent que c'est lui ?

Ninon – Il paraît que la veille des vacances, ils l'ont chopé à la sortie avec cinq petites cuillères dans son sac. Il a juré qu'il ne les avait pas volées.

Justine – Peut-être que c'est vrai. Quelqu'un a pu les glisser dans ses affaires.

Ninon – Et la pièce sous ton oreiller quand tu perds une dent, tu crois encore que c'est la petite souris ? Sois réaliste Justine, ça ressemble à Michael cette histoire. Il s'est fait prendre, c'est dommage, seulement il était prévenu.

C'est dingue, plus je parle avec Ninon, plus j'aime Ingrid. Elle est peut-être très agaçante mais au moins elle a du cœur alors que celle-ci...

Comme la prof de gym ne revenait pas de l'infirmerie, j'ai décidé d'aller à l'accueil voir Michael. Il avait certainement besoin d'un peu de réconfort.

Je l'ai trouvé, assis sur l'horrible canapé en skaï noir, coincé entre son père et sa mère. Deux yuccas rachitiques tendaient leurs feuilles jaunies vers eux. Quand il m'a aperçue, il s'est levé d'un bond avec un large sourire mais ses parents l'ont tiré chacun d'un côté par un bras pour qu'il se rasseye. Malgré le regard noir de son père, je me suis avancée.

Justine – Bonjour monsieur, bonjour madame.

J'ai eu droit à un hochement de tête militaire et à un sourire crispé qui en disait long sur leur désir de me voir rester près de leur fils.

Justine – Ça va Michael ?

Michael – J'ai connu mieux.

Justine – Alors, ils t'accusent d'être le serial spooner ?

Michael – Oui mais je ne suis pour rien dans cette affaire. Je me suis piégé tout seul.

Justine – Je peux faire quelque chose pour toi ?

Michael – Je ne crois pas.

Justine – Tu m'appelles si vous avez réussi à voir le proviseur ?

Michael – Oui...

Et baissant la voix :

Michael – Si mon père ne m'a pas massacré avant.

Je lui ai souri...

La prof de gym avait repris son poste lorsque je suis revenue dans la cour. Je me suis mêlée à un groupe au moment où elle tournait la tête et j'ai couru avec les autres. Ni vu ni connu, je t'embrouille ! Ninon s'est arrangée pour se retrouver à mes côtés.

Ninon – Tu l'as vu ? Il est dans quel état ?

C'est une interview pour *50 minutes inside* ?

Justine – Il est avec ses parents à l'accueil.

Oui, d'accord, elle le sait déjà. C'est même elle qui m'a donné l'info mais je le fais exprès. Je n'ai pas l'intention de participer à son entreprise de commérage.

Comme je craignais d'en dire plus que je ne le souhaitais, j'ai accéléré progressivement. Il ne m'a pas fallu plus d'un tour de cour pour épuiser Ninon. La prof, ravie de voir une de ses élèves prendre au sérieux le travail d'endurance, m'a félicitée.

Ce qui est formidable dans la course à pied, c'est que si les jambes et le cœur travaillent à plein régime, ils laissent à l'esprit le loisir de gambader. Et là, mon esprit a sacrément gambadé.

Que voulait dire Michael par « Je ne suis pour rien dans cette affaire, je me suis piégé tout seul » ?

S'il était innocent, allions-nous le laisser condamner sans intervenir ? Les élèves ne sont-ils que des pions sur un échiquier où les rois et les fous ont tout le pouvoir ?

Comme la prof nous a lâchés dix minutes avant la sonnerie pour qu'on ait le temps de se rhabiller, je me suis précipitée à l'infirmerie pour récupérer mon éclopée et lui raconter ce que j'avais appris.

Léa était assise dans un fauteuil et tirait les cartes à Louise quand je suis entrée.

Justine – Sympa l'ambiance boule de cristal !

Louise – Bonjour Justine.

Justine – Bonjour Louise.

Au lycée, il y a deux infirmières qui travaillent à mi-temps. Lorsque tu entres dans ce lieu, tu as deux possibilités : le bagne ou le paradis.

Si c'est le jour de Mme Sabot (eh oui, c'est son nom !), tu reçois un accueil glacial qui te donne la nette sensation que si tu demandes de l'aide, tu le paieras très cher. La majorité des élèves ne passent jamais le seuil de la porte quand ils savent qu'elle est là. Quand c'est le jour de Louise, il en va autrement. Elle a toujours sa bouilloire branchée et écoute avec attention ce qui te pose problème. Si elle est vraiment gentille, il ne faut pas croire pour autant qu'elle est stupide. Elle détecte les faux symptômes plus vite que son ombre et renvoie les comédiens au bout de cinq minutes. Seule exception : Léa !

La sorcière a tous les droits du moment qu'elle tire les cartes à Louise. Il faut dire qu'elle lui a annoncé la naissance de son fils au mois près, alors que le médecin parlait de stérilité. Et qu'elle l'a prévenue d'un problème sur un contrat que son mari devait signer. Du coup, Louise a demandé conseil à un avocat. Bien lui en a pris, il y avait une clause écrite en caractères minuscules qui aurait provoqué une véritable catastrophe professionnelle. Vous comprenez pourquoi, depuis, ma meilleure amie peut considérer l'infirmerie « les jours Louise » comme sa deuxième maison.

Justine – Comment tu savais que c'était pas Sabot ce matin ?

Léa – J'ai vérifié en arrivant.

Louise – Tu veux un thé, Justine ?

Justine – Oui, je veux bien.

Louise – Alors ces vacances ?

Justine – Pas mal mais trop courtes comme toutes les vacances.

Louise – Il paraît que vous avez travaillé le 1er novembre pour la fleuriste près de l'église ? Si j'avais su, je serais passée vous soutenir.

Justine – Tu ne nous aurais pas trouvées... On est parties plus tôt que prévu, Léa m'a proposé une activité de papy-sitting. Moins bien payé quoique plus sympa.

Léa a ajouté, tout en continuant à battre ses tarots de divination :

Léa – Ah oui, j'ai oublié de te raconter, Louise. C'est sans importance.

C'est bien ma meilleure amie, ça, ne jamais parler de ses bonnes actions. D'ailleurs, sa grande théorie est « Si on dit le bien qu'on a fait à autrui, le bénéfice est pour soi et il n'y a pas de quoi se vanter ».

Justine – Sans importance, tu exagères. Il faut que tu saches, Louise, que la sorcière a encore frappé : elle a sauvé un grand-père du désespoir.

Léa – Je n'étais pas seule. On était cinq, je te rappelle !

Justine – Sans toi, on n'aurait rien fait.

Léa – Sans les autres, on ne fait jamais rien. L'injustice se combat à plusieurs.

Justine – À propos d'injustice, vous êtes au courant pour Michael ?

Louise – Quel Michael ?

Justine – Michael Monet, le rigolo qui est dans ma classe.

Léa – Qu'est-ce qui lui arrive ?

Justine – Il a été renvoyé, on l'accuse d'être le serial voleur de petites cuillères.

Léa – Incroyable ! Alors c'était lui...

Louise – Il n'est pas le seul à en voler parce que je me souviens du jour où la CPE était folle furieuse parce que des petites cuillères avaient disparu à la cantine.

Léa – Et en quoi cela prouve son innocence cette fois-là ?

Louise – C'était un mardi et Michael était arrivé à la pause de dix heures avec une fièvre de cheval. Comme je n'arrivais pas à joindre ses parents, il a dormi à l'infirmerie toute la journée.

Justine – Donc, il dit peut-être vrai quand il jure qu'il ne les a pas volées.

Louise – C'est possible.

Léa n'a rien ajouté mais j'ai bien vu qu'elle tirait les cartes en se concentrant sur un visage imaginaire. Avec Louise, on a attendu dans un silence d'initiées.

Léa – C'est lui et c'est pas lui.

Justine – T'as pas plus clair comme verdict ?

Léa – Non ! En tout cas, il est injustement accusé aujourd'hui.

Louise – Si la dernière fois il n'était pas coupable et qu'il ne l'est pas aujourd'hui, il y a peut-être de l'erreur judiciaire dans l'air.

Justine – Qu'est-ce qu'on peut faire ?

Léa – Lui demander sa version des faits et l'observer. Si je l'ai en face de moi, je saurai s'il dit ou non la vérité.

J'ai renoncé à l'Earl Grey de Louise et on a foncé à l'accueil.

Justine – Je te préviens, ses parents ne laissent personne l'approcher. Ils ont fait une sale tête quand je lui ai parlé tout à l'heure.

Léa – Alors tu restes à l'entrée, j'y vais seule.

Je me suis cachée derrière le panneau d'absence des profs pour observer la confrontation. J'étais curieuse de voir comment la sorcière allait s'y prendre pour forcer le barrage des deux cerbères. C'est pas vrai! Incroyable! Mais qu'est-ce qu'elle leur a dit? Léa, après avoir prononcé deux phrases tout au plus, s'était vu proposer la place du père sur l'affreux canapé. Et là, elle discutait tranquillement avec Michael sous le regard bienveillant de ses parents. La cloche n'avait pas encore sonné quand ma meilleure amie s'est levée et m'a rejointe.

Justine – C'était quoi ton secret pour convaincre les parents de Michael?

Léa – Pas le temps, Justine. Il faut agir vite.

Justine – Comment?

Léa – Je ne sais pas, ce dont je suis sûre c'est que Michael est innocent.

Justine – Qu'est-ce qu'on peut faire pour lui?

Léa – Il faut trouver le moyen de parler au proviseur.

Justine – En short avec une bouée à tête de canard?

Léa – Quoi?

Justine – Tu te souviens de la fameuse histoire de mon père et de son copain Vincent à la fac : « Sous l'université, la plage! » Tu veux un remake?

Léa m'a regardée en plissant les yeux.

Ouh là aux abris... Dans trois minutes, tempête d'idées de sorcière.

Léa – Il faut empêcher les élèves de remonter en cours à la sonnerie. Assemblée générale immédiate, préavis de grève et ¡Hasta la revolución, siempre !

Qu'est-ce que je disais !

Léa

Je ne sais plus lequel d'entre vous m'a demandé qui était le Che. Lisez ce que j'ai trouvé sur Internet. C'est passionnant !

Nom et prénom : Guevara Ernesto.

Surnoms : Le Che, Che Guevara.

Dates : Né le 14 juin 1928 à Rosario de Santa Fé en Argentine. Mort le 9 octobre 1967 à La Higuera, en Bolivie, sous les balles de l'armée bolivienne.

Parcours politique : Étudiant en médecine argentin, il voyage à travers l'Amérique latine et découvre la grande pauvreté dans laquelle vit la majorité de la population. Il conclut que seule une révolution marxiste peut abolir ces inégalités socio-économiques. Après un séjour au Guatemala, il rejoint le mouvement révolutionnaire dirigé par le cubain Fidel Castro, qui concourt au renversement du dictateur Batista à Cuba en 1959. Après avoir collaboré au nouveau gouvernement de La Havane et écrit divers ouvrages, Guevara quitte Cuba pour le Congo puis la Bolivie, où il tente de propager la révolution. Il est arrêté par l'armée bolivienne et exécuté en octobre 1967.

Aujourd'hui il est à la fois une icône, un modèle pour certains, un personnage controversé pour des historiens et… un motif de tee-shirt.

Aujourd'hui, 21h44 · J'aime · Commenter

Thibault aime ça.

Léa – Je demande aux garçons de bloquer les escaliers et toi, tu préviens le plus de monde possible. Organisons une chaîne. Chaque élève averti doit à son tour avertir au moins trois élèves. Commence par Ingrid, elle dispose d'un réseau de pestes qui cancanent plus vite que leur ombre. Il nous reste sept minutes avant la sonnerie, c'est très court mais jouable. Top chrono...

Ce que j'adore avec Léa, c'est qu'elle est capable d'organiser une révolution en moins de deux et de changer le cours de l'histoire. Enfin, le cours de l'histoire du lycée Colette.

Au lieu de vous raconter les minutes qui ont suivi, j'aimerais pouvoir vous projeter la scène du film.

Gros plan en accéléré : Moi-Ingrid blablabla.

Je marche à toute allure.

Gros plan en accéléré : Moi-Ninon blablabla.

Je marche à toute allure.

Gros plan en accéléré : Moi-Brice blablabla.

Ce plan répété vingt fois de suite puis soudain la cour du lycée vue du ciel. Et là, des dizaines d'élèves se déplaçant comme des automates et se penchant vers leurs camarades pour délivrer l'information.

La cloche a sonné. Durant quelques dixièmes de seconde, l'agitation a cessé. Puis certains élèves se sont dirigés vers les escaliers pour remonter en cours.

Ben, où ils vont ?

Justine – Paul, tu fais quoi ?

Paul – Je vais en physique.

Justine – T'es au courant pour Michael ?

Paul – Oui, mais j'ai pas envie de payer pour ses conneries.

Justine – Il est innocent. La direction l'accuse à tort.

Paul – Ah bon ? Ninon vient de me dire qu'il a été attrapé avant les vacances avec cinq petites cuillères dans son sac.

Oh la briseuse de grève.

Justine – C'est pas lui qui les y a mises.

Paul – Bien sûr que si. Tu connais Michael, il adore ce genre de plan. Seulement cette fois ça ne passera pas. Avec le nouveau règlement et le bac à la fin de l'année, c'est pas le moment de chatouiller la CPE.

Des élèves qui s'étaient approchés pour écouter Paul lui ont donné raison.

Paul – Désolé, Justine, c'est pas contre toi mais moi, je remonte en cours.

Hugo – Ouais, moi aussi.

Camille – Moi aussi.

Margaux – Moi aussi.

Des dizaines de moi aussi...

Je comprends maintenant pourquoi on a attendu 1789 pour que les Français se décident à organiser une révolution. Le temps qu'ils réalisent qu'ils étaient opprimés, affamés, injustement traités, il leur a fallu dix-huit siècles. Ça en fait des années scolaires...

Je me préparais mentalement à un changement définitif de nationalité lorsque j'ai entendu une voix familière hurler :

– Aujourd'hui Michael et demain, ça sera n'importe lequel d'entre nous ! Allons-nous laisser l'un des nôtres être renvoyé injustement ?

Léa la rouge ! Léa des Bois ! Léa sur son cheval noir qui signe d'un grand L qui veut dire Léa...

Paul – Cinq petites cuillères piquées à la cantine après les avertissements de la direction, c'est une raison suffisante pour être renvoyé. Je ne vois pas où est l'injustice.

Léa – On a la preuve que ce n'était pas lui.

Ah bon, elle a une preuve ? Tout à l'heure, c'était juste une intime conviction.

Léa – Donnez-moi les moyens de parler au proviseur et vous verrez...

Comme Paul, désormais représentant des jaunes, semblait hésiter, Léa a porté l'estocade finale.

Léa – Je vous demande une heure de votre temps pour éviter une injustice qui pourrait bousiller la vie d'un de vos copains de classe.

– Moi, je te suis Léa. Parce que tu ne te trompes jamais sur les gens et que si tu t'engages, c'est que tu sais ce que tu fais.

Je rêve ou c'est Ingrid qui a parlé... Mais elle va finir par devenir une vraie amie. On va être obligé de « caster » quelqu'un d'autre pour le personnage de la peste si elle continue à être aussi sympa.

Léa – Merci Ingrid pour ta confiance, ça me touche beaucoup.

Ingrid – Il n'y a pas de quoi. Même si vous n'avez jamais su m'apprécier à ma juste valeur à cause de mon physique, je vous pardonne. Vous saurez maintenant que l'amie ne fait pas le moine.

Erratum : on ne va pas modifier tout de suite le casting. On va peut-être la garder, elle a du potentiel.

Thibault et Nicolas, qui avaient quitté leur poste de vigile dans les escaliers et nous avaient rejoints, ont fini de convaincre la foule.

Nicolas – Moi aussi, je te suis Léa. Je te connais depuis un bail et t'es pas le genre de meuf à entraîner les autres dans un plan foireux.

Thibault – Tu peux compter sur moi. Je te connais depuis peu mais j'ai déjà eu l'occasion de voir à quel point tu es une fille formidable.

Oui, bon ça va. Léa est formidable mais c'est pas une raison pour lui faire une déclaration enflammée. Je rappelle que c'est moi qui l'ai branchée sur le dossier Michael. J'ai été la première à adhérer au comité de soutien à une époque où Léa buvait encore du Earl Grey avec Louise. Je passerai d'ailleurs sous silence les raisons fallacieuses qui l'ont menée à l'infirmerie.

Non, je ne suis pas mesquine... Je rétablis la vérité.

Léa – Merci à tous les deux. Mais avant de voter ou non la grève générale, je voudrais rendre justice à Justine. C'est elle qui la première s'est mobilisée en faveur de Michael et sans elle, je ne serais pas ici pour vous convaincre d'agir.

Je dois avouer que c'est parfois un peu pénible de vivre à côté d'une si belle âme.

Paul – Écoute, Léa, tu es effectivement une fille plutôt mesurée alors je veux bien t'écouter mais je te préviens, je ne sécherai pas les cours plus d'une heure. Qu'est-ce que tu proposes ?

Léa – Je pense qu'il faut voter la grève générale sans préavis, avec pour motif le renvoi injustifié d'un de nos camarades. Deux d'entre nous seront choisis pour représenter les élèves. Ils iront annoncer la grève à la CPE et exigeront une entrevue avec le proviseur.

Paul – On ne risque pas l'exclusion, nous aussi, en restant dans la cour ?

Léa – Je les vois mal renvoyer l'ensemble des élèves. De plus, les responsables de cet établissement ne peuvent pas nous faire la leçon avec le droit, la justice, la démocratie et refuser de nous laisser la parole pour prendre la défense d'un de nos camarades. Nous allons procéder au vote à main levée. Les délégués de chaque classe compteront le nombre de grévistes.

Un vrai succès !!! Je n'annoncerai pas l'unanimité parce qu'il y a évidemment eu quelques fayots qui sont remontés en cours. Léa a été choisie comme représentante des élèves et Thibault s'est proposé pour l'accompagner. Il est évident que son allure de garçon bien élevé allait faire un malheur.

Oh ce qu'il est beau en sauveur du peuple... Ça y est, je retombe dingue amoureuse, j'ai de l'électricité jusque dans les pieds juste en le regardant.

En fait, Léa et Thibault n'ont pas eu le temps de jouer les ambassadeurs car la CPE, flanquée de ses deux surveillants favoris, a débarqué dans la cour avec son air des mauvais jours.

Il faut avouer que moins de quinze élèves en classe dix minutes après la sonnerie, ça faisait désordre. Léa s'est avancée vers elle avec sa détermination habituelle.

Léa – Bonjour madame Poulard, nous vous cherchions justement.

La CPE – Pourquoi n'êtes-vous pas en cours alors que vos professeurs vous attendent depuis plus de dix minutes ?

Léa – La grève générale a été votée par la presque totalité des élèves du lycée !

La CPE – C'est une plaisanterie, j'espère?

Léa – Non madame, sauf le respect que je vous dois...

Je ne sais pas comment Léa a résisté au regard assassin de Mme Poulard, mais elle n'a pas cillé.

La CPE – Vous êtes-vous chargée personnellement de l'organisation de cette... de cette rébellion?

Léa – Oui, madame.

La CPE – Avez-vous idée, mademoiselle Flavigny, de ce que vous risquez à cause de ce comportement irresponsable?

Léa – J'espère la reconnaissance de la direction, madame. Elle me saura gré de lui éviter une injustice. Michael n'est pas coupable.

Mme Poulard a viré au cramoisi et a émis un rire de psychopathe au moment où il découpe l'héroïne façon volaille dans les films d'horreur. Je dois avouer que si j'avais été à la place de Léa, j'aurais immédiatement demandé pardon à genoux. Mais ma meilleure amie est restée de marbre devant la menace de mise à mort qui planait sur elle. Nicolas qui a senti Léa en danger est intervenu.

Nicolas – Contrairement à ce que Léa dit pour nous protéger, elle n'a pas organisé seule cette grève. Je l'ai aidée.

Thibault – Même chose pour moi.

La CPE – Vous aussi monsieur de l'Amétrine? Quelle déception pour votre père qui aime tant l'ordre.

Allez, courage Justine, dénonce-toi aussi. Si tu ne regardes pas la Poulard au moment où tu parles, tes genoux ne joueront pas des castagnettes.

Justine – Moi également.

Tu vois, ce n'était pas si difficile. Bon, la voix de souris aphone est à revoir, sinon le message était clair.

La CPE – Bien, suivez-moi tous les quatre dans le bureau de monsieur le proviseur. Puisque vous avez tant de compassion pour votre ami Michael, vous partagerez son sort.

Ingrid – Alors je viens aussi.

Bien qu'Ingrid ait prononcé cette phrase d'un ton mélodramatique, j'ai été touchée.

La CPE – Je vous en prie, mademoiselle. S'il y a d'autres volontaires pour un renvoi, il y a encore de la place.

Paul – Je vous accompagne.

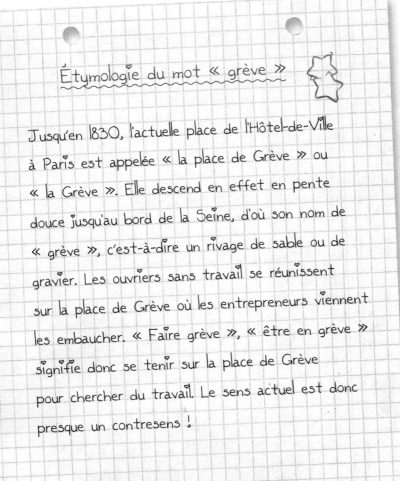

Étymologie du mot « grève »

Jusqu'en 1830, l'actuelle place de l'Hôtel-de-Ville à Paris est appelée « la place de Grève » ou « la Grève ». Elle descend en effet en pente douce jusqu'au bord de la Seine, d'où son nom de « grève », c'est-à-dire un rivage de sable ou de gravier. Les ouvriers sans travail se réunissent sur la place de Grève où les entrepreneurs viennent les embaucher. « Faire grève », « être en grève » signifie donc se tenir sur la place de Grève pour chercher du travail. Le sens actuel est donc presque un contresens !

Je ne sais pas si le courage est contagieux mais la CPE s'est retrouvée en très peu de temps avec une cinquantaine de candidats. On l'a sentie dépassée par la situation. Elle s'est raclé la gorge plusieurs fois avant de déclarer :

La CPE – Mademoiselle Flavigny, suivez-moi immédiatement, quant aux autres, je vous conseille de regagner vos salles de cours.

Personne n'a bougé. Lorsqu'un peuple n'obéit plus au tyran, celui-ci n'est plus qu'un être solitaire qui donne des ordres au vent. Mme Poulard a compris qu'elle était en perte de crédibilité mais elle n'a rien trouvé à dire. C'est Léa qui lui a sauvé la mise.

Léa – Madame Poulard, nous souhaiterions, Thibault de l'Amétrine et moi-même, en tant que représentants des élèves de ce lycée, avoir une entrevue avec le proviseur. Il n'est pas question de continuer à paralyser la bonne marche de l'établissement et il nous suffira d'à peine dix minutes pour lever le doute sur cet affreux malentendu. Nos camarades nous attendront dans la cour, nous n'allons pas envahir le bureau de monsieur le proviseur, n'est-ce pas ?

Je crois que si Mme Poulard avait eu la possibilité de dire ce qu'elle pensait, nous aurions entendu un truc du genre : « Foutez-moi ce tas de salopards au trou, après une semaine de pain sec et d'eau croupie, ils feront moins les marioles. » Mais elle est la CPE très BCBG d'un établissement scolaire du second degré et pas colonel d'un détachement de parachutistes, alors elle s'est contentée de répondre :

La CPE – J'allais vous en intimer l'ordre.

Léa lui a souri et l'a suivie.

Certains profs qui nous avaient attendus dans les classes étaient descendus et s'informaient des raisons de la grève. Ma prof de philo s'est approchée de moi.

Mme Pouméroulie – Il paraît que vous vous mobilisez contre une injustice?

Justine – Oui, madame, Michael Monet est accusé à tort du vol des petites cuillères.

Mme Pouméroulie – Et vous avez des arguments sérieux à opposer à la direction pour sauver la tête de ce jeune rebelle?

Justine – Oui, mais la partie risque d'être rude.

Mme Pouméroulie – Parfait.

Justine – Parfait???

Mme Pouméroulie – Parfait pour illustrer mon prochain cours sur le pouvoir et la liberté.

Est-ce que les profs sont obligés de toujours percevoir le monde à travers le programme scolaire? Tout n'est-il donc qu'un prétexte à exercice?

Le cas Michael ne serait que l'occasion de calculer des pourcentages, de rappeler des événements historiques ou de traduire en anglais ou en espagnol nos revendications?

Il était onze heures moins le quart et la cour avait pris un air de fin d'année même si les blousons et les manteaux rappelaient qu'on était en novembre. Les élèves s'étaient assis par terre, boissons et gâteaux à la main. Certains partageaient le même iPod, une oreillette chacun, les têtes collées comme des frères siamois.

Moi, j'attendais, l'angoisse au ventre, le retour de Léa et de Thibault. Je me sentais responsable de tout ce bazar. Alors que j'avais arrêté depuis au moins six mois, j'ai recommencé à me ronger les ongles.

– T'as l'air stressée Justine !

Arghhhh !!! Brice... le premier de la classe, le chouchou des profs, l'obéissance faite élève. La seule personne avec laquelle je n'ai pas envie de discuter. Il va me démontrer en trois secondes que cette grève est une erreur monumentale, qu'on a été manipulés par Michael et que ma meilleure amie et mon sauveur de rebelle seront renvoyés par ma faute.

Mais d'ailleurs, qu'est-ce qu'il fait là avec nous ? Je l'imaginais seul en classe avec Mme Michals parlant physique quantique.

Brice – Tu es inquiète pour Michael ?

Ah bon, ce garçon sait qu'il existe des sentiments humains comme l'inquiétude ou l'angoisse ?

Justine – À vrai dire, c'est surtout pour Léa et Thibault que je suis inquiète. Je me demande ce qui va leur arriver chez le proviseur et je me sens responsable.

Brice – Tout se passera bien, j'en suis certain.

Que se passe-t-il aujourd'hui ? Tout le monde change de rôle ? Ingrid devient une fille sur laquelle on peut compter, Brice un super copain.

C'est peut-être une banalité mais, en fait, tous les êtres humains gagnent à être connus. On est plein de préjugés sur les gens et il nous suffit parfois d'un détail pour bâtir un personnage imaginaire qui n'a rien à voir avec la réalité. Un peu comme si l'autre n'était qu'un portemanteau sur lequel on accroche nos fausses croyances.

Brice – Tu veux que je reste avec toi jusqu'à ce qu'ils reviennent ?

Non, là, je n'avais pas accroché mes fausses croyances sur son portemanteau, j'avais affaire à un faux Brice. Jamais le vrai Brice ne ferait une proposition pareille.

Brice – Je vais nous chercher un truc à boire, d'accord ?

Justine – Ouais, c'est sympa.

Bon, j'arrête mes commentaires parce qu'il a été décidé aujourd'hui de me donner tort systématiquement. Alors à partir de maintenant j'accepte l'idée qu'Ingrid est la fille spirituelle de Gandhi et que Brice a repris le flambeau de Coluche pour les Restos du Cœur. Ça va comme ça ?

Brice est revenu cinq minutes plus tard, avec un thé citron pour moi et un chocolat chaud pour lui.

Justine – Ah super, un thé.

Brice – Oui, c'est ce que tu prends toujours à la pause de dix heures, non ?

Justine – Parce que tu regardes ce qu'il y a dans mon gobelet ?

Les joues de Brice ont légèrement rougi.

Attends, j'ai un gros doute là. Le fayot de la classe ne serait quand même pas un amoureux transi ? Oh la honte. Être aimée en secret par lui, c'est carrément un handicap. Je retire tout ce que j'ai dit sur les gens qui gagnent à être connus. Ce genre d'argument est juste bon pour des articles de *Grazia*.

Brice – Oui, toi et Léa vous buvez du thé, Nicolas du Coca, Thibault du café, Ingrid de l'eau minérale, Ninon du chocolat, Michael du Fanta, Juliette du thé...

Je l'ai regardé, stupéfaite.

Brice – Margaux du café, Hugo du chocolat, Ketty du Coca light...

Là, j'ai craqué.

Justine – Tu réalises une enquête sur les habitudes alimentaires des ados au lycée ?

Brice – Non, c'est pour mes statistiques personnelles.

Justine – Ah... Et tu en as beaucoup des comme ça ?

Brice – Oui. Par exemple, les marques de chaussures choisies. Justine Converse, Léa Doc Martens, Nicolas Nike, Thibault...

Mais ce type est complètement fou. Je n'ai pas eu le temps de lui demander à quoi lui servaient ces informations, quelqu'un a hurlé :

– Léa et Thibault reviennent !

Je me suis levée d'un bond et j'ai couru les rejoindre. Je n'ai pas été la seule. Il y a bientôt eu autour d'eux une foule considérable d'élèves. Léa a pris la parole.

Léa – Michael a été innocenté pour le vol des petites cuillères de la cantine.

Elle n'a pas pu continuer, un groupe de garçons a commencé à scander « On est les champions, on est les champions ! », aussitôt relayé par un élégant « Et hop, dans le cul la balayette ! » N'importe quoi.

Ma meilleure amie a exigé le silence.

Léa – La direction m'a chargée de vous informer que si Michael n'a pas volé les petites cuillères de la cantine, il a quand même contribué à l'erreur de jugement de la direction. Je vous lis le communiqué du proviseur : « Voulant créer un "événement", Michael reconnaît avoir volontairement apporté cinq petites cuillères de chez lui et avoir eu durant le repas à la cantine une attitude équivoque faisant croire aux surveillants qu'il était le voleur. Dans la mesure où c'était la dernière heure de cours avant les vacances, la direction a envoyé son courrier sans laisser à Michael la possibilité de justifier son geste. L'élève réintègre ce jour le lycée Colette et le renvoi ne sera pas mentionné dans son livret scolaire. À charge pour lui de ne plus donner aucun motif de plainte jusqu'en juin prochain. »

Des hou hou ont retenti. Léa les a immédiatement arrêtés.

Léa – La direction a reconnu son erreur, notre camarade aussi, il serait idiot d'envenimer la situation.

Un élève a crié :

– Mais comment il a prouvé que les petites cuillères n'étaient pas celles de la cantine?

Léa – Thibault va vous l'expliquer.

Mon sauveur a pris la parole.

Thibault – Ses cuillères avaient sur le manche un triangle minuscule qui est le symbole de la marque. Sans cela, nous n'aurions jamais pu prouver son innocence.

Léa – Avant de remonter dans nos classes, je voudrais vous dire deux choses. La première c'est que le proviseur souhaite que cette mésaventure nous serve de leçon et que le ou les subtilisateurs de petites cuillères cessent leur jeu. La seconde, c'est que je vous remercie de m'avoir fait confiance. Ensemble, nous avons réussi.

Il y a eu des hourras et des bravos. Je dois avouer qu'une petite larme a coulé sur ma joue gauche. Quelqu'un m'a tendu un Kleenex. Je me suis retournée. Brice...

Il fait quoi, là, des statistiques sur la consommation de mouchoirs en papier?

Justine – Merci, j'ai oublié d'en prendre ce matin.

Brice – Si tu veux, je t'en donne un autre pour la journée.

Justine – Non, non ça ira.

Malgré mon refus, Brice a fouillé dans son sac pour remettre la main sur son paquet de Kleenex. Comme il ne le trouvait pas, il a sorti un classeur. Un bruit métallique s'est fait entendre. J'ai regardé ce qui était tombé sur le sol.

Une petite cuillère!!!

Est-ce que vous comprenez ce que je viens de comprendre???

Brice s'est précipité pour la ramasser et il a vérifié subrepticement que personne ne l'avait vu.

– Ça va Justine?

J'ai levé les yeux, Léa était près de moi.

Léa – T'en fais une tête! Tu viens d'apercevoir le diable en personne ou quoi?

Mon regard a croisé celui de Brice. Pendant quelques secondes, j'ai été tentée de hurler : « Léa, c'est lui le serial spooner, une petite cuillère vient de tomber de son sac et il ne doit pas avoir l'esprit tranquille parce qu'il s'est précipité pour la ramasser » mais je n'ai rien dit. J'ai attrapé Léa par le bras et j'ai prononcé d'une voix forte :

Justine – Oui, j'ai vu le diable en personne : une fille capable de fomenter une révolution en trois minutes chrono pour libérer une victime de l'Éducation nationale. Tu vas tout me raconter, hein?

Et tandis que je m'éloignais avec ma meilleure amie, je me suis retournée. Brice m'a fait le signe des scouts. Trois doigts levés et l'auriculaire plié sous le pouce.

Le grand protège le plus petit. À la vie à la mort...

Justine – Je suis un peu en retard, désolée. Il est arrivé ?

Léa – Non. Mais les garçons sont planqués à l'arrêt du bus et ils me biperont quand il descendra. On aura le temps de se préparer. Tu te sens mieux qu'hier ?

Justine – Pourquoi tu me demandes ça ?

Léa – Je ne sais pas, je t'ai trouvée un peu bizarre. Comme si quelque chose te contrariait.

Justine – Ah bon...

J'ai baissé les yeux afin que Léa ne voie pas à travers mon âme. Pour une raison inexplicable, je n'avais pas révélé à ma meilleure amie mon incroyable découverte : Brice, le génie du lycée Colette, l'élève rêvé des profs, était le serial spooner.

Léa – Dis donc Justine, tu ne me cacherais pas quelque chose ?

Justine – Non.

Léa a souri.

Léa – Un jour, je t'apprendrai à mentir !

J'essayais d'adopter l'air de la fille qui ne comprend pas de quoi l'autre parle lorsque le portable de Léa a vibré.

Léa – C'est Nicolas, tout le monde en place.

D'un geste de la main, elle a prévenu les élèves qui avaient accepté de venir un peu plus tôt ce matin afin d'accueillir Michael pour son retour au lycée. On s'est tous massés derrière l'escalier des profs.

Lorsqu'on prépare une surprise à un ami, la plus grande joie est pour celui qui l'organise. L'agitation, les fous rires, le contentement, se lisent toujours sur le visage de l'organisateur. La victime, quant à elle, a ce regard perdu de celui qui ne comprend rien à la situation et qui ne peut qu'en rire. Michael n'a pas échappé au scénario. Il a salement sursauté lorsqu'on a surgi en hurlant :

– Pour le retour de Michael, hip hip hip... Hourra !!!

Et devant nos mines hilares, il a haussé les épaules en souriant. Pour un effet réussi, c'en était un.

Il a proposé une tournée de thé-café-chocolat au distributeur. Alors qu'on se dirigeait vers les machines, j'ai senti qu'on me glissait un papier dans la main. Je me suis retournée.

Brice...

Nooon... je ne veux rien avoir à faire avec ce type ! Ce n'est pas parce que je ne l'ai pas dénoncé que je suis son amie. J'ai jeté ostensiblement sa lettre pour qu'il comprenne bien que je ne désirais entretenir aucun lien avec lui. Il l'a ramassée, l'air de rien, et a continué à marcher.

Durant tout le temps où on a trinqué à la victoire de la Vérité, le psychopathe de la petite cuillère ne m'a pas lâchée des yeux. Même de dos, je sentais son regard me transpercer de part en part.

La cloche a sonné et comme je n'ai pas pris option musique, je ne commençais qu'à dix heures. Je suis restée dans la cour. Évidemment Brice aussi. Je ne savais pas du tout comment j'allais me sortir de cette histoire. Je vous rappelle que l'obsédé de la cuillère est dans ma classe et que je suis obligée de vivre un nombre incalculable d'heures en sa présence.

Tandis que je me dirigeais vers le hall, mon livre de maths à la main, mon portable a sonné. Un numéro inconnu s'est affiché.

J'ai décroché.

Justine – Allô ?

– Justine, c'est Brice...

Le psychopathe se tenait à moins de dix mètres de moi. J'ai raccroché brusquement. Il s'est avancé.

Justine – Bon écoute, Brice, ce que tu fais de tes petites cuillères ne me regarde pas et je ne te dénoncerai pas si c'est ce que tu veux savoir.

Brice – Je le sais.

Justine – Alors pourquoi tu me colles depuis ce matin ?

Brice – Je voudrais juste partager mes expériences avec toi.

Justine – Mais moi, je ne veux rien partager. On n'était pas copains avant, on ne le sera pas maintenant.

Brice a souri d'un air louche.

Brice – Que tu le veuilles ou non, nous sommes liés désormais. Tu es la première personne à qui je parle de mes statistiques.

J'ai dégluti avec difficulté.

Brice – Je t'ai apporté ça, tu dois le lire.

Je n'ai pas osé refuser. J'ai pris la lettre. Dans un dernier sursaut, j'ai quand même réussi à dire :

Justine – Je le lirai quand j'aurai le temps.

Brice – Le plus tôt sera le mieux.

Et il est parti. Mais c'est quoi ce plan ? Je dois absolument en parler à Léa.

Non. Il faudrait que je commence à me conduire en adulte et que je règle mes problèmes seule. En plus elle part à Londres jeudi avec sa classe, si elle me sait aux mains de ce type elle va s'inquiéter.

Et puis peut-être que je stresse pour rien et que Brice, même s'il est spécial, n'est pas si méchant que ça. Je dois reconnaître que j'ai tendance à m'emballer un peu vite.

J'ai déplié la fameuse lettre.

Chère Justine,
Tu es la première personne à qui j'ai osé parler de mes statis-
tiques, tu n'imagines pas comme je suis heureux de partager avec
toi mes découvertes.
Désormais, tu sauras absolument tout, je te ferai part du moindre
de mes travaux.

Aïe aïe aïe... Non, je retire ce que j'ai dit, le cas est grave.

Je dois t'expliquer ma recherche sur les petites cuillères. Et pour
que tu comprennes l'étendue de ma contribution à l'avancée de
la science, je t'ai photocopié un article du très sérieux British
Medical Journal *repris par* Le Monde. *Lis-le avec attention, nous*
en reparlerons.

Même pas en rêve, on en reparle...

« *Trois membres d'un institut de recherche australien se sont*
penchés sur l'un des mystères les plus tenaces du monde contem-
porain : le cas des petites cuillères qui disparaissent. Tout a
commencé le jour où Megan Lim et ses collègues constatent
qu'il n'y a plus de petites cuillères dans l'un des huit espaces
détente où ils prennent habituellement le thé. Un nouveau lot
est aussitôt acheté. Il disparaît en quelques mois. En l'absence
de données publiées dans la littérature scientifique, les univer-
sitaires australiens se lancent alors dans une étude destinée à
répondre à la terrible question qui les taraude : "Mais où sont
passées ces petites cuillères ?" »

Ça pour une question existentielle, c'en est une. Il y en a qui ne savent vraiment pas quoi faire de leurs neurones.

Ils ont cherché à déterminer le taux de perte des petites cuillères, l'éventuelle différence du taux de disparition entre locaux collectifs et individuels, l'influence de la qualité de la cuillère, etc.

Juste une question. Ces scientifiques s'occupent-ils de médecine aussi ? Parce que si c'est le cas, je ne mets plus jamais les pieds dans le cabinet d'un médecin.

Après une phase dite « pilote » destinée à une évaluation de la manière dont les petites cuillères disparaissaient dans l'institut, les chercheurs ont acheté 54 cuillères en acier inoxydable et 16 autres d'un modèle plus luxueux.

Eh bien, je vais pouvoir éclairer mon père. Il demande toujours « Mais où va l'argent de nos impôts ? » Je le sais : dans l'achat de petites cuillères par des dingos de chercheurs.

Toutes ont été discrètement numérotées au moyen de vernis à ongles sur la face postérieure du manche.

Petit complément d'info : l'argent de nos impôts sert à l'achat de petites cuillères et... de vernis à ongles !

Les cuillères ont été réparties dans les huit espaces détente. Un comptage a été effectué toutes les semaines pendant deux mois. Les cuillères traînant sur les bureaux ou laissées en évidence étaient récupérées.

Pour ce boulot, ils auraient dû engager ma mère, la reine de la récupération des bols ou des verres sales sur mon bureau. Le problème avec elle, c'est qu'elle ne le fait pas en silence.

Les résultats ont révélé que 80 % des petites cuillères de l'étude ont disparu.

Tu comprends d'autant mieux, Justine, pourquoi il est fondamental que je continue à observer (quitte à mettre la main à la pâte de temps en temps) la durée de vie effective des petites cuillères au lycée.

Mais il est totalement dingo, ce type ! En plus il fausse ses statistiques en volant lui-même les petites cuillères ! À moins qu'il ne cherche à inciter les élèves à la fauche afin de pouvoir continuer ses travaux.

Bien à toi,
Brice sur lequel tu peux désormais compter à tous les moments de ta vie.

J'ai chiffonné la lettre.

Alors là, je me suis mise dans un vrai pétrin. Ce type est un obsessionnel, il est clair qu'il ne me lâchera pas. Bon, je sais ce que je vais faire : je vais lui balancer que j'ai lu son courrier et que je trouve ça totalement ridicule. Il sera vexé et il ne cherchera plus à me parler.

Mauvaise idée. On ne se moque pas d'un psychopathe quand on ne connaît pas ses réactions.

Non, le mieux serait peut-être de faire semblant de m'intéresser à ses recherches sur la vie mystérieuse des petites cuillères. Je lui accorde un moment de temps en temps, il est content et il me fiche la paix.

Oui mais si je fais mine d'apprécier son travail, il va me coller encore plus. Il va s'asseoir à côté de moi en cours, me suivre à la cantine, m'attendre le soir à la sortie. Rien que d'y penser, je stresse à mort!

Lorsque, près de deux heures plus tard, la cloche de la pause du matin a sonné, j'en étais toujours à échafauder des plans pour échapper à Brice.

– T'es restée dans le hall depuis huit heures?

J'ai poussé un hurlement. Léa a sursauté.

Léa – Je t'ai fait peur? Excuse-moi.

Justine – Non! J'étais perdue dans mes pensées et je ne t'ai pas vue arriver.

Allez tant pis, je lui raconte pour le fou, et elle me trouvera la solution.

Non. J'ai dit que je me débrouillerais seule, alors j'assume.

Léa – Justine???

Justine – Oui?

Léa – Qu'est-ce que tu cherches à m'apprendre et que tu ne veux pas m'avouer?

Pas évident d'avoir un jardin secret quand on a une sorcière pour meilleure amie.

Léa – Si tu n'as pas envie de m'en parler, tu as le droit.

Justine – Pour tout t'avouer, c'est un secret qui ne m'appartient pas mais qui me concerne. Alors je ne sais pas comment agir.

Léa – Si tu veux, je te tire les cartes ce soir. Je poserai juste la question suivante : « Comment Justine peut-elle résoudre le problème qu'elle rencontre actuellement ? » et je te livrerai des pistes de réponses.

Justine – Yes !!!!

Léa – Viens, je t'offre un Paic citron au distributeur, t'as l'air gelée. Pourquoi t'es restée dans la cour ? Tu aurais dû aller au CDI travailler.

Justine – Je sais pas.

Léa m'a observée avec un soupçon d'inquiétude dans les yeux. Je lui ai souri.

Léa – Je sens que les cartes ne suffiront pas ce soir. Il va falloir envisager une perfusion de Nutella.

Justine – Accompagnée d'une cuillerée de Coca, sans oublier trois fraises Tagada, matin, midi et soir, avant les repas.

Léa – Exact, docteur.

Quand je suis remontée en classe après la pause, Brice ne m'a même pas regardée. Si je n'avais pas eu sa lettre toute chiffonnée dans la poche de mon jean, j'aurais cru avoir rêvé. Il est resté, comme d'hab, au premier rang, à résoudre en cinq minutes chrono les équations du cent cinquantième degré du prof de maths.

Il a été totalement transparent le reste de la journée et quand, à seize heures, j'ai fini mes cours, je ne l'ai pas aperçu à la sortie. Comme quoi je m'étais inquiétée pour rien.

– Eh oh Justine !

Ah cette voix grave bourrée d'hormones mâles, il n'y a pas mieux comme antidépresseur.

Justine – Coucou Thibault... ça va ?

Thibault – Oui, à part que tu ne réponds pas quand je t'appelle.

Justine – J'ai plus de batterie sur mon portable. Qu'est-ce que tu voulais?

Thibault – Je dois vraiment l'avouer devant tout le monde?

Ce qu'il est beau quand il sourit. Je n'ai qu'une envie, me jeter sur lui pour l'embrasser mais au lycée il la joue hyper discret.

Justine – Alors, c'est quoi cette demande?

Thibault – On rentre ensemble?

Ah bon, c'est tout?

Thibault – On y va?

Justine – Où ça?

Thibault – Chez nous.

Vous avez entendu? Il a dit « chez nous ». Il n'y a plus de chez toi et de chez moi, il nous perçoit désormais dans un lieu unique, sans cloison, sans limite. Un couple, quoi.

Thibault – Eh oui, avec cette maison découpée en appartements, on a la même adresse et le même code postal!!!

Vu comme ça, c'est moins romantique.

Justine – Léa n'est pas sortie?

Thibault – Si. Elle nous rejoint tout à l'heure, elle doit d'abord passer chez elle prendre des affaires.

Justine – Alors, on attend qui là?

Thibault – Personne. Viens, on rentre en amoureux.

Yes!!! Lui et moi alone in the bus, it's so beautiful!!!

Évidemment, j'ai loupé le trottoir quand, main dans la main, on a avancé vers le terminus. Thibault m'a rattrapée d'une main ferme et m'a longuement embrassée pour me rassurer. Vous voyez la consistance d'un gâteau au miel sur une chaise longue au soleil, un dimanche du mois d'août à Tunis? Eh bien, à côté de moi, c'est une barre de métal.

Alors que les lèvres de Thibault étaient encore ventousées aux miennes, j'ai rouvert les yeux pour m'assurer que le monde autour de moi n'avait pas disparu.

Oh non... Pas lui, pas maintenant!

Adossé à l'abribus, Brice nous fixait avec attention. Je me suis redressée violemment.

Thibault – Il y a un problème?

Comme je n'arrivais pas à détacher mes yeux du voleur de cuillères, mon prince a ajouté :

Thibault – Tu veux que je te laisse?

Justine – Non, pourquoi?

Thibault – Tu regardes ailleurs quand je t'embrasse, je ne voudrais pas m'imposer.

Justine – Ce n'est pas ce que tu crois.

Thibault – Je ne crois rien Justine, je remarque. De toute façon, je dois y aller, j'ai donné rendez-vous à un copain et je serai en retard si je repasse par la maison.

Et il m'a plantée au milieu du trottoir sans que j'aie le temps de prononcer un seul mot pour me disculper. Si je ne m'étais pas retenue, je me serais mise à pleurer. Je suis montée dans le bus en me jurant que si Brice avait le culot de s'asseoir à côté de moi, je lui réglerais son compte.

Lorsque le bus a démarré, le spécialiste de la petite cuillère n'avait pas bougé. Il m'a adressé un signe discret de la main, j'ai tourné la tête ostensiblement pour qu'il comprenne que je n'étais pas son amie.

Je n'ai pas pu rentrer directement chez moi, j'ai marché un long moment pour me calmer.

Théo et ma mère étaient dans la cuisine quand je suis arrivée.

La mère – Bonjour ma chérie, la journée a été bonne?

Si elle a deux heures devant elle, je m'allonge sur le canapé et je lui réponds. Sinon, je peux faire dans le très court et le très faux et je me contente de « oui ».

En fait, lorsque les gens vous demandent comment vous allez, ce n'est pas une vraie question. Ils ne désirent pas que vous leur balanciez vos problèmes existentiels, c'est juste une formalité. Ils vous disent « Ça va? » et vous devez leur répondre : « Oui, très bien et toi? » En fait, pour aller plus vite, il faudrait pouvoir dire : « Comment vas-tu bien? » La question comprendrait la réponse et on perdrait moins de temps.

Pour en revenir à ma mère, je lui ai affirmé que ma journée avait été excellente et elle m'a crue.

Dommage.

La mère – J'ai préparé du thé, tu en veux une tasse?

Justine – Oui, s'il te plaît.

Mon petit frère a collé sa chaise contre la mienne.

Théo – Tu sais Justine, le maître nous a expliqué le trou dans la couche d'ozone aujourd'hui. C'est très grave, les humains sont en train d'abîmer la planète.

Ça y est, Théo va nous saouler. On ne pourra plus se mettre du déo sans qu'il vérifie qu'il n'y a pas de gaz propulseur.

Théo – Pour les 4x4 il faut continuer à...

J'ai écrasé le pied de Théo. Au mot 4x4, j'avais perçu le danger et je m'étais préparée à intervenir. Mon petit frère allait tous nous dénoncer et causer la disparition de notre association.

Sans compter les mesures punitives prises par mes parents s'ils apprenaient ma virée nocturne. Jamais mon père ne me pardonnerait l'attaque à la poubelle de Jean-je-ne-sais-comment.

Ingrid

Petit rappel à tous ceux qui se moquent ou rigolent quand on parle du trou dans la couche d'ozone :

➡ À quoi sert la couche d'ozone ?

La **couche d'ozone** est indispensable à la vie sur Terre : elle retient la majeure partie des **rayons ultra-violets** du soleil (ceux qui provoquent cancers de la peau, brûlures oculaires et affaiblissement généralisé du système immunitaire...). La **couche d'ozone** a été formée il y a environ deux milliards d'années et elle est renouvelée périodiquement. Aujourd'hui, l'ozone est détruit, entre autres, à cause des polluants. La planète est en danger !

Aujourd'hui, 21h44 · J'aime · Commenter

Thibault aime ça.

Nicolas Je préfère encore quand tu parles de ton nouveau vernis à ongles…

Aujourd'hui, 21h47 · J'aime

Léa Macho de base !

Aujourd'hui, 21h49 · 1 personne aime ça

Ma mère, occupée à nettoyer sa bouilloire avec du vinaigre, n'a pas perçu notre trouble. Elle a continué sa lutte contre le tartre avec un air de satisfaction qui faisait peine à voir.

Théo m'a regardée et j'ai froncé les sourcils avec une telle sévé-rité que les coins de sa bouche se sont affaissés comme lorsqu'il va pleurer. Je me suis dépêchée de changer de sujet.

Justine – T'es rentrée tôt maman ce soir.

La mère – Oui ! Je dois recevoir le type qui va s'occuper du ravalement de la maison bleue.

Justine – Comment ça un ravalement ?

La mère – Ils vont rénover la façade. Ça fait plus de vingt ans qu'elle n'a pas été ravalée. Regarde autour des fenêtres, il y a des endroits où la peinture est tout écaillée.

Justine – Et ce sera long ?

La mère – Ah oui, plusieurs semaines. Ils doivent d'abord monter les échafaudages et ensuite, je ne sais pas... Ils grattent la peinture, ils replâtrent à certains endroits. Il y a beaucoup de travail.

On a sonné à la porte.

La mère – Tiens voilà monsieur Bonseigna. Dix-sept heures pile... Ça c'est de la ponctualité !

Ma mère est allée ouvrir. Théo en a profité pour se justifier.

Théo – Je n'allais rien dire pour la boue sur les 4x4. C'était pas la peine de me faire ta tête de méchante.

Justine – Tu parles... Si je ne t'avais pas atomisé le pied, t'aurais tout balancé.

Théo – Même pas vrai.

On a entendu la voix haut perchée de ma mère dans le salon.

La mère – Je vous sers une tasse de café, monsieur Bonseigna ?

M. Bonseigna – Avec plaisir si ça ne vous dérange pas.

La mère – Pensez-vous... On s'installe dans la cuisine, on sera mieux.

Oh non... Moi qui avais envie de boire mon thé tranquille.

La mère – Je vous présente mes enfants, Justine ma fille et Théo le petit dernier. Les enfants, voici monsieur Bonseigna qui va s'occuper du ravalement de la façade de la maison bleue.

Justine – Bonjour monsieur.

Théo – Bonjour monsieur.

M. Bonseigna – Appelez-moi Aldo, ce sera plus simple.

C'est ça, Aldo. Cheveux teints noir corbeau et fausse dentition : une contrefaçon italienne de Julio Iglesias. Un vieux beau qui n'a pas su amorcer le virage du temps qui passe. Je ne vois pas qui pourrait être sensible à son charme aussi décrépit que les façades qu'il ravale.

La mère – Du sucre ?

M. Bonseigna – Oui deux, merci. Elle est belle votre maison, c'est du solide.

La mère – Elle date de la fin du XIXᵉ siècle. Elle aurait appartenu à une très jolie comtesse.

M. Bonseigna – Pas plus jolie que vous, c'est impossible !

Oh le plan drague à un euro. Qu'il est ringard le pauvre ! Il va se faire ramasser par maman en deux temps trois mouvements.

La mère – Vous êtes trop gentil !

Quoi, c'est tout ce qu'elle trouve à lui répondre ? J'ai honte pour elle. J'avais l'intention d'aller travailler dans ma chambre en attendant Léa, mais finalement je reste là.

M. Bonseigna – On ne croirait pas que vous avez des enfants si grands, vous avez l'air d'une jeune fille.

Oh non je rêve. Il ne veut pas aller chercher une mandoline, aussi, pour lui faire sa déclaration ?

Ma mère a gloussé façon ado perturbée. Je l'ai mitraillée du regard. Elle s'est arrêtée net.

La mère – Bien. Si on parlait travail ? Vous comptez venir avec combien d'ouvriers ?

M. Bonseigna – C'est un petit chantier chez vous. Je m'en occuperai avec Enzo, mon neveu. Je lui apprends le métier. C'est un bon garçon, vous savez.

Et se tournant vers moi, le ravaleur de façade a ajouté :

M. Bonseigna – Et beau comme un dieu, avec ça. Il rend sa mère folle avec toutes ces filles qui appellent sur son portable jour et nuit. Il faudra surveiller votre petite !

Il ne recule devant rien, lui, le numéro de charme frappe toutes les générations...

– Bonjour tout le monde !

Théo – Eh c'est Léa ! Tu m'as apporté ce que je t'ai demandé ?

Léa – Oui, mon commandant.

Théo s'est précipité sur un sachet que Léa tenait, d'un air dégoûté, du bout des doigts.

Léa – Mais je te préviens, c'est la dernière fois que je t'achète un truc pareil. C'est immonde.

Mon frère a sorti un œil d'un coffret en plastique transparent. Quand je dis un œil, vous devez imaginer un globe oculaire visqueux avec des vaisseaux rougeâtres et bleutés. Il s'est dépêché de le mettre dans sa bouche. Ma mère a poussé un hurlement.

Léa – Théo, tu es devenu fou !

Théo a ressorti avec deux doigts l'œil qui avait commencé à fondre sur sa langue.

Théo – C'est un bonbon maman, c'est pas un vrai.

La mère – Mais ils sont vraiment prêts à tout pour que vous consommiez du sucre ! Jette-moi ça immédiatement, ça doit être bourré de colorants. Prends une galette de riz, plutôt.

Théo, comprenant que son œil allait finir au fond de la poubelle, a disparu de la cuisine en moins de temps qu'il ne faut pour le dire.

Bonseigna, qu'on n'avait pas entendu depuis l'arrivée de Léa, y est allé de son petit commentaire.

M. Bonseigna – Je sens que mon neveu se plaira ici. Une ambiance familiale et surtout deux jolies filles de son âge. Un Napolitain et deux ragazze, ça va être formidable.

Léa l'a regardé, étonnée.

Léa – Votre neveu s'installe ici ?

La mère – Non ! M. Bonseigna va s'occuper du ravalement de la façade de la maison bleue et son neveu Pedro va l'aider.

M. Bonseigna – Enzo...

La mère – Ah votre neveu Enzo vient aussi ?

Elle est pitoyable ma mère dans le rôle du professeur Tournesol.

M. Bonseigna – Il s'appelle Enzo, pas Pedro.

La mère – Ah pardon... C'est tous ces o. Enzo, Pedro !!!

Comme je n'avais pas envie d'en entendre davantage sur la fréquence des o dans les prénoms italiens, j'ai proposé à Léa un repli stratégique dans ma chambre.

Justine – Je crois que je ne supporterai pas longtemps Bonseigna.

Léa – Pourquoi ? Il a l'air sympa.

Justine – Tu ne l'as pas vu faire son numéro de charme à ma mère ! De plus, je te signale qu'il y aura des échafaudages partout et qu'on ne pourra plus être à l'abri de son regard lubrique nulle part. Ce sera pire que Secret Story ici !

Léa – D'abord, il ne bosse pas la nuit. Et puis il y aura des avantages, j'ai cru comprendre que son neveu était un top model.

Justine – Et tu comptes le croquer pour ton quatre heures?

Léa – Non, quoique... ça mettrait un peu d'animation à la maison bleue. On aurait notre Mike Delfino pour nous toutes seules.

Justine – Qui? Le plombier de *Desperate Housewives*, l'amoureux de Susan?

Léa – Oui, en version accessible et italienne. Imagine un brun sublime moulé dans un jean légèrement déchiré et grimpant sur la façade de la maison bleue.

On est restées un moment les yeux dans le vague à imaginer cette sex bomb.

Léa – Dis donc toi, je te rappelle que tu as Thibault...

Justine – Oui mais amoureuse ne veut pas dire aveugle et puis il m'a plantée après les cours. Je suis rentrée seule comme une pauvre fille. J'ai l'intention de le rendre jaloux, ça l'obligera à s'activer pour me mettre dans son lit.

Léa – Pourtant lorsque je suis sortie, il t'attendait sagement devant le lycée.

Justine – Et au bout de deux secondes, il s'est rappelé qu'il avait rendez-vous avec un copain et il a disparu.

Léa – C'est étrange. Bon je te les tire ces cartes?

Justine – Yes...

Léa a allumé un bâton d'encens et a installé sa petite pyramide transparente. Elle m'a fait battre les tarots de divination pendant un long moment.

Léa – Tu peux couper maintenant.

Elle a pris le paquet que j'avais placé à ma droite. Elle a fermé les yeux et a posé sept cartes face cachée sur la table. Avant de les retourner, elle m'a dit en riant :

Léa – C'est bizarre, je me concentre sur ton jeu et une drôle d'image s'imprime devant moi.

Justine – Laquelle ?

Léa – Je te préviens c'est ridicule.

Justine – Vas-y...

Léa – Quelqu'un met du vernis à ongles sur un manche de couvert.

J'ai avalé de travers. Le vernis sur la petite cuillère était mentionné dans l'article de Brice. Il n'y a aucun doute, cette fille est une sorcière.

Léa – Tu vois, tu t'étouffes tellement c'est ridicule. J'ai peut-être perdu mes pouvoirs.

Justine – Non, je ne crois pas.

Léa m'a regardée d'un air moqueur.

Léa – Tu t'es inscrite à un atelier peinture sur couverts et tu n'oses pas me l'avouer ?

Justine – Non !

Léa – Bien, il vaut mieux que je m'en tienne aux cartes et que je te transmette ce qu'elles me disent.

Elle a de nouveau fermé les yeux.

Léa – Quelqu'un dans ton entourage te pose problème. Il y a des chiffres, des courbes, des calculs autour de lui. Mais c'est bizarre...

Justine – Quoi ?

Léa – Ce manche de couvert revient.

Justine – C'est pas grave, continue.

86

Léa – Cette personne a un comportement à la limite de la normalité pourtant elle n'est pas dangereuse. Si elle dépasse les bornes, c'est qu'elle est débordée par ses propres émotions. Au fond c'est quelqu'un de gentil.

Ah bon? Alors Brice n'est pas un psychopathe dangereux? Mon imagination m'aurait-elle encore joué des tours? Léa s'est redressée.

Léa – T'es sûre que tu ne peux pas m'en parler?

Justine – Je vais essayer de gérer ça seule. Si je n'y arrive pas, je te promets que je te demanderai de l'aide.

On a frappé à la porte et la voix suraiguë que prend ma mère quand il y a du monde m'a vrillé les tympans.

La mère – On peut entrer, les filles?

Justine – Ouais...

Léa a fait disparaître le jeu de tarots. Ma mère et son vieux beau italien sont entrés dans ma chambre.

La mère – Ça sent bon ici!

Léa – C'est mon encens japonais, fleurs de lune au printemps.

La mère – J'aime beaucoup... On vous dérange juste une minute. Aldo doit regarder la fenêtre.

Ah, on est passé direct de M. Bonseigna à Aldo? Dans cinq minutes, il appelle ma mère Sophinette chérie et il boit une bière allongé sur le canapé. J'ai voulu remettre subtilement les choses à leur place.

Justine – Il rentre à quelle heure papounet? J'ai besoin qu'il m'aide en histoire.

Et me retournant vers Bonseigna, j'ai ajouté :

Justine – Mon père est super fort en histoire. C'est une encyclopédie vivante.

Oui, d'accord, ce n'est pas subtil du tout et ça fait la fille qui n'a pas surmonté son Œdipe mais il faut bien que quelqu'un rappelle à ce séducteur de Monop qu'il y a déjà un mâle dominant dans cette maison.

La mère – Ah c'est ennuyeux, il a une réunion ce soir, il rentrera tard. Tu sais bien qu'en ce moment il travaille sur un gros projet qui lui prend tout son temps.

M. Bonseigna – Et il laisse sa petite femme seule à la maison ?

Justine – ET NOUS, ON EXISTE NON ???

La mère – Enfin, pourquoi tu cries comme ça Justine ?

Bon, je reconnais que j'ai été légèrement agressive sur ce coup mais admettez qu'il me cherche Mister Muscles 1912.

Lorsqu'ils sont sortis, Léa a éclaté de rire.

Léa – Eh bien... Il n'y a pas qu'avec Thibault que tu es une tigresse quand on approche.

Justine – Il m'énerve !

Léa – On l'a compris, seulement pense à son merveilleux neveu transpirant devant tes fenêtres avec sa truelle à la main, ça te le rendra sympathique.

Justine – Tu crois vraiment qu'il ressemble à Mike Delfino ?

Léa – On peut rêver. En plus tu l'auras pour toi toute seule, moi je n'aime que les intellos souffreteux.

Il ne m'en a pas fallu plus pour me remettre à délirer sur le beau maçon plâtrant la façade dans un débardeur blanc. Du coup, j'en ai oublié les petites cuillères de Brice et l'abandon de Thibault.

Le lendemain alors qu'on se retrouvait avec Léa dans la cour à la pause de dix heures, le sujet Enzo a été de nouveau à l'ordre du jour.

Léa – Alors? Il arrive quand?

Justine – À quatorze heures avec son oncle pour installer l'échafaudage. On aura juste le temps de rentrer déjeuner et de se remettre un coup de blush. Il faut faire bonne impression, on est des filles bien élevées!

Léa – Ben oui... C'est simplement une question de savoir-vivre.

– C'est quoi cette histoire d'échafaudage?

Nicolas se tenait derrière nous. Je ne sais pas depuis combien de temps il était là et ce qu'il avait entendu au juste de notre discussion.

Justine – Un ravalement de façade est prévu à la maison bleue et ils installent les échafaudages cet après-midi.

Nicolas – Ah bon? Mais ils vont nous emmerder combien de temps avec leurs travaux?

Justine – Je ne sais pas... Ça sera sûrement la galère un long moment!

Nicolas – Et il va y avoir combien d'ouvriers?

Justine – Aucune info.

Je ne suis pas trop forte, là??? Au lieu de me laisser déborder par les questions de mon cousin et d'avouer sans le vouloir qu'un beau gosse musclé va faire du lèche-vitrine derrière les fenêtres de ma chambre, je la joue totale ignorance.

– Et je suis invitée à le voir, moi, le beau maçon italien?

J'ai cru un instant que le diable en personne avait prononcé cette phrase mais non, c'était pire. Ingrid, le Wonderbra moulé dans un pull bleu turquoise, nous regardait d'un air mauvais.

J'ai bredouillé :

Justine – Quel maçon italien?

Ingrid – Celui dont Léa a parlé à Joanne tout à l'heure. Un Italien avec des pecs d'enfer qui va jouer les équilibristes devant ta chambre.

Ma meilleure amie a rougi jusqu'aux oreilles. Je n'ai pas eu besoin de lui faire avouer qu'elle avait effectivement dévoilé à sa voisine de classe la venue du Casanova de l'échafaudage.

Nicolas – Ah ça m'étonnait aussi que vous ne vous soyez pas rencardées. J'aurais dû me douter qu'il y avait une histoire de mec là-dessous.

Et il est parti en marmonnant.

Nicolas – On dit que les garçons ne pensent qu'à ça mais les filles sont pires.

Ingrid – Je ne vois vraiment pas de quoi il parle!

On a éclaté de rire. Pour une fois, j'ai trouvé la peste super drôle. Du coup, je lui ai proposé de se joindre à nous après le lycée. Remarquez, je n'avais pas vraiment le choix, jamais Ingrid n'aurait renoncé à piquer un beau brun à ses « deux meilleures amies ».

Ingrid – Dis-moi Justine, c'est fini entre Thibault et toi?

Justine – Non, bien sûr que non.

Ingrid – Pourquoi tu t'intéresses à l'Italien, alors?

Justine – Plaisir des yeux uniquement.

Ingrid – Et plus si affinités?

Justine – Non! J'aime Thibault mais il paraît que le maçon ressemble à Mike Delfino.

Ingrid – Le mec de Susan dans *Desperate*?

Justine – Exactement!

La peste a émis un petit cri à mi-chemin du couinement d'une souris prise au piège et du grincement d'une porte mal huilée.

Ingrid – Et si on séchait les cours et qu'on allait illico chez toi?

Justine – Il n'arrive qu'à quatorze heures.

Ingrid – Alors je passe chez moi me changer à midi et je vous rejoins tout de suite après.

Léa s'est sentie obligée d'ajouter :

Léa – Juste pour le plaisir des yeux, Ingrid. On ne touche pas !

Ingrid – Pourquoi? Je suis célibataire, moi.

Justine – Et ton videur de boîte? C'est pas l'homme de ta vie?

Ingrid – La semaine dernière, oui... mais plus aujourd'hui.

Intéressant comme concept. Ça ressemble à une théorie que la prof de philo nous a expliquée : la promesse que je fais aujourd'hui ne concerne que l'homme ou la femme que je suis, elle ne concerne pas celui que je serai demain puisque je serai autre.

Pas mal, non, comme justification à nos petits mensonges ?

La cloche a sonné et nous n'avons pas pu continuer à débattre du bon usage de la philosophie et des garçons. Nous sommes remontées en cours. Comme j'avais laissé mon sac dans la salle 101, il a fallu que j'attende qu'un surveillant m'ouvre pour le récupérer. Je suis arrivée avec cinq minutes de retard au cours de Mme Pouméroulie. Elle m'a accueillie comme elle accueille chaque élève retardataire.

Mme Pouméroulie – Bonjour mademoiselle Perrin.

Justine – Bonjour madame, je suis désolée mais j'avais laissé mon sac en salle...

Mme Pouméroulie – S'il vous plaît, pas d'excuse banale, signe d'une intelligence médiocre. Vous savez ce que j'attends de vous.

Oui, je le savais et je ne voyais pas comment répondre à sa demande. La prof de philo exige de chaque élève retardataire qu'il justifie, debout sur l'estrade, son retard d'une façon originale et inédite. Les réveils qui ne sonnent pas, les embouteillages, les grèves de bus sont bannis. Seuls des « mensonges créatifs et bien construits » intéressent notre prof.

Le plus horrible dans ces cas-là n'est pas seulement de trouver le fameux mensonge mais de subir le jugement des autres. En effet, la prof laisse aux élèves le soin de juger la construction de l'argumentation. S'ils s'estiment convaincus, ils lèvent le pouce. Dans le cas contraire, le menteur raté est condamné à l'exil sous une forêt de pouces baissés.

Qu'allais-je dire ? J'ai promené mon regard sur toutes ces têtes de lycéens qui me fixaient en souriant, quand mes yeux ont croisé ceux de Brice.

Ça m'a d'abord fait un choc parce que j'avais oublié qu'il existait puis la lumière a jailli ! Je venais d'avoir l'idée du siècle !

Dire la vérité sous l'aspect du mensonge. Me libérer du poids d'un secret en passant pour une fille hyper inventive. Raconter mon histoire avec Brice (sans le citer bien sûr) comme si je construisais une fiction et lui prouver qu'on jouait à égalité.

Mme Pouméroulie – Alors Justine ?

J'ai pris une longue inspiration.

Justine – Eh bien voilà... Vous savez que Michael ici présent a été accusé à tort puis innocenté du vol des petites cuillères. J'ai participé activement à sa réintégration et pour cela, il a fallu procéder à une enquête. S'il n'était pas le coupable, qui était-ce ?

Malheureusement pour moi, j'ai découvert la vérité. Il ne s'agit pas, comme le pense la direction, d'un acte idiot d'un élève rebelle. Non ! C'est un complot mondial qui a ses ramifications en Australie, aux États-Unis et maintenant en France. Certains médias sont gravement impliqués. Un élève du lycée Colette est un de leurs agents et il est chargé de me supprimer. Je ne donne pas cher de ma peau s'il me trouve seule dans un recoin de l'établissement. C'est pourquoi je suis obligée de me cacher dans les couloirs et d'arriver au dernier moment en cours. Ici, il ne peut rien contre moi. Et sachez que si vous m'envoyez en permanence, vous aurez ma disparition sur la conscience.

La prof de philo m'a regardée en souriant.

Pourquoi on argumente ?

Cette définition a été donnée par la prof de français l'an dernier, mais est à garder pour toutes les matières cette année :

L'objectif du discours argumentatif consiste, à propos d'un thème (un sujet), à soutenir une thèse (un point de vue, une opinion) qui réponde à une problématique.

Il faut convaincre un adversaire, soit pour modifier son opinion ou son jugement, soit pour l'inciter à agir.

Mme Pouméroulie – Jolie argumentation construite : ancrage dans l'actualité de l'auditoire, dans l'air du temps pour le complot mondial, assertions scientifiques non vérifiables, culpabilisation peu subtile mais efficace. Bravo ! Qu'en pensent les autres ?

Une haie de pouces levés s'est dressée m'indiquant une victoire sans défaut. Seul Brice n'a fait aucun signe. Il me regardait totalement interloqué. Je n'ai pas pu m'empêcher de lui adresser le signe des scouts, comme lui la veille.

Mme Pouméroulie – Allez à votre place Justine, vous êtes la bienvenue. Nous allons commencer le cours.

J'ai cherché du regard une place vide. Rien... Ah si, au premier rang, à côté de Brice. Non, pitié.

Mme Pouméroulie – Qu'est-ce qui se passe Justine ? Vous comptez rester plantée debout toute l'heure ? Allez donc vous asseoir à côté de Brice, il est seul. À moins que vous n'ayez repéré dans la classe le fameux agent du complot mondial qui cherche à vous éliminer ?

Les élèves ont éclaté de rire. J'ai fait semblant d'apprécier la plaisanterie pour ne pas perdre la face. Et tandis que je regagnais ma place près de Brice, je l'ai regardé discrètement. Il a glissé son auriculaire sous son pouce, les trois doigts levés. Le petit protège le grand.

Je n'en avais pas fini avec le maniaque aux statistiques et aux petites cuillères...

À nous deux
Londres !

Justine – Il fait super froid.

Léa – C'est toujours comme ça dans les gares.

Justine – Tu crois que c'est à cause du chagrin des gens qui se séparent ?

Léa – Non, c'est à cause des courants d'air. Et puis tu sais, dans les gares, il n'y a pas que des gens qui se séparent, il y a aussi des gens qui se retrouvent. C'est bien de se quitter un peu, ça permet de se rendre compte à quel point on tient à l'autre.

Justine – Tu ne me convaincras pas ce soir.

Léa – Mais qu'est-ce que tu as ? On dirait que je pars à la guerre de 14 et que je suis ton fiancé ! Je te rappelle que nous sommes jeudi et que je reviens dimanche soir. Et puis Londres, c'est à deux pas.

Justine – C'est juste que tu pars au mauvais moment.

Léa – Pourquoi ? Qu'est-ce qui se passe ?

Justine – Rien. Thibault ne m'aime plus, demain je dois faire mon exposé sur les MST et le préservatif et puis...

Léa – Et puis ton fameux secret te pose problème ?

Justine – Non, ça, je pense l'avoir plus ou moins réglé.

Léa – Alors quoi ? Tu en veux à Nicolas à propos d'Enzo ?

J'ai souri. Je vous raconterai l'arrivée du fameux maçon italien plus tard, ce n'est pas le moment, j'ai trop le cafard.

Léa – Oh non, regarde qui est là... Pourvu qu'elle ne s'asseye pas à côté de moi dans le train sinon on va dérailler !

Je me suis retournée discrètement pour voir de qui elle parlait. UM comme l'appellent les garçons (Ugly Monster : monstre affreux) souriait dans le vide, une énorme valise à la main. Léa s'est cachée derrière moi. Ça peut vous paraître politiquement incorrect mais il est vraiment difficile d'être l'amie de cette fille.

Ce n'est pas seulement qu'elle est laide (encore que sa description soit déjà un poème : cheveux gras, appareil dentaire d'avant-guerre, acné purulente), c'est surtout que c'est la plus grande poissarde de la galaxie. Je ne sais pas comment elle s'y prend, il ne lui arrive que des galères incroyables. Elle a été attaquée par un sanglier dans un camping en Corse, elle a fait une allergie géante à une clémentine à la cantine, elle s'est retrouvée enfermée dans les toilettes le jour où elle passait son oral de français (comme personne ne l'a entendue appeler à l'aide, elle a tenté de ramper sous la porte et est restée coincée), j'en passe et des pires !!! Si on écrivait un livre sur ses mésaventures, personne n'y croirait. Pourtant elle existe !

Le plus gros problème avec UM, c'est que lorsqu'on se trouve en sa compagnie, sa légendaire scoumoune s'abat sur vous. Je me souviens qu'en cinquième elle avait pleuré parce que personne n'avait voulu s'asseoir à côté d'elle dans le car pour la visite des châteaux de la Loire. Léa émue s'était sacrifiée... Résultat : deux élèves oubliées après un arrêt pipi sur l'autoroute. Je n'ai pas besoin de vous préciser qui !

Justine – Elle te regarde.

Léa – Oh non, pitié !!!

Justine – Elle s'avance vers nous.

Léa – C'est fichu! Elle va me saboter mon voyage.

Justine – Qu'est-ce que je peux faire?

Léa – Rien... Il n'y a rien à faire.

Justine – Tu n'as qu'à lui dire bonjour et t'arranger pour disparaître de son champ de vision.

Léa – Impossible, elle me connaît. Elle sait que si elle insiste, je craque. Et puis je suis certaine que cette fille a un potentiel. Je lui ai tiré les cartes une fois, c'était impressionnant, je n'ai jamais vu autant de possibilités. Ce n'est pas le jour mais je pense qu'il faudrait l'aider à se trouver.

Justine – Arrête un peu de jouer les saintes pour une fois, pense à toi. Il est important ce voyage.

Léa – Tu as raison! Surtout que...

Léa a baissé les yeux d'un air gêné.

Justine – Surtout que quoi?

Léa – Peter sera là-bas.

Justine – Mais en quel honneur?

Léa – Samedi soir, il emmène les élèves du groupe théâtre voir *Le Songe d'une nuit d'été*.

Justine – C'est quoi?

Léa – Une pièce de Shakespeare.

Justine – Et il vous rejoint quand?

Léa – Il part avec nous aujourd'hui.

Justine – Tu ne m'en as même pas parlé. C'est dingue, dès qu'il s'agit de lui, c'est secret défense.

Léa – Tu vois pourquoi je ne t'en parle pas? Parce que tu réagis super mal à chaque fois.

– Bonjour Léa…

Quoi ? C'est qui ? Il n'y a vraiment pas moyen de discuter avec sa meilleure amie sans être dérangée ?

Léa – Bonjour Marilyn.

Marilyn ??? Ah oui, à force de l'entendre se faire appeler UM, j'avais oublié que miss Poisse avait été affublée du prénom le plus difficile à porter au monde. Dans son cas, c'était carrément du cent cinquantième degré !

UM – T'es dans quelle rame ?

Justine – Elle n'a pas encore décidé.

UM – Ah bonjour Justine, excuse-moi je ne t'avais pas vue.

Continue à ne pas me voir, ça m'arrange !

UM – Léa, tu serais d'accord pour que je m'asseye à côté de toi ?

Justine – Désolée UM, euh pardon, Marilyn mais Léa est avec un groupe de copains et malheureusement, il n'y a plus de place.

UM – Ah… Tant pis.

Et elle est repartie avec sa grande valise vers d'autres victimes potentielles.

On l'a vue de loin poser sa petite question avec le même air angoissé et recevoir en réponse le même mouvement négatif de tête de ses interlocuteurs.

Au bout de six refus, Léa a craqué.

Léa – Tant pis, je la prends avec moi. Je ne peux pas la laisser seule. Regarde, ils se moquent tous d'elle.

Justine – Tourne-toi et pense à ton voyage. Depuis le temps que tu rêves de te retrouver avec Peter, tu ne vas pas gâcher cette méga-super-merveilleuse chance.

Léa a dégluti avec peine.

Léa – T'es fâchée ?

Justine – Pour quelles raisons le serais-je ?

Léa – Parce que je ne t'ai pas dit que Peter venait.

Justine – Je commence à avoir l'habitude de tes cachotteries quand il s'agit de monsieur. Mais ce qui est certain c'est que je n'ai pas envie qu'UM gâche tes plans. Alors tu respires et tu oublies cette plaie.

– Coucou les filles !!!

Oh cette voix stridente... C'est plus une gare, c'est le bagne avec une vraie collec de boulets !

J'ai pris sur moi et je me suis retournée pour saluer Ingrid.

Ingrid – Je suis pas so british ???

So british je ne sais pas, mais so ridiculous c'est certain ! Ingrid vêtue d'une minijupe et d'un bustier taillés dans le drapeau anglais nous regardait, fière d'elle.

Ingrid – Je me bats depuis une semaine avec la machine à coudre de ma mère pour arriver à ce résultat.

Justine – Le combat a dû être rude.

Oh non, je n'avais pas vu la décalcomanie du drapeau anglais sur la joue gauche et les mèches bleues. Elle ne recule vraiment devant rien.

Ingrid – Puisque nous sommes réunies, j'en profite pour vous annoncer une grande nouvelle. La deuxième sélection pour *Étoile naissante* a lieu samedi après-midi. Léa, je sais que tu seras à Londres mais toi, Justine, je compte sur ta présence.

Parfois, je me demande s'il ne vaut pas mieux avoir des ennemis que des amis. Si je fais le bilan de ces jours-ci, je dois par amitié :

1. Louper mon premier cours de danse de l'année pour accompagner Léa à la gare.

2. Renoncer à un samedi après-midi de farniente pour supporter la peste dans son rôle favori de star.

3. Me lever aux aurores dimanche pour une heure de step avec Jim.

Alors qu'à bien y réfléchir, qu'exigent mes ennemis ?

Rien. Seulement de les détester un peu de temps en temps. Ça exige beaucoup moins d'engagement !

J'en étais à me demander si je n'avais pas inventé la théorie philosophique du siècle lorsque Nicolas et Jim sont arrivés. Le sac de gâteaux que Jim avait apporté à Léa m'a fait douter de ma théorie.

Léa – Mais pourquoi tu m'as acheté autant de choses ? Je n'ai que quelques heures de train. Une petite heure pour arriver à Paris et après l'Eurostar.

Jim – Ce n'est pas pour le voyage, c'est pour là-bas, il paraît que la bouffe est immonde en Angleterre. Je ne veux pas que tu meures de faim.

Léa – Ne t'inquiète pas, j'ai des réserves. T'as vu mes bourrelets ?

Ingrid – Oui, d'ailleurs si tu ne veux pas finir obèse, jette ces sucreries à la poubelle. Moi, je te conseille le régime jambon de dinde haricots verts, si tu veux avoir un corps comme le mien.

Si c'est pour avoir la psychologie de crevette grise qui va avec le corps, je préfère le surpoids.

Jim – Fais régulièrement des exercices de step, en respirant à fond, et tes petits bourrelets vont fondre.

Au mot « step », Léa a baissé les yeux et a prononcé avec une voix douce :

Léa – À propos de step, je voulais te présenter mes excuses, Jim. Je n'ai pas été sympa dimanche.

Jim – Tu me l'as déjà écrit dix fois par SMS, quinze fois sur MSN et je ne compte pas le délicieux message vocal le soir même : « Pardonne-moi mon Jim pour ce matin, j'ai été en dessous de tout. Je t'embrasse comme je t'aime. » Je t'ai répondu : « Tout ça n'a aucune importance, j'ai tout oublié. » Alors embrasse-moi et ne parlons plus de cette histoire.

Et ils sont tombés dans les bras l'un de l'autre.

Nicolas – C'est bon, vous n'allez pas vous baver dessus pendant deux heures !

Ça devient systématique l'agacement de mon cousin quand quelqu'un s'approche de Léa, non ?

Heureusement son portable a sonné, détournant ainsi son attention. J'ai espéré que ce soit Thibault qui, perdu dans la gare, demande le numéro du quai. Nos relations étaient tendues depuis le baiser interrompu à l'arrêt du bus avec Brice en voyeur. Je n'avais pas réussi à m'expliquer avec mon prince et je sentais qu'il me tenait à distance. Se retrouver à la gare allait peut-être nous permettre de renouer.

Nicolas – Putain, il va pas me lâcher…

Mon cousin n'a pas eu besoin de nous dire qui cherchait à le joindre.

Allez, je vous explique pour que vous profitiez pleinement de la situation. Mais pour cela, il faut que je vous raconte la totalité de la journée d'hier.

Hier midi, on est sorties à toute allure du lycée avec Léa. Objectif : déjeuner rapidement et se ravaler la façade à coup de blush, rimmel et gloss, histoire d'être présentables devant le bel Italien.

Il n'était évidemment pas question d'imaginer quoi que ce soit entre lui et l'une d'entre nous (je vous rappelle que nous avons le cœur pris ailleurs), c'était une sorte de récréation. Après tout, on peut dévorer des yeux la vitrine d'un pâtissier sans être soupçonnée de boulimie. Même chose pour les garçons... Ingrid nous a rejointes et, vu sa tenue, on a compris qu'elle, en revanche, n'était pas seulement venue admirer les tartes aux fraises ou les éclairs au chocolat.

Ingrid – Alors, il est arrivé ?

Justine – Pas encore.

Ingrid – Tant mieux, je n'ai pas fini de me maquiller.

Justine – Ah bon ??? Tu ne crois pas que tu en as mis assez ?

Ingrid – Il n'y en a jamais assez, Justine ! Si tu veux qu'un garçon te regarde, il faut lui indiquer clairement où tu désires qu'il pose les yeux. Le maquillage n'est qu'un jeu de piste pour individus sans imagination.

Léa – Quelle vision horrible tu as du sexe masculin.

Ingrid – Horrible peut-être, mais parfaitement juste ! Excuse-moi Léa, un garçon c'est avant tout un être totalement démuni face à de jolies fesses moulées dans un slim.

Léa – Tu ne crois pas qu'il existe d'autres qualités ?

Ingrid – Si. De longues jambes sous une microjupe.

Léa – Je pensais à des choses moins visibles.

Ingrid – Tu ne vas quand même pas me servir un baratin sur la beauté intérieure ?

Léa – Pourquoi pas ?

Ingrid – Parce que c'est un concept inventé par des menteurs pour donner une raison de vivre aux moches.

Léa – C'est monstrueux ce que tu dis !

Ingrid – Oui, mais c'est la réalité. Même Quasimodo a choisi Esmeralda. On aurait pu croire que lui au moins saurait découvrir la beauté intérieure d'un laideron. Eh bien non, il a choisi la plus belle fille comme tous les mecs... Tout le monde veut de la beauté qui se voie. Alors si une fille veut survivre, elle doit présenter ce qu'elle a de bien en vitrine et elle doit planquer le reste.

Et quand on n'a rien de bien à présenter en vitrine, on fait comment ?

Léa – Ma pauvre Ingrid, je te plains ! Ta vie ne doit pas être simple de chercher à plaire en permanence.

Ingrid – Ne prends pas cet air méprisant pour me balancer ça. C'est notre lot à toutes ! À toi aussi, Léa l'intello. Ah bien sûr, tu la joues plus subtile avec tes jupes longues, tes dentelles et ta quincaillerie de gothique mais le résultat est le même : tu cherches à séduire. Et Justine avec son no style jean-baskets-tee-shirt veut la même chose.

Comment ça mon no style ??? Mais c'est Ingrid qui nous parle là ? On ne nous l'aurait pas échangée contre une étudiante en quatrième année de triple cursus philo-socio-psycho ? C'est la première fois que je vois Léa médusée. Elle ne trouve strictement rien à lui répondre.

Ingrid – Ça vous en bouche un point, hein ?

Ah non, c'est bien Ingrid.

Le bruit d'une camionnette qui se garait a interrompu notre discussion sur la beauté intérieure et autres petites contrariétés. On a couru s'agglutiner contre la vitre pour apercevoir notre bel Enzo.

C'est drôle, c'était le même scénario qu'à l'arrivée de Thibault, il y a quelques mois à peine : Léa et moi silencieuses, Ingrid au centre remontant d'une main experte son Wonderbra en poussant des cris de souris.

Bonseigna est sorti le premier, provoquant notre déception. Mais lorsque Enzo est apparu juste derrière, j'ai laissé échapper un « waouhhhh » d'admiration.

Il ne ressemblait pas du tout à Mike Delfino, il était vraiment différent. J'ai discrètement mis mes lunettes pour avoir une vision plus précise. Enzo était grand et baraqué. Son crâne rasé laissait deviner un duvet blond. Il portait un jean baggy, une paire de baskets et un sweat-shirt Caterpillar. Absolument pas l'allure d'un play-boy en plastique comme ceux des feuilletons américains. Il se dégageait de lui un charme naturel.

Ingrid – Alors lui, il me le faut. Il ira super bien avec mon nouveau manteau.

J'ai chuchoté :

Justine – Il irait très bien avec un vieux jean et des Converse aussi.

Ingrid – Avec tes jupons noirs ça serait pas mal, Léa, non ???

Durant quelques dixièmes de seconde, ma meilleure amie a semblé excédée par les remarques d'Ingrid. Je pense qu'elle n'avait toujours pas digéré la brillante démonstration de la peste sur le désir de séduction.

Mais comme l'ambiance était à la légèreté, elle a ajouté :

Léa – Tu veux plutôt dire sous mes jupons noirs, non ?

Alors là, Léa, quand elle se lâche, elle se lâche !!!

Léa – Allez, je suis généreuse, à bien y regarder, je vous le laisse les filles.

Justine – Tu ne le trouves pas beau ?

Léa – Si incontestablement, mais il a un côté trop féminin pour moi.

Ingrid – N'importe quoi.

Justine – Ingrid a raison, tu exagères. Ne le prends pas mal, seulement je trouve que ton Peter avec sa queue de cheval et ses chemises blanches est beaucoup moins viril que ce garçon-là.

Léa – Peut-être... Si on s'attache exclusivement aux accessoires.

Ingrid, qui n'en pouvait plus d'attendre, a hurlé :

Ingrid – On fait quoi là ? On descend ?

Justine – Ah ben oui, on ne va pas rester plantées là.

Léa – Où est-ce qu'on se pose ? Pas dans le jardin, il fait froid.

Ingrid – On va chez Thibault.

Justine – Il est là ?

Ingrid – Oui, il joue aux cartes avec les garçons.

Justine – Alors on descend. Léa, t'as pris tes tarots ?

Léa – Oui, pourquoi ?

Justine – Je voudrais que tu me dises ce qui va se passer entre moi et Thibault, ces prochains jours.

Léa – OK.

Justine – Je prends les encens fleurs de lune au printemps que tu as laissés hier.

Notre arrivée dans le salon de Thibault est passée totalement inaperçue. Les garçons étaient concentrés sur leur partie de poker. Léa a ouvert en grand la porte-fenêtre du salon pour aérer. Ça empestait la cigarette.

Nicolas – Putain, ferme, Léa, ça caille.

Léa – Pas question. Tu sais que je lutte contre le tabagisme passif.

Nicolas – C'est des vrais intégristes les anti-fumeurs maintenant. Ils t'emmerdent jusque chez toi.

Jim qui n'aime pas lorsque Léa et Nicolas se chamaillent a tenté une diversion.

Jim – Vous faites quoi les filles ? Vous alliez sortir ?

Ingrid – Certainement pas. T'as vu la bombe qui vient d'arriver ? On n'est pas près de bouger d'un quart de millimètre.

Jim – Quelle bombe ?

Ingrid – Un maçon qui va s'occuper de la façade de la maison bleue. Enfin, pas seulement, on a d'autres chantiers à lui proposer. Hein, les filles ?

Oh non, il ne faut pas que Thibault imagine un seul instant que je suis intéressée par l'Italien. Déjà que, tous les deux, on est limite rupture. Je dois trouver l'expression qui laisse entendre que je reste par amitié pour Ingrid et que son délire ne me concerne pas.

Justine – Oui, enfin moi je viens avec toi le temps que tu fasses connaissance avec ce type et puis je remonte. Je n'ai pas que ça à faire.

Ingrid – Ah bon, tu as changé d'avis pour sex bomb ? Remarque, je te comprends. Difficile de rester dans la course quand j'y suis...

Justine – Ça n'a aucun rapport avec toi. C'est juste qu'il n'y a pas de place pour deux garçons dans mon cœur.

Ingrid – C'est nul. C'est comme s'il ne fallait aimer qu'un parfum de glace. On peut en goûter plusieurs, chacun son tour, une fois la fraise, une fois le chocolat...

Justine – Pas moi, je n'en aime qu'un.

J'ai pas été hyper subtile sur ce coup ? Il y a des fois où je m'adore !!!

Thibault a levé les yeux de son jeu et m'a observée. J'ai essayé d'avoir l'air le plus dégagé possible, seulement je me suis pris les pieds dans... Dans quoi je me suis pris les pieds d'ailleurs ? Ah ben dans rien. Je me suis pris un pied dans un autre pied à moi. Je me suis raccrochée à Ingrid.

Ingrid – Je ne sais pas quel parfum te fait cet effet, mais tu ne tiens plus debout. Remarque je te comprends, moi depuis que j'ai vu Enzo par la fenêtre, j'ai les nerfs à pot de fleurs.

Justine – À pot de fleurs ?

Ingrid – Quoi, c'est pas comme ça qu'on dit ? Ah non, je sais : j'ai les nerfs à fleur de pot.

Léa a éclaté de rire. Ingrid l'a très mal pris.

Ingrid – Oh ça va ! Ne te sens pas obligée d'en rajouter. Ça arrive de se tromper.

Léa – Excuse-moi, Ingrid. Je te promets que je ne me moque pas. C'est juste que parfois certaines confusions sont surprenantes. Comme si tu faisais de la poésie sans le vouloir. On dit les nerfs à fleur de peau. P, e, a, u.

Tandis que Léa prononçait ces quelques mots gentiment en prenant la peste par les épaules, cette dernière l'a embrassée sur la joue. Il y a eu un moment de grâce.

Nicolas – Bon, à part parler mec et poésie de daube, vous comptez faire quoi là ? Parce que le poker ça ne supporte pas le bavardage.

Thibault – Il y a de l'eau chaude dans la bouilloire si vous voulez un thé.

Léa

Pour Ingrid, ma princesse préférée des mots tordus, je t'ai trouvé ça sur le Net !

Expression

« À fleur de peau. »

Signification

À la surface de la peau.

Au figuré, qui réagit à la plus petite sollicitation.

Origine

Le mot « fleur », qui date du XIIe siècle, vient du latin florem, accusatif de mots qui désignaient la fleur mais aussi « la partie la plus fine de quelque chose », racine des différents sens « partie la meilleure », « partie supérieure » (« la fine fleur ») et, enfin, « surface ». C'est de ce dernier sens que naît, au milieu du XIVe siècle, la locution « à fleur de » pour dire « à la surface de ».

Une personne qui a une sensibilité à fleur de peau peut très vite (et en général de manière trop brutale ou déplacée) réagir à ce qu'elle prend parfois à tort pour une agression verbale.

Aujourd'hui, 20h29 · J'aime · Commenter

 Justine S'il suffit de tordre deux expressions pour être ta princesse, je peux le faire aussi…

Aujourd'hui, 20h37 · 2 personnes aiment ça

 Nicolas Moi, pareil ! Enfin… version prince viril si tu vois ce que je veux dire :-).

Aujourd'hui, 20h47 · J'aime

Oh il a pensé à mon Earl Grey. Quel gentleman! Quel amoureux attentionné. Comment ai-je pu douter un seul instant de mes sentiments pour lui?

Léa – Justine, tu vas chercher les tasses et la bouilloire? Pendant ce temps, j'allume mon encens pour te tirer les cartes.

Nicolas – Ah non, pas l'encens! Tu sais bien que je lutte contre l'encens passif.

Léa – C'est malin.

Nicolas – Tu l'as voulu! Pas de cigarette, pas d'encens.

Cinq minutes plus tard, les fleurs de lune allumées, Léa me prédisait à voix basse mon avenir amoureux et les garçons continuaient en silence leur partie de poker. Seule Ingrid marchait de long en large devant les portes-fenêtres pour apercevoir le bel Enzo. Comme il n'arrivait pas, elle a fini par aller se limer les ongles sur le canapé.

On a frappé à la vitre.

Nicolas – C'est qui ce con?

Ingrid – C'est lui.

Nicolas – Qui ça lui?

Ingrid – Le beau maçon qui vient nous ravaler la façade.

Thibault, en maître de maison responsable, s'est levé pour lui ouvrir.

Thibault – Bonjour.

Enzo – Bonjour! Désolé de vous déranger mais on va installer les échafaudages et il faut que vous fermiez les volets pour protéger les vitres. Bien sûr après, vous pourrez rouvrir.

Thibault – Très bien.

Enzo – Entre l'obscurité et les cartes, ça fera un peu plus ambiance tripot, mais il vous reste une demi-heure tranquille, le temps qu'on déballe tout.

Thibault – OK.

Enzo – Dommage que je bosse, j'aurais bien fait une partie avec vous. À plus tard, ciao !

Et il est ressorti dans le jardin.

C'est peut-être sans importance, toutefois assez rare pour être signalé : Ingrid n'a pas ouvert la bouche durant le temps où Enzo a été présent. Elle est restée médusée, scotchée, anesthésiée...

– AAAAAAAAAHHHHHHHHHH qu'il est bôôôôôôôô !!!!!!! Je le veuuuuuuuux !!!!! Il a des yeux BLEEEEUUUUSSSS comme j'aime.

Ah pardon, c'était juste une question de timing. Je corrige ce que j'ai dit : Ingrid n'a pas ouvert la bouche durant tout le temps où Enzo a été présent mais a poussé un hurlement sitôt qu'il a franchi la porte-fenêtre.

Nicolas – Elles ont décidé de flinguer notre partie de poker ou quoi ? Moi, je propose qu'on joue au grenier.

Thibault – En ce qui me concerne, je préférerais rester là.

Nicolas – Pourquoi ?

Thibault – Parce que je... je...

Pour la première fois de ma vie, j'ai entendu mon prince bre-douiller. Lui si maître de ses émotions en temps normal semblait gêné par la situation.

Quoi ? Qu'est-ce qui se passe encore ? Sa grande blonde doit passer et il a peur de la louper ?

Respire, Justine. Cette grande blonde n'existe que dans ton imagination. Relaxe-toi. Imagine un paysage blanc, tout blanc. Comme des draps blancs voletant au vent...

Et il y a qui au creux de ces draps ???

Thibault – Je suis mieux ici.

Et il a jeté un coup d'œil furtif au-dehors, en direction d'Enzo.

Nicolas – T'as peur qu'il te choure un truc dans la maison ?

Thibault – Non, ce n'est pas ça.

Nicolas – Quoi alors ? Si tu veux, on demande aux filles de rester là. Elles seront super contentes de mater à travers les volets et nous, on sera tranquilles là-haut.

Thibault – Certainement pas.

Thibault a prononcé ces derniers mots avec une anxiété évidente dans la voix. Ça n'a pas échappé à Jim.

Jim – T'as peur que Justine regarde de trop près monsieur crâne rasé ?

Mon prince n'a pas eu besoin de répondre. La rougeur de ses joues a signé ses aveux.

Oh mon Thibault, n'aie aucune crainte, je te serai fidèle. Je ne serai jamais Emma Bovary, Delphine de Nucingen, madame de Rênal, Thérèse Raquin ni aucune femme de ma liste de français sur la passion amoureuse et l'adultère. Il y aura toujours devant mes yeux ton visage qui se surimprimera sur tous les hommes que je croiserai.

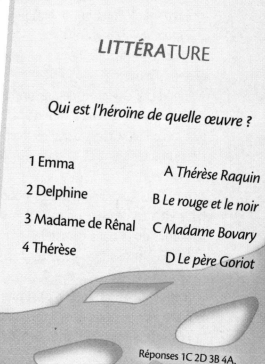

LITTÉRATURE

Qui est l'héroïne de quelle œuvre ?

1 Emma

2 Delphine

3 Madame de Rênal

4 Thérèse

A *Thérèse Raquin*

B *Le rouge et le noir*

C *Madame Bovary*

D *Le père Goriot*

Réponses 1C 2D 3B 4A.

– Excusez-moi.

On s'est retournés en même temps vers la porte-fenêtre. Enzo souriant nous a adressé un petit signe de la main.

Léa m'a chuchoté à l'oreille :

Léa – Ferme la bouche.

Quoi??? Qu'est-ce qu'il y a??? Je bâillais, on n'a plus le droit de bâiller?

Enzo – Ça vous ennuie si je branche une rallonge chez vous?

Thibault – Non, bien sûr.

Enzo – C'est sympa ici. Vous êtes en coloc tous les six?

Thibault – Non! Moi j'habite là, Justine au premier et Nicolas au dernier. Mais on se retrouve souvent dans mon appart parce que je vis seul. Léa, Ingrid et Jim sont à deux pas d'ici.

Enzo – Et le furet qui se balade dans le jardin, il est à qui?

Thibault – À personne.

Nicolas – Rectification : ce n'est pas un furet, c'est le grand-père de Thibault.

Ingrid qui cherchait depuis un moment comment participer à la conversation a tenu à montrer à Enzo ses photos en minishort rose avec Lulu Cracra dans les bras. Le bel Italien les a regardées avec un intérêt poli et a repris aussitôt sa discussion avec les garçons.

Il n'a pas fallu cinq minutes pour qu'il se retrouve à la grande table en train de boire un café. Puis voyant les encens et les tarots retournés de Léa, il a demandé :

Enzo – Tu sais tirer les cartes?

Léa – Un peu.

Justine – Pas qu'un peu, c'est une sorcière!

Enzo – Je ne sais pas si je vais oser mais...

Léa – Tu veux poser une question?

Enzo – Juste une parce qu'il faut que je retourne bosser.

Léa – Justine, tu cèdes ta place un instant à Enzo ?

Justine – Bien sûr.

Nicolas s'est senti obligé de commenter :

Nicolas – Entre Thibault qui croit à la réincarnation et maintenant Enzo qui consulte la sorcière, ça va être Halloween tous les jours ici !

Enzo ne s'est pas donné la peine de lui répondre, trop occupé qu'il était à confier très discrètement à Léa son problème.

Enzo – Je viens de me faire larguer et j'ai l'impression que je ne retomberai plus jamais amoureux.

Léa – Concentre-toi pour battre le jeu, pose ta question et coupe.

Le bel Italien s'est exécuté sous l'œil réprobateur d'Ingrid qui n'arrivait toujours pas, malgré des efforts surhumains, à attirer son attention.

Enzo – Je voudrais savoir si je vais rencontrer quelqu'un rapidement.

Léa – Oui... Sans aucun doute. Tu vas rencontrer cette personne sur ton lieu de travail. Tu l'as déjà croisée. On dirait qu'elle va te sauver d'un danger. Un danger qui n'en est pas vraiment un en fait.

Enzo – Et ça va marcher entre nous ?

Léa – Je vois une incompréhension... Comme si vous n'étiez pas sur la même longueur d'onde.

Mon cousin est de nouveau intervenu :

Nicolas – Ça y est vos messes basses ?

Enzo – Oui. Bon, il faut que j'y aille. Je dois monter l'échafaudage. On continuera cette discussion après, Léa ?

Léa – Bien sûr.

Mon cousin, soudain intéressé par l'aspect technique des travaux de ravalement de la maison bleue (à moins que ce ne soit pour éloigner le bel Enzo de Léa), lui a demandé :

Nicolas – Et ça se monte comment un échafaudage ?

Enzo – Rien de plus simple. C'est un assemblage de ferrailles et de planches. Tu veux que je te montre ?

Nicolas – Ouais, c'est ça, montre-moi !

Enzo – On attend que mon oncle soit parti. Il est super strict sur les questions d'assurance.

Une demi-heure plus tard, Nicolas transpirait à grosses gouttes sous les ordres d'Enzo pour monter les poutrelles métalliques. Jim, qui entre-temps avait reçu un coup de fil d'Yseult, était parti la rejoindre. Quant à Thibault, il avait prétexté je ne sais quelle urgence pour disparaître.

Même Ingrid qui avait tenté, sans le moindre résultat, dix mille ouvertures possibles avec le Napolitain avait abandonné le terrain. Du coup, l'événement « arrivée d'un beau gosse à la maison bleue » est retombé à plat comme une crêpe crue pleine de grumeaux. Avec Léa, on est remontées dans ma chambre.

Justine – On se raccroche à des valeurs sûres ?

Léa – Qu'est-ce que tu proposes ?

Justine – Brownie chocolat noix de pécan, Coca et James Blunt.

Léa – OK. Sauf *Goodbye My Lover* sinon tu vas faire une crise de déprime.

Et voilà comment après avoir fantasmé près de vingt-quatre heures sur l'homme qui allait transformer la maison bleue en podium de défilé Hugo Boss, on s'est retrouvées à se gaver de sucreries.

Comme Ingrid avait oublié *Gala*, *Public* et *Voici* sur mon lit, on a mis à jour nos fichiers commérages. Qui trompe qui ?

Qui adopte qui? Qui porte quoi? On était en train de scruter avec bonheur les premières traces de cellulite sur les cuisses de Marie-Kate Olsen lorsque Nicolas a jailli tel un scud dans ma chambre.

Nicolas – Putain, le drame...

J'ai lâché les magazines.

Justine – Mais tu ne peux pas frapper ou t'arranger pour prévenir de ton arrivée?

Nicolas – Comme on était perchés sur l'échafaudage, j'ai voulu lui faire une blague. Je l'ai poussé dans le vide.

Léa – On peut savoir de qui tu parles?

Nicolas – D'Enzo.

Justine – Et il est mort???

Nicolas – Mais non. J'avais prévu le coup. Je l'ai rattrapé de l'autre main.

Léa – Alors, il est où le drame?

Nicolas – Il s'est retourné et il a essayé de me rouler une pelle.

Justine – Qui?

Nicolas – Enzo, je vous dis.

Je ne sais pas si avec Léa, on a bugué inconsciemment sur les paroles que Nicolas prononçait, mais on a redemandé en chœur :

Justine et Léa – QUI?

Nicolas – Vous êtes bouchées ou quoi? Votre maçon, votre sex bomb, votre Enzo, c'est un PD.

Justine et Léa – QUOI?

Nicolas – Une pédale, une tapette, une tarlouze, un enc...

Léa – STOP. Le fait qu'il n'ait pas la même sexualité que toi ne t'autorise pas à utiliser un vocabulaire homophobe.

Nicolas – Et lui, ça l'autorise à me sauter dessus?

Léa – Non. Sauf si ça t'a fait plaisir et que tu lui demandes.

Mon cousin a viré au cramoisi et il est sorti de ma chambre pour ne pas étrangler Léa. C'est étrange comme certains garçons ont vis-à-vis de l'homosexualité une attitude hostile. Je ne vois pas en quoi ça les remet en question d'être l'objet de désir d'un homme.

En tous les cas, Nicolas n'a pas supporté et encore là, à la gare, il était agacé en surveillant son portable.

Nicolas – Enzo n'a pas arrêté de m'appeler et de me laisser des messages pour s'excuser. Je ne sais quel débile lui a dit qu'il allait rencontrer l'amour sur son lieu de travail et que cette personne la sauverait d'un danger. Alors quand je l'ai rattrapé, il a cru que c'était moi.

Ingrid – Et ce n'était pas toi ?

Mon cousin a de nouveau viré au rouge violacé, signe avant-coureur de l'accident cardiaque ou du meurtre barbare. La peste a perçu le danger et elle a tourné les talons en marmonnant :

Ingrid – Enfin, c'est pas ma faute s'il excite les mecs. J'en ai assez de toujours porter le château...

Là, il a vraiment fallu que Jim prenne fermement mon cousin par le bras pour que la peste échappe à une mort violente. Durant quelques secondes, il y a eu un silence salutaire, le temps que la raison reprenne le contrôle sur l'esprit de tous. Puis Nicolas nous a souri et l'atmosphère s'est détendue d'un coup.

OUF...

Son portable a sonné. Léa qui devait se sentir légèrement responsable de la méprise d'Enzo lui a arraché le téléphone des mains.

Léa – Allô?... Ah salut Thibault!

Quoi Thibault et Nicolas aussi? Bon ça va, je reconnais que c'est une mauvaise blague. C'était juste histoire de mettre un peu d'ambiance.

Léa – On est quai F. Oui, tu as le temps d'arriver, mon train part dans huit minutes. À tout de suite.

Nicolas – Il est où?

Léa – Il gare son scooter, on va l'attendre.

Jim – Tu veux que je te monte ta valise, que je t'aide? Tout à l'heure, à la gare du Nord, je ne serai pas là...

Léa – Oui je veux bien. Surtout qu'on n'a pas de place précise, on connaît juste la rame dans laquelle on voyage. Tu me gardes deux places.

Nicolas – Pour toi toute seule?

Léa – Non, une pour moi et une pour... Peter.

Nicolas – Peter?

Léa – Il vient à Londres avec nous.

Mon cousin a perdu instantanément le sourire. Il a marmonné :

Nicolas – Décidément, c'est la journée des boulets.

Léa a fait semblant de ne pas entendre mais à sa façon de tirer sur ses mitaines, j'ai compris qu'elle était énervée.

Jim, efficace et attentionné, s'est occupé des bagages de Léa et lui a réservé deux places côte à côte. Lorsqu'il est redescendu, ma meilleure amie l'a serré dans ses bras.

Léa – T'es un cadeau de la vie, toi.

Nicolas – Parce que moi je suis quoi?

Léa – Je préférerais ne pas répondre à cette question.

Après avoir boudé un court moment, Nicolas est monté dans le train, en est redescendu avec les bagages de Léa et puis il est remonté.

On l'a tous suivi.

Il a de nouveau placé la valise dans l'espace destiné aux bagages et a étalé le manteau de Léa sur les deux sièges encore vides.

Léa – Je peux savoir à quoi tu joues?

Nicolas – Je range tes affaires et je réserve deux places comme tu le souhaitais. Je suis un cadeau de la vie, moi aussi, maintenant?

Léa a éclaté de rire.

Léa – Ouais un cadeau, mais empoisonné le cadeau!

– Alors tout le monde part à Londres finalement et vous comptiez me laisser seul?

Comment pourrais-je m'envoler sans toi, mon beau Thibault? A-t-on vu Blanche-Neige disparaître avec les nains, Cendrillon partir en week-end avec sa marraine et oublier le prince? Non... Impossible!

Nicolas – Ah te voilà toi.

Thibault – Je te manquais, chéri?

Nicolas – Tu veux mon poing dans ta gueule?

Thibault – Ce que tu peux être romantique...

Thibault s'est approché de moi et m'a embrassée tout doucement sur la bouche.

Thibault – T'inquiète, je préfère ta cousine.

Est-ce que, dans la vie, il existe une touche repeat? Tu vis un truc bien et tu appuies dessus pour que ça recommence. Si cette touche existe, j'appuie dessus jusqu'à la fin de mon existence.

Thibault s'est approché de moi et m'a embrassée tout doucement sur la bouche.

Thibault – T'inquiète, je préfère ta cousine.

Repeat.

Thibault s'est approché de moi et m'a embrassée tout douce-ment sur la bouche.

Thibault – T'inquiète, je préfère ta cousine.

Repeat.

Quoi? Qu'est-ce qu'il y a? Il y en a qui s'ennuient? Qui vou-draient qu'on passe à la suite? Certaines personnes sont d'un égoïsme...

Allez repeat.

Nicolas – Ouais mais t'approche pas trop près quand même, je te rappelle que c'est la famille.

Thibault – Je ne te connaissais pas dans le rôle du cousin corse.

Ah vous vouliez la suite, vous l'avez... Des dialogues minables de petits coqs qui se partagent le poulailler. J'espère que vous êtes contents...

Qu'est-ce qu'elle a Léa à regarder sa montre toutes les trois secondes? Je ne l'ai jamais vue aussi nerveuse.

Léa – Où peut-il être?

Justine – Qui ça?

Léa – Peter... Le train part dans deux minutes et il n'est toujours pas là.

S'il avait disparu corps et biens pour l'éternité, je ne serais pas effondrée.

Justine – T'inquiète, il va arriver. Il doit être planqué derrière un poteau et il attend le dernier moment pour faire une entrée théâtrale.

Jim a attrapé Léa par les épaules.

Jim – Allez ma grande, on y va. Amuse-toi bien à Londres et reviens-nous vite.

Nicolas – Laisse-moi l'embrasser moi aussi sinon elle va encore dire que je suis pas un cadeau.

Thibault – Et moi, j'ai pas le droit?

J'ai attendu que les garçons soient descendus pour saluer ma meilleure amie.

Justine – À dimanche...

Léa – À dimanche...

Justine – T'oublies pas de nous rapporter du thé.

Léa – Non.

Justine – Il va venir, j'en suis sûre.

Léa – Avec lui, rien n'est jamais sûr. Descends vite avant qu'ils ferment les portes.

Comme je ne trouvais rien à ajouter pour apaiser Léa, j'ai rejoint les garçons sur le quai. Je me suis collée à la vitre du train, les mains de part et d'autre de mon visage.

Ah c'est pas vrai! Il n'en est pas question!

Jim – Où tu vas Justine?

Justine – Il faut que je remonte...

Jim – Impossible, le train va partir.

Justine – Mais elle s'est assise à côté de Léa, on ne peut pas la laisser faire.

Jim – Qui ça?

Justine – UM. Je lui ai dit non tout à l'heure et là, regarde, elle a pris la place que Léa avait gardée pour Peter.

Nicolas – À propos de Peter, c'est pas lui?

J'ai tourné la tête. Au bout du quai, Peter, manteau noir et queue de cheval au vent, courait alors qu'on annonçait la fermeture automatique des portes. Il a juste eu le temps de monter dans la rame de queue. J'ai tambouriné à la fenêtre pour prévenir Léa mais elle ne m'a pas entendue.

Le train a démarré.

J'ai agité ma main dans le vide et je n'ai vu que mon reflet dans les vitres qui ont défilé de plus en plus vite. J'ai eu une envie terrible de pleurer. Je déteste les gares. Léa m'a menti, on n'y retrouve jamais personne.

– Dis Justine, si on se voyait tous les deux ce soir?

Je me suis retournée. Thibault a pris mes mains rougies par le froid et a soufflé dessus pour les réchauffer.

Thibault – Alors, ça te plairait?

Repeat.

– Dis Justine, si on se voyait tous les deux ce soir?

Je me suis retournée. Thibault a pris mes mains rougies par le froid et a soufflé dessus pour les réchauffer.

Thibault – Alors, ça te plairait?

Repeat.

– Dis Justine...

Oui, mon existence ces derniers temps n'avait pas été rose. Thibault s'était éloigné de moi et n'avait plus semblé si pressé de me glisser dans son lit, Brice le pervers aux petites cuillères rôdait toujours, Léa était partie quatre jours à Londres avec sa classe et... son Peter. Ma vie affective était un désert.

Mais voilà que la vie, qui a plus d'un tour dans son sac, me proposait un nouveau rebondissement. Mon prince, alors que je désespérais de le revoir autrement qu'en voisine, m'avait demandé d'un air coquin, après le départ de Léa, si une soirée en tête-à-tête me plairait.

Mon cœur avait fait bang bang et, à part sourire d'un air niais, je n'avais pas été capable de décrocher un mot. Remarquez, peu importe... Thibault avait compris que j'étais d'accord, même très d'accord ! Plus que d'accord, méga d'accord !!!

Alors qu'on rejoignait son scooter main dans la main, je m'imaginais déjà dans sa chambre, l'embrassant fiévreusement, mon cœur contre son corps. Depuis des jours, des nuits, des mois, des années, j'attendais que se réalise mon rêve et enfin ce moment approchait.

Soudain des pensées horribles ont parasité mon bonheur.

Est-ce que j'ai bien enfilé les deux chaussettes de la même couleur ce matin avant de mettre mes Converse ?

Pourvu qu'elles n'aient pas de trous...

Oh non, je porte mon tee-shirt Snoopy sous mon pull! Thibault me trouvera ridicule. Je ne vais quand même pas lui expliquer au milieu d'une scène torride que c'est mon seul tee-shirt à manches longues qui soit de la bonne longueur sous mon pull bleu et qu'il me permet de montrer mon nombril sans avoir le dos et les bras gelés.

Comment pourrais-je faire?

Et si en rentrant chez lui, j'allais aux toilettes et que je retirais mes chaussettes et mon tee-shirt? Après, je sors l'air de rien avec un grand sourire.

Oui, mais une fille qui fait pipi n'est pas vraiment glamour. Dans les romans et les films d'amour, jamais l'héroïne n'a de problèmes de vessie. Elle n'a jamais non plus de chaussettes dépareillées ni de tee-shirt Snoopy. Il va falloir choisir...

Je préfère faire pipi. Ce n'est peut-être pas très classe mais c'est une obligation physiologique, alors que tout le monde n'a pas un affreux tee-shirt Snoopy rescapé de soixante-douze lavages à 60 °C dont un avec du linge rouge qui a déteint. Et je ne parle pas des chaussettes dépareillées.

Mais où est-ce que je cache le tee-shirt et les chaussettes une fois enlevés?

Je n'ai pas de sac, je suis venue à la gare avec mon portable, mes clefs et mon iPod dans mes poches. Impossible de ressortir des toilettes avec mes haillons à la main.

Je sais! Je noue les manches de mon tee-shirt et je m'en sers comme d'un sac. Je mets les chaussettes à l'intérieur, je ferme et je planque le tout derrière les toilettes. Dès que Thibault est occupé, je fonce récupérer mes oripeaux et je les balance dans le jardin au milieu des massifs de roses. Impeccable! Léa n'aurait pas trouvé mieux.

Thibault – Ça va Justine ?

Justine – Oui, pourquoi ?

Thibault – On dirait que tu es préoccupée, tu as les sourcils froncés comme Théo lorsqu'il a un problème.

Justine – Non, tout va bien...

À part que mon tee-shirt virtuel vient d'atterrir au milieu de la pelouse et qu'on ne voit plus que lui sur l'herbe ! Il va falloir que je trouve une autre solution.

Et si, au lieu de le lancer par la porte-fenêtre, je le cachais dans l'appartement ? Il me faudrait un endroit rapidement accessible mais dans lequel Thibault ne fourrerait pas son nez avant un certain temps.

J'ai une idée.

Je vais faire comme Lulu Cracra, planquer mon baluchon sous les coussins du canapé. Mon prince ne fera pas le ménage un jeudi soir, donc j'aurai tout le loisir de récupérer mon ballot de linge sale après. Ça, c'est vraiment le crime parfait... Il y a des fois où je m'adore !

– Où vous vous barrez ?

J'ai été tellement surprise que j'ai failli me coincer les doigts dans les ressorts du canapé. Nicolas et Jim, de l'autre côté de la rue, nous faisaient de grands signes.

Nicolas – On va boire un pot au café en face, vous venez ?

Thibault m'a chuchoté à l'oreille :

Thibault – Ça me paraît difficile de refuser. On prend un verre avec eux et on file, d'accord Justine ?

Si je refusais, j'aurais l'air de la pauvre fille qui fait tout pour coincer son amoureux dans un lit. En même temps, si je suis honnête avec moi-même, c'est ce que je veux.

Peut-être, mais je ne dois pas le montrer en public...

Justine – Très bonne idée. On a tout notre temps.

Et j'ai traversé la rue d'un air dégagé pour que personne ne se rende compte à quel point j'étais contrariée.

Jim – Ça va Justine?

Justine – Oui.

Jim – Tu as l'air énervée.

Mais qu'est-ce qu'ils ont tous à lire en moi comme dans un livre ouvert? Je suis si transparente?

Nicolas – C'est le départ de Crueléa qui lui fout les boules. Elle ne sait pas avec qui elle va tchatcher pendant quatre jours. T'inquiète, poulette, elle reviendra.

Je suis peut-être transparente mais certains ont la pupille opaque!

Jim – Allez, quatre jours c'est vite passé... Je vous invite, on boira à la santé de Léa.

Trois minutes plus tard, Jim portait un toast à la grande absente.

Jim – Je lève mon verre à Léa, qu'elle nous revienne vite et joyeuse.

J'en portais silencieusement un autre : « À Thibault et à moi, que notre première fois soit la plus réussie de la galaxie. »

Nicolas – Tu vas rester longtemps comme la Statue de la Liberté avec ton Coca light?

J'ai regardé les garçons, ils avaient déjà avalé la moitié de leur boisson. Je ne sais pas depuis combien de temps je brandissais le bras.

Justine – Désolée, j'étais ailleurs.

Thibault s'est penché vers moi et m'a chuchoté à l'oreille :

Thibault – Où ça? Sur mon canapé?

Oh non, pas sur le canapé, s'il soulève les coussins, il trouvera mon tee-shirt et mes chaussettes ! Devant mon air affolé, mon prince m'a dit discrètement :

Thibault – Si tu ne veux pas venir chez moi, il n'y a pas de problème.

Justine – MAIS SI, je veux y aller...

Nicolas – Où ça, Justine ?

J'ai hurlé :

Justine – Nulle part !!!

Nicolas – Ça va, ne me réponds pas sur ce ton. J'ai voulu être sympa. Je m'en tape de vos histoires.

– Ah ben, vous êtes là ?

Nicolas – Non.

Ingrid, qui venait d'entrer, avait posé sa question avec un large sourire, mais l'accueil de mon cousin l'a refroidie sur-le-champ. Sa mâchoire inférieure s'est décrochée comme celle des personnages de BD : elle est tombée très bas.

Après quelques secondes de stupeur, elle s'est reprise. Elle a balancé à Nicolas sur un ton mélodramatique :

Ingrid – Attention Nico, qui sème le vent récolte la trompette.

Ne riez pas... Même si le sens laisse à désirer, la forme y est ! Enfin, je vous demande de ne pas rire mais nous, on n'a pas pu s'en empêcher. Ce qui a provoqué la colère divine de miss Proverbes.

Ingrid – Vous êtes vraiment des gamins. Il y a des fois où je me dis que vous ne me méritez pas.

Jim, que les conflits angoissent, s'est levé et a pris la peste dans ses bras.

Jim – T'es juste arrivée au mauvais moment, c'est tout. On ne se moque pas de toi. Assieds-toi. On boit au voyage de Léa.

Après s'être fait prier par Jim, la peste s'est assise, non sans avoir ajouté :

Ingrid – Alors c'est vraiment parce qu'il insiste...

Jim a commandé un Vittel pour Ingrid et une nouvelle tournée de bière et de Coca light pour nous. Oh non, pas une deuxième tournée, par pitié !

Nicolas – Tu bosses à quelle heure Jim ?

Jim – Je ne travaille pas ce soir. J'ai déjà fait deux nocturnes cette semaine.

Nicolas – Donc t'es libre pour un poker ?

Pourvu qu'il ait un rendez-vous, avec Monica Bellucci s'il le faut. Je n'ai pas envie qu'il traîne à la maison bleue.

Jim – Non, j'ai promis à Yseult que j'allais la chercher à son cours de chant.

Et elle ne peut pas prendre le bus comme tout le monde ? Je déteste les filles qui font des chichis.

Nicolas – C'est bon, tu vas pas louper un poker d'enfer avec nous pour une meuf.

Comment ça « avec nous », à quel troisième partenaire pense-t-il ? J'ai mitraillé Thibault du regard pour qu'il décline l'invitation illico.

Thibault – Euh... je ne peux pas non plus ce soir.

Oh yes, j'ai un pouvoir d'enfer sur mon homme. Il m'obéit au doigt et à l'œil, enfin plutôt à l'œil et à l'œil. En fait non, juste à un œil.

Nicolas – Tu peux pas à cause d'une meuf toi aussi ?

Thibault – Non, pas du tout.

Pas du tout ??? Je suis quoi moi alors ?

Et puis c'est quoi cette question à propos d'une fille ? Nicolas ne sait pas que je sors avec Thibault ?

LE **POKER**

Pourquoi les joueurs de poker portent-ils des lunettes de soleil?

Pas seulement pour jouer les beaux gosses et frimer autour du tapis vert. Les professionnels du poker sont habitués à dévisager leurs adversaires afin d'y déceler tous les signes trahissant un bluff ou une information sur la qualité de leur jeu.

La plupart de ces signaux passent à travers le regard.

La prochaine fois que vous prenez une antisèche ou que vous racontez un mytho à vos parents sur les raisons de votre retard, sortez les solaires!!!

Thibault – Un truc perso à régler. Une affaire qui me tient à cœur depuis plusieurs mois. Je ne peux absolument pas louper mon rendez-vous.

C'est trop mignon ce message codé que je suis la seule à pouvoir comprendre.

Ingrid – Ça ne serait pas Justine, ton truc perso? À voir comment elle te regarde en bavant, il y a des chances.

Mais qu'on la fasse taire définitivement! Ils vont tous avoir un doute maintenant, à cause d'elle.

Jim – On n'a qu'à se programmer un poker samedi soir. T'es libre Thibault samedi?

Il ne le sait pas encore. Il va se passer des choses d'ici samedi qui vont modifier totalement son rapport au monde. Notre histoire va le faire basculer dans un univers inconnu : L'Amoooooooouuuuur.

Thibault – Samedi soir, super! On fait ça chez moi? Je fournis la bière.

Il ne croit pas une seconde à ce qu'il vient de dire. Il sent le tsunami qui va l'emporter, alors il donne le change.

Oh Thibault, mon amour, ne crains rien, nous serons deux sur la vague et je te tiendrai la main.

Thibault – Qui on pourrait inviter d'autre? Ça serait sympa qu'on ait un quatrième partenaire. Vous connaissez Hadrien? Hadrien Ménard, il est dans ma classe.

Ingrid – Moi, je le connais bien... même plus que bien.

Évidemment la peste a prononcé ces derniers mots avec l'air gourmand des filles qui assurent un maximum.

Nicolas – C'est pas parce que tu lui as roulé une pelle à une soirée que tu le connais « plus que bien ».

Ingrid – Je ne vois pas ce que tu insinues. Avec Hadrien, nous partageons...

Comme Mademoiselle www.jesuischaudecommelabraise.com ne trouvait aucun argument pour nous convaincre de son intimité avec Hadrien, elle a ajouté en dodelinant de la tête :

Ingrid – Vous ne pouvez pas comprendre, c'est le genre de truc qui vous échappe.

Nicolas n'a pas tenté de savoir ce qui lui échappait, il était plus occupé à demander à Thibault si Hadrien Ménard assurait vraiment au poker.

Thibault – Il joue pas mal du tout, d'après ce qu'il dit. Alors, on l'invite ?

Nicolas – Ouais... Il se la pète un peu mais pourquoi pas... T'en penses quoi Jim ?

Jim – Je ne vois pas qui c'est. Il était au collège avec nous ?

Nicolas – Non, il est arrivé en seconde mais tu l'as vu à des teufs. Un grand brun super maigre.

Jim – Ça me dit rien.

Nicolas – Rappelle-toi, c'est le mec avec qui t'as parlé de snowboard à l'anniversaire de Sarah, la blondinette qui n'en voulait qu'à tes muscles.

Jim – Ah ouais, je me souviens... de Sarah, pas d'Hadrien !

Tous les mêmes... Je ne vais quand même pas me teindre en blonde pour laisser un souvenir impérissable aux garçons.

Si je veux passer une soirée de rêve avec l'homme de ma vie sans me faire tuer par mes parents parce que je rentre tard, je dois activer le mouvement.

Justine – Bien, je dois vous quitter, ce soir j'ai mon exposé sur les préservatifs.

Nicolas – T'as un exposé sur les préservatifs ce soir ?

Justine – Euh non... je voulais dire demain...

Mes pommettes se sont enflammées. Jim et Nicolas m'ont regardée avec un air agacé. Thibault a attendu un petit moment et il a proposé :

Thibault – Je te raccompagne si tu veux.

Je ne pourrais pas le jurer mais j'ai eu l'impression que la situation lui plaisait.

Justine – Oh oui, pourquoi pas... Ça ne te dérange pas ?

Thibault – Pas du tout, j'ai des trucs à faire aussi.

Je ne peux pas vous avouer à quel point j'ai été nulle. Mes répliques ont sonné faux et personne ne m'a crue, même pas moi. Je me suis levée trop rapidement pour que ça semble naturel et je me suis pris les pieds dans le sac qu'Ingrid avait posé par terre. Mais je n'avais pas bu toute ma honte, il a encore fallu que je me ridiculise en bafouillant un « pardon monsieur ».

Je n'ai pas souhaité entendre les commentaires sur mon *one ridiculous woman show*. J'ai traversé le café à grandes enjambées et j'ai attendu mon prince dehors. Il m'a rejointe quelques minutes plus tard en souriant.

Thibault – Ta maman ne t'a pas appris à dire au revoir ?

Justine – S'il te plaît n'en rajoute pas, je me trouve déjà totalement pathétique.

Thibault – On sent pourtant chez toi une certaine éducation, tu t'excuses avec beaucoup de courtoisie en bredouillant « pardon monsieur » au sac de tes amies !

Comme je boudais, Thibault m'a enlacée et m'a embrassée.

☆ LE LAPSUS ☆

Un lapsus est une erreur commise soit en parlant (lapsus linguæ) soit en écrivant (lapsus calami. Calami voulant dire plume mais aujourd'hui on dit plutôt lapsus clavi).

Le lapsus consiste à substituer à un terme attendu un autre mot. Freud le père de la psychanalyse voit dans le lapsus l'émergence de désirs inconscients. Pour faire plus simple, on rêve de choses qu'on n'ose pas dire et à un moment dans la conversation, le mot interdit se glisse à la place d'un autre.

Exemple : Avant de passer à table, un homme (qui doit avoir très faim) parle à sa femme de dons envoyés pour le tiramisu (gâteau italien). Il voulait certainement évoquer les dons envoyés pour le tsunami.

Thibault – Ne fais pas cette tête... Si tu savais à quel point je te trouve craquante avec tes gaffes. Tu ne ressembles à personne et je n'aimerais pas que tu changes. Les filles qui assurent en toutes circonstances, je m'en méfie comme de la peste, on ne sait jamais de quoi elles sont capables. Avec toi, je suis en confiance... Je vois ton cœur au travers de ton pull.

Mon prince a prononcé sa dernière phrase en glissant sa main dans mon dos, sous mes vêtements.

Thibault – Rectification, je vois ton cœur au travers de ton pull et de ton tee-shirt.

Oh le tee-shirt, il ne faut surtout pas que j'oublie de l'enlever !

Oui, mais maintenant, il sait que j'en porte un ! Tant pis je le garde, il m'a prouvé qu'il me désirait quoi que je porte.

Justine, ne te laisse pas bercer par cette magnifique déclaration d'amour, reste vigilante ! Dans moins de dix minutes, tu vas te retrouver collée serrée à ce garçon et Snoopy ne peut pas vous séparer. Garde la tête froide jusqu'au moment où tu le cacheras sous les coussins du canapé.

Thibault – Mais même si je vois ton cœur au travers de tes vêtements, j'ai l'intention de t'en débarrasser au plus vite...

J'ai émis un son entre le miaulement d'un chat affamé et le grincement d'une porte rouillée. Une cata... Si on pouvait mourir de honte, je crois que j'aurais disparu à cet instant. J'ai fermé les yeux pour ne pas croiser le regard moqueur de Thibault.

Dans une autre vie, je serai totale maîtrise, j'aurai des tops blancs en dentelle, des chaussettes sans trou et identiques, et quand un garçon me fera une déclaration j'écouterai sans manifester aucune réaction visible. Mais ce sera dans une autre vie... En attendant, il faut que j'existe avec Moi et ce n'est pas toujours facile !

Thibault – Allez, on se sauve avant que les autres sortent.

On a couru jusqu'à son scooter. C'était trop bien ! On se serait crus dans un film, quand les amoureux, après avoir risqué de se perdre, se retrouvent pour toujours.

Vous n'allez pas me croire mais j'ai couru droit sans louper un seul trottoir. Thibault a sorti un casque de son top-case et me l'a mis sur la tête. Puis il m'a embrassée langoureusement. Finalement cette soirée commençait sous les meilleurs auspices !

Lorsque nous sommes arrivés, mon prince s'est garé dans la rue côté jardin. Il était plus sage d'escalader la porte aux turquoises afin d'éviter de croiser quelqu'un à l'entrée de la maison bleue.

Cette « entrée » secrète avec en fond de décor une lune ronde sur nuit noire m'a fait battre le cœur plus fort. Ma première fois était le comble du romantisme.

Dans le jardin, je me suis laissé guider par Thibault. Entre ma myopie, l'obscurité et mon agitation, je craignais un plongeon dans le massif de rosiers ou une collision avec un arbre. Rien de tout cela n'est arrivé. Cupidon en personne veillait sur nous.

Thibault – Mais qu'est-ce que tu fais là ?

Quoi, qu'est-ce que je fais là ? Il est devenu fou ? Je lui rappelle qu'il m'a invitée à passer un moment seule à seul avec lui pour une activité que la décence m'interdit de nommer ici. Une voix venue d'outre-tombe a chuchoté :

– J'ai apporté ma cuisse de poulet rôti à Lulu Cracra mais maman ne le sait pas. Je suis descendu en cachette, elle croit que je suis dans mon lit. J'ai bloqué la porte en coinçant une barrette dans la serrure comme Tobie.

Ne me dites pas que la personne en train de raconter ses exploits est mon épouvantable frère. Je ne le supporterai pas.

Thibault – Mais enfin Théo, il est très tard pour traîner dans le jardin quand on est un petit garçon ! Tu dois rentrer tout de suite.

Oui, c'était bien Théo. J'allais lui expliquer ma façon de voir, moi ! Et pas avec des paroles pédago-gentillo-va te coucho ! Je suis sortie de l'ombre et j'ai crié :

Justine – Qu'est-ce que ça signifie Théo, on ne peut plus te faire confiance... Tu remontes immédiatement et compte sur moi pour expliquer à maman que son fils disparaît en cachette la nuit et traîne dans les jardins !

Oui bon d'accord, il est huit heures et demie et il est dans le jardin de la maison mais si on ne cadre pas un peu les enfants, ils agissent n'importe comment.

Théo – Tu vas tout lui raconter maintenant ?

Justine – Euh... Non... J'ai quelque chose à faire avant.

Théo – Ah bon, si tard ? T'as pas lycée demain ?

Il se prend pour qui ? Pour mon père ?

Justine – Si, j'ai cours effectivement et je ne vais pas tarder à rentrer.

Alors que je prononçais cette phrase en bafouillant, le morveux a semblé gagner de l'assurance.

Théo – Et pourquoi vous êtes entrés de ce côté ?

Thibault – Parce que j'ai garé mon scoot derrière la maison.

Théo – Ah bon ! Pourtant tu le gares toujours devant...

Thibault – Oui, mais comme j'ai pris la rue de l'Arlequin, j'ai préféré le laisser là.

Théo – C'est étonnant.

Quoi ? Qu'est-ce qui est étonnant ? Il commence franchement à m'agacer avec ses remarques d'Inspecteur Gadget.

Théo – Vous avez préféré escalader la porte aux turquoises et marcher dans le noir plutôt que de faire le tour en scooter et vous garer devant ?

Thibault – Oui.

Théo – Vous seriez des voleurs et vous auriez eu envie de cambrioler ton appartement, vous auriez agi de la même manière.

Il a avalé un dictionnaire ce sale gosse ou quoi ? À moins que ce soit une réplique de Tobie dans une de ses aventures.

Thibault – Seulement nous ne sommes pas des voleurs et c'est mon appartement.

Théo – Alors c'est que vous avez une autre raison de rentrer discrètement.

Thibault – Je ne vois pas.

Théo a mis sa bouche en cul-de-poule comme à chaque fois qu'il réfléchit intensément.

Théo – Peut-être que vous voulez aller chez Thibault sans que Nicolas le sache.

Justine – Et qu'est-ce qu'on aurait à cacher à Nicolas ?

Théo – Vous avez acheté des bonbons ou des gâteaux et vous ne voulez pas les partager avec lui ?

Comme dit Spinoza, le philosophe préféré de ma prof, « chacun juge selon ses affects », ce qui doit être traduit par : chacun imagine les réactions de l'autre en fonction de ses propres réactions.

Et j'étais soulagée de voir que Théo restait un enfant et pas un génie qui comprend ce qu'il ne devrait pas comprendre.

Théo – À moins que...

J'ai eu des sueurs froides dans le dos mais mon petit frère ne m'a pas laissé le temps de le bâillonner !

Théo – ... À moins que vous ne vouliez pas que papa et maman sachent que vous êtes rentrés. Peut-être que vous voulez rester tous les deux seuls en bas.

Ni Thibault ni moi n'avons renchéri en lui demandant : « Oui, et dans quel but voudrions-nous rester tous les deux seuls en bas ? » Avec cet enfant-là, tout est possible. Comme nous demeurions silencieux, Théo a ajouté :

Théo – Chacun ses secrets. D'après Tobie, il peut y avoir un échange de bons procédés. Qu'en pensez-vous ?

Attendez, là je n'ai pas saisi... Mon petit frère ne serait-il pas en train de marchander son silence contre le nôtre ?

Thibault – Je ne comprends pas bien ce que tu veux dire.

Théo – Oh, c'est simple, si vous oubliez ma présence dans le jardin à cette heure tardive, j'oublie la vôtre.

Après avoir réfléchi un long moment, Thibault s'est tourné vers moi et m'a déclaré très sérieusement :

Thibault – Je crois que nous sommes obligés d'accepter cette proposition.

Non mais ça va pas ! Je ne vais certainement pas subir le chantage d'un petit monstre de six ans et demi qui ne sait même pas nager !

Quoi, quel rapport avec le fait qu'il ne sache pas nager ?

Je l'ignore, seulement quand on ne sait pas nager, on se tait.

Oui, j'ai d'autres arguments. Là, dans l'immédiat, ça ne me vient pas, mais il doit y en avoir...

Oh et puis, tant pis ! Puisque tout le monde a l'air de trouver normal qu'un gamin de CE1 fasse chanter sa propre sœur, j'accepte sa proposition. Seulement, qu'on ne se plaigne pas dans sept ou huit ans d'avoir un délinquant à la maison.

Thibault – On t'accompagne jusqu'à la porte pour s'assurer que tu rentres directement chez toi, et après plus un mot sur notre rencontre nocturne.

Théo – D'accord, mais vous devez d'abord faire le serment des cochons d'Inde.

Justine – C'est quoi, ça, encore ???

Évidemment, le serment était une idée prise dans les albums de Tobie. Il a fallu qu'on se tienne par les mains en répétant, les yeux fermés : « C'était le cochon d'Inde, synchronisation des doigts, tchin, frisbee, Sabrina tête de tigre, yahou, les pompiers de Paris. » Certains jours, je regrette de ne pas être enfant unique.

Après avoir obéi à Tyrannosaure Frère, on l'a escorté dans l'escalier. Il nous a adressé un signe de la main et a disparu en moins de temps qu'il ne faut pour le dire. Quand le petit « clic » de la porte d'entrée a retenti, on est partis.

YES, la soirée nous appartenait enfin !

– Qu'est-ce que vous foutez dans les escaliers ?! Je croyais que tu rentrais tôt pour ton exposé, Justine ? Et toi Thibault, t'avais pas une super urgence ?

J'ai changé d'avis. Pour Noël, je ne veux plus de baffles pour mon iPod, je préfère un bazooka.

Nicolas, trois cartons de pizza dans les bras, était juste derrière nous côté cour.

Thibault, toujours maître de lui, a répondu :

Thibault – Imagine-toi qu'en rentrant, on a trouvé Théo dans le jardin en train de donner à manger à Lulu Cracra. Il était descendu en cachette.

Nicolas – À cette heure-ci ? Et vous l'avez remonté par la peau du cul, j'espère ?

Et voilà comment Nicolas va comprendre notre stratagème... On va être obligés d'expliquer pourquoi on a été laxistes.

Thibault – Non, on lui a fait promettre de ne pas recommencer et on a vérifié qu'il rentrait chez lui. Je crois qu'il a compris. La méthode douce est plus efficace que les cris et les fessées.

Nicolas – Eh bien, il a eu de la chance de ne pas tomber sur moi.

Puis il y a eu un silence durant lequel on a tous cherché quelque chose à dire. En ce qui me concerne, j'espérais trouver la formule idéale pour signifier à mon cousin qu'il était temps qu'il rentre chez lui et que je remonterais dans un tout petit moment. Il ne m'en a pas laissé le temps.

Nicolas – Bon, ben bonne soirée Thibault. Tu viens Justine, j'ai promis à ta mère que je passais lui dire bonsoir. Mon père l'a chargée de me surveiller, il est parti jusqu'à dimanche pour son boulot.

Il le fait exprès, c'est sûr.

Thibault – Écoute, Nicolas, je vais être clair et mettre les points sur les i. Justine et moi, on a envie d'être un peu seuls. Je suis certain que tu comprends.

Mais il est malade ou quoi de balancer la vérité toute crue à mon propre cousin ! Je n'oserai plus le regarder.

Nicolas – D'accord, d'accord. Justine est vaccinée et elle fait ce qu'elle veut.

C'est drôle comme parfois on tient un discours alors qu'on pense exactement le contraire.

Nicolas – Salut !

Sur cette réplique courte et efficace, Nicolas nous a plantés là. Je ne peux pas vous dire quelle mimique il a faite parce que j'avais les yeux rivés sur mes Converse. Mais à l'intonation de sa voix et à la lourdeur de ses pas dans l'escalier, je peux affirmer qu'il était très contrarié.

Lorsque j'ai regardé Thibault, il avait sur les lèvres le même sourire de contentement qu'au café. À croire que rendre jaloux Nicolas lui faisait plaisir.

Durant un court instant, j'ai eu envie de partir mais mon prince m'a attrapée par la taille et m'a embrassée langoureusement.

Thibault – Cette fois, la soirée est à nous. Viens vite !

Et on s'est enfin retrouvés seuls dans son appartement...

Thibault a mis un CD de Jamie Cullum et a débouché une bouteille de champagne qu'il avait gardée au frais.

Thibault – Juste une coupe, pas plus. Je n'ai pas envie de te contempler dormant nue avec une rose dans les cheveux.

Le souvenir de cette première nuit ratée nous a fait sourire.

Mon prince s'est approché et a porté la coupe à mes lèvres. J'ai bu une gorgée, il a bu à son tour. Nous nous sommes embrassés. Et là, l'embrasement total des sens...

Je n'ai plus su qui j'étais ni où j'étais. Alors que Thibault avait passé sa main sous mon pull et décroché avec une facilité déconcertante l'agrafe de mon soutien-gorge, la mémoire m'est revenue.

Je m'appelais Justine et j'avais un tee-shirt Snoopy tellement laid et délavé que même porté par Kate Moss herself, il ferait pitié !

J'ai bondi comme un Marsupilami sous pression. Mon amoureux a vu dans ce recul la crainte d'une jeune novice et a cherché à me rassurer.

Thibault – N'aie pas peur, je ne ferai rien que tu ne désires pas.

Mais je n'ai pas peur, je dois juste enlever mon tee-shirt et mes chaussettes ! J'ai pris l'air le plus dégagé possible pour susurrer façon star hollywoodienne qui va se repoudrer le nez.

Justine – Tu me donnes une seconde ? Je reviens.

Thibault – Bien sûr, ne te presse pas, tu sais où est la salle de bains.

Justine – Je n'ai pas besoin de la salle de bains, je vais aux toilettes.

Oh non !!! Mais pourquoi suis-je aussi nulle ? Est-ce que quelqu'un m'a demandé de préciser où j'allais ?

Thibault – Va où tu veux, mais reviens-moi vite...

Justine – J'en ai pour deux minutes.

J'ai filé aux toilettes et j'ai battu le record du monde de l'arrachage de tee-shirt-chaussettes. Comme prévu, j'ai noué les manches, placé les chaussettes au fond de mon ballot et je l'ai planqué derrière la porte en attendant des temps plus cléments. Je suis ressortie aussi sec. J'ai repris l'air de la fille dégagée et j'ai avancé, royale, vers le salon.

Mince, je n'ai pas tiré la chasse.

C'est normal, je me suis juste déshabillée.

Oui, mais lui ne le sait pas. Que va-t-il penser d'une amoureuse qui ne tire pas la chasse ?

J'ai reculé sur la pointe des pieds, j'ai rouvert la porte des toilettes et j'ai actionné la chasse. Je suis allée me laver les mains. Le visage que j'ai aperçu dans le miroir m'a paru plutôt séduisant mais comme je suis myope...

Bon, cette fois, je le rejoins.

Et que la fête commence !!!

Thibault, installé confortablement sur le canapé, m'a regardée avancer vers lui. J'ai eu l'impression d'être une coupe de fraises chantilly tant il y avait de désir dans son regard. Ça m'a donné une confiance dingue, du coup je me suis approchée sans me prendre les pieds dans quoi que ce soit.

Il s'est levé et m'a chuchoté d'une voix hyper langoureuse :

Thibault – Tu me donnes deux secondes ?

Quoi ??? Lui aussi il a un tee-shirt Snoopy ???

Justine – Bien sûr !

Comment ça bien sûr ??? Mais il n'en est pas question. S'il va aux toilettes, il va trouver mon tas de linge sale. Il faut absolument que je l'empêche de bouger !

Comment faire ?

Je me suis jetée sur Thibault et je l'ai embrassé sauvagement.

Opération réussie... Mon prince n'a plus demandé à se lever. Il a répondu à mon baiser avec une fougue que je ne lui connaissais pas. Mon pull bleu a traversé la pièce comme un astéroïde suivi de très près par mon soutien-gorge.

À cet instant, quelqu'un a frappé à la porte-fenêtre côté jardin. J'ai cru que c'était mon cœur qui cognait dans ma tête mais lorsque j'ai vu Thibault se lever précipitamment, j'ai réalisé que nous avions un invité.

Ah non pardon... Deux invités.

Enfin, je ne les ai pas vus, j'ai juste entraperçu leur ombre en sautant derrière le canapé. Difficile de se présenter seins nus aux gens lorsqu'on est une jeune fille de bonne famille.

Mon prince a fait coulisser la porte-fenêtre. J'ai été réfrigérée d'un coup. Quelqu'un pourrait me passer mon pull bleu, il fait froid là...

– Salut, on a apporté le dessert !

Je rêve ou c'est la voix de Jim ? Une voix féminine a ajouté :

– C'est moi qui ai choisi les parfums. Fraise et chocolat, ça te plaît ???

Ce n'est plus une soirée, c'est un cauchemar.

Justine

En rangeant mes vieilles fiches de révision de français, j'ai trouvé cette définition. Incroyable, ça parle de la maison bleue, non ?

Le vaudeville est un type de comédie à la mode au XIXe siècle. Il repose très fréquemment sur une intrigue amoureuse à trois (le mari, la femme, l'amant). Le vaudeville ou « théâtre de boulevard » comporte généralement de nombreux rebondissements et quiproquos. Tu vois à quoi je fais allusion ???

Aujourd'hui, 22h07 · J'aime · Commenter

Thibault aime ça.

Léa Assez bien, oui !!!

Aujourd'hui, 22h08 · 1 personne aime ça

Jim Nous aussi !!!

Aujourd'hui, 22h09 · J'aime

Jim – Il y a un problème Thibault ? On te dérange ?

Je ne voudrais pas être désagréable avec Jim, mais c'est pire que ça. Ils sont carrément hors sujet !

Thibault – Non, seulement il n'était pas prévu que vous veniez chez moi ce soir.

Jim – Pourtant Nicolas vient de m'appeler pour me prévenir qu'on dînait chez toi.

Thibault – Il a dû se tromper.

Jim – C'est bizarre, il m'a dit : « J'ai acheté les pizzas, rendez-vous chez Thibault, finalement il reste chez lui. Justine sera là aussi. »

Oh le fourbe, le menteur, le manipulateur… Il n'a pas supporté l'idée que je me retrouve seule avec Thibault, alors il s'est arrangé pour qu'on soit dérangés. Quitte à mettre son meilleur ami dans une situation indélicate. Si Nicolas n'était pas mon cousin, si je n'étais pas une fille et si je n'étais pas à moitié nue, j'irais aussi sec lui balancer mon poing au travers de la figure.

Thibault – Nicolas a dû mal comprendre, le mieux c'est que vous montiez le rejoindre. Moi, je mange un truc vite fait devant la télé et je me couche.

– AAAATCHOUUUUM…

Ah ben oui, j'avais demandé qu'on me passe mon pull bleu et personne n'a réagi. Je ne voudrais pas jouer les chochottes mais on est en novembre, et quasi nue devant la fenêtre, ça le fait pas.

Un long silence pesant a précédé la compréhension collective de la situation. Jim a dit d'une voix où pointait une colère maîtrisée :

Jim – On te laisse. Il ne faudrait surtout pas que ton canapé attrape froid.

Après un silence, il a ajouté :

Jim – Et remets-lui sa housse bleue, c'est pas bien de la laisser traîner par terre.

Thibault a fait semblant de ne pas comprendre l'allusion à mon pull qui gisait sur le parquet à deux centimètres de mon soutien-gorge. Oh la honte... Je ne sortirai plus jamais d'ici. Pourquoi faut-il que ma vie intime soit diffusée à tous les étages???

– Justine ? Justine ? Qu'est-ce qui t'arrive ? Ça ne va pas ?

J'ai ouvert les yeux et, malheureusement, j'étais restée moi : Justine aux seins nus dissimulée derrière le canapé de son voisin du rez-de-chaussée avec une banderole au-dessus de sa tête : « Ce soir, je couche avec Thibault, prévenez les rares personnes de cet immeuble qui l'ignorent encore. »

Thibault – Ça y est, ils sont partis.

Justine – C'est comme dans les films d'horreur : tu crois que les monstres se sont enfuis mais ils reviennent toujours.

Thibault a éclaté de rire.

Thibault – Je ne le leur conseille pas. Je me sens prêt à étriper tout individu qui s'interposera entre toi et moi. Cette fois-ci, j'éteins toutes les lumières et je t'emmène dans ma chambre. D'accord ?

Justine – J'aimerais bien mais...

Thibault – Mais quoi ?

Justine – Tu es sûr que personne ne va débarquer ?

Thibault – Je ne suis sûr de rien. Dans la tribu de la maison bleue, nous avons eu le frère, le cousin, le meilleur ami, la petite amie du meilleur ami. Il nous manque donc le père, la mère et l'oncle. Tu veux que je leur demande s'ils ont une objection quelconque à ce que nous passions une partie de la soirée dans mon lit ?

50

Justine – T'es dingue?

Thibault – Oui, de toi... Il est temps qu'on s'occupe de nous. Je les aime bien, tous, mais ils sont un peu envahissants, non?

Justine – Un peu, oui...

Thibault – Maintenant qu'ils ont compris qu'on voulait rester seuls ce soir et que leur tentative de libération de Justine a échoué, on peut s'aimer tranquillement.

Justine – Tu crois qu'ils savent pourquoi on voulait plus d'intimité?

Thibault – Tu prends Nicolas et Jim pour des idiots? Ils sont au courant qu'on rêve depuis des mois de faire un scrabble géant en tête-à-tête.

Justine – C'est malin!!!

Thibault – Non, je le reconnais mais je commence à en avoir assez de parler d'eux. Je te veux toi et rien que toi.

Et joignant le geste à la parole, mon prince m'a prise dans ses bras et m'a portée jusque dans sa chambre.

On évoque souvent l'influence de la couche d'ozone sur la fonte des glaciers. Personne ne s'est jamais penché sur l'influence des mots d'amour sur la liquéfaction de Justine Perrin. Si j'étais auteur de BD et que je devais réaliser une vignette pour le happy end, je dessinerais une flaque d'eau avec deux yeux pleins d'amour qui surnagent, des Converse rouges et une bouche qui répond : « Moi aussi je te veux toi, rien que toi. »

Série noire

C'est la sonnerie de mon portable qui m'a réveillée ce matin. Il était sept heures et je ne voyais pas qui était le malade qui voulait me parler si tôt. Puis je me suis rappelé ma « soirée torride » avec Thibault, mon départ un peu précipité de chez lui, et j'ai pensé qu'il désirait qu'on en discute avant de se retrouver au lycée.

Justine – Allô ?

– Justine, c'est moi…

Mais à qui appartient cette voix tremblante de créature ayant abusé de la fête ?

– C'est Léa…

LÉA ????? MA LÉA ????

Justine – What's happening ? Where are you ?

Léa – Ce n'est pas drôle… À Londres.

Justine – Mais pourquoi tu m'appelles si tôt ? Tu as un problème ?

Léa n'a pas répondu, j'ai entendu des sanglots étouffés. Si Peter lui avait fait du mal, cette fois-ci j'allais m'occuper personnellement de lui.

Justine – Qu'est-ce qu'il y a Léa ? Pourquoi tu pleures ? C'est Peter ?

Léa – Non…

Justine – Alors quoi ?

Léa – On m'a volé ma valise !

Justine – Quelle valise ?

Léa – Ben la valise que j'avais emportée ! Celle où il y avait toutes mes affaires !

Justine – On te l'a piquée dans le train ?

Léa – Non, dans le car. Comme notre hôtel est à quelques kilomètres de Londres, un car nous attendait en gare de Waterloo cette nuit. On a mis nos valises dans la soute et on est montés s'asseoir. La soute est restée ouverte sans surveillance une dizaine de minutes. Quelqu'un a dû se servir.

Justine – On n'a volé que ta valise ?

Léa – Non. Celle de UM aussi.

la chemise à rayures bleues

Ma Léa,

En lisant un truc dans mon livre de philo, j'ai tout compris à ton amour pour la chemise de ton père. C'est un objet transitionnel !!! Un objet transitionnel ou doudou est un objet utilisé par l'enfant à partir de quatre mois (d'accord, Léa, tu es un peu plus grande mais ça marche quand même) pour se représenter une présence rassurante.

L'objet transitionnel permet de lutter contre l'angoisse. L'objet vient rassurer l'enfant, le réconforter. Winnicott précise qu'il s'agit d'une protection contre l'angoisse de type dépressif, soit l'angoisse, justement perdre l'objet – c'est-à-dire l'objet maternel (ça doit marcher aussi pour le père

Justine – C'est pas vrai !!! Ugly Monster ! Miss Poisse a encore frappé...

Léa – Ouais.

Justine – Qu'est-ce que tu vas faire ?

Léa – Je ne sais pas. La prof m'a dit qu'on réglerait ça ce matin. Je n'ai pas fermé l'œil de la nuit. Tu sais Justine, il y avait la chemise de mon père dans la valise.

Je n'ai rien trouvé à répondre pour atténuer la peine de ma meilleure amie. Cette chemise blanche à rayures bleues, elle l'emporte partout. C'était la chemise préférée de son père et je sais que, certains soirs de cafard, Léa la met pour se rassurer. Le jour du brevet des collèges, elle dépassait de son sac, même chose pour le bac français. C'est son objet fétiche pour ne pas rompre le lien. Elle continue d'ailleurs à vaporiser dessus le parfum de son père pour sentir « l'odeur du papa chaud »...

Justine – Si tu veux je te donnerai mon millepapattes !

Léa a ri et ça m'a vraiment fait du bien. Mon millepapattes, c'était ma peluche préférée quand j'étais petite... Elle mesure 1,50 m et possède cinquante pattes chaussées de baskets multicolores. Je l'emportais partout avec moi. Ma mère dégoûtée la passait régulièrement à la machine. C'était un vrai déchirement. Je m'asseyais face au hublot et je pleurais en la regardant tourner dans le tambour. Ma peluche est cachée dans mon armoire et je déteste que Théo la touche.

Léa – Merci pour ta proposition mais c'est toi la mère de millepapattes !

Justine – Je suis sûre que tu sauras t'en occuper ! C'est quoi ce bip ?

Léa – Je suis dans une cabine. Mince, je crois que ça va couper.

Justine – Tu n'as pas ton portable?

Léa – Non, je ne l'ai pas pris, ça coûte trop cher.

Justine – Tu as un numéro où je peux te joindre?

Léa – C'est le...

BIP BIP BIP.

La conversation a été coupée. J'ai été saisie d'une angoisse monstrueuse. Léa était loin de moi, du chagrin plein le cœur, et je ne savais pas comment la joindre. Avec les téléphones portables, on a tellement la certitude de parler à ses amis dès qu'on le désire qu'on ne se pose plus la question de l'éloignement et du manque. Mais là, privée du « cordon téléphonique », j'ai eu l'impression d'avoir abandonné ma meilleure amie.

J'ai regardé l'heure : sept heures cinq. Il n'était pas question d'appeler Claire et Eugénie pour leur demander le nom de l'hôtel où logeait Léa. J'allais les affoler. Mais pourquoi n'avais-je pas été plus attentive lorsqu'elle m'avait parlé de son voyage la semaine dernière? J'ai essayé de me remémorer nos discussions, rien ne m'est revenu. Elle n'avait pas été très bavarde à ce propos, certainement à cause de la présence de Peter qu'elle voulait taire. J'ai passé près d'un quart d'heure à me torturer les méninges pour me rappeler un nom de quartier ou un indice qui me permettrait de la retrouver.

Mon portable a de nouveau sonné, j'ai décroché :

Justine – C'est toi Léa???

Léa – Oui c'est moi. La réceptionniste de l'hôtel me laisse téléphoner une minute. Je lui ai expliqué qu'on m'avait volé mes affaires et que je devais prévenir ma famille.

Justine – Et c'est moi ta famille?

Léa – Oui!!! J'avais peur que tu paniques après mon coup de fil. Branche-toi sur MSN ou surveille ta boîte e-mail, dans la journée je vais avoir accès à Internet. On pourra discuter.

Justine – Tu ne veux pas que je te rappelle maintenant ?

Léa – Non, la prof vient de descendre, je vais lui demander ce que je dois faire pour ma valise.

Justine – Je pars à sept heures et demie et je finis mes cours à seize heures. Je me connecte dès que je rentre, d'accord ?

Léa – D'accord.

Justine – Je pense à toi. Tout va s'arranger, j'en suis sûre.

Léa – Je sais... Mon père ne me laissera pas dans une galère pareille. I'll get my suitcase back !

Justine – Yes of course, pas de souci. Je traduis au cas où tu manquerais de vocabulaire !

Léa – Merci !!! Justine, pas un mot à ma mère et à Eugénie. Elles seraient capables de débarquer toutes les deux dans la seconde.

Justine – Promis ! I swear !

Léa – Et bonne chance pour ton exposé de SVT. Je suis certaine que tu réussiras à mettre un préservatif à ton gonfleur de ballons en un tour de main. Good luck !

Mais comment Léa fait-elle pour toujours penser aux autres, même au milieu de la tourmente ? Je n'ai pas pu m'empêcher de me confier.

Justine – Je crois que j'ai compris comment on procédait. J'ai pris un cours hier soir avec Thibault.

Léa – Quoi ???

Justine – Eh oui, tu n'es pas la seule à vivre des expériences passionnantes... Je te raconterai sur MSN tout à l'heure.

Léa – D'accord mais je veux tous les détails. Got to go !!! Je dois y aller !!!

Justine – Big bises.

Léa – Me too.

Lorsque j'ai raccroché, je me suis aperçue que ma mère était à l'entrée de ma chambre et me fixait d'un air bizarre. Depuis combien de temps me fixait-elle ainsi?

La mère – À qui tu parles en anglais de si bonne heure alors que tu t'es couchée si tard?

Ah non, elle repart sur la crise qu'elle a piquée hier soir parce que je suis rentrée à onze heures. C'est bon, j'ai eu mon quota de reproches.

Justine – À Léa.

La mère – Elle n'est pas à Londres?

Justine – Si, mais ils ont le téléphone là-bas tu sais.

La mère – Et est-ce qu'ils ont des mères qui préparent des oranges pressées le matin pour leur insolente de fille?

Eh, quelle repartie cette Sophinette! Je la vanne gentiment et elle me menace implicitement d'une grève sans préavis de la sanguine pressée.

Justine – Seulement les mères qui ont de gentilles filles qui traversent toute la ville pour acheter du pain bio alors qu'il y a une boulangerie juste en bas.

Et toc, ça va lui faire du bien ce petit rappel.

La mère – Quel effort!!! Elles sont vraiment formidables ces filles qui vont acheter du pain. Et qu'est-ce que font leurs mères pendant ce temps-là? J'imagine qu'elles se prélassent sur le canapé! Elles ne doivent faire ni le ménage, ni la cuisine, ni les courses...

Je retire ce que j'ai dit il y a un instant. Ma mère n'a pas le sens de la repartie, elle a le sens de la répétition!

La mère – Elles ne prennent pas de congé quand les enfants sont malades, elles ne les accompagnent pas chez...

Justine – Tu peux t'arrêter, je vais sous la douche!

La mère – Le dentiste, l'orthophoniste, elles ne les déposent pas au cours de danse, de judo...

Comme elle continuait sa liste d'activités, j'ai filé à la salle de bains.

Le temps que la chaudière se mette en route, j'avais fini de prendre ma douche, je suis donc sortie de là totalement frigorifiée. Tandis que je m'habillais, je pensais à la journée chargée qui m'attendait : mon exposé sur les préservatifs en SVT, la discussion que je devais avoir avec Thibault, et puis rentrer au plus vite pour prendre des nouvelles de Léa.

Allez, à la cuisine ! J'avais besoin d'une tasse brûlante d'Earl Grey et de tartines pour me donner la force de supporter tout cela.

– Demande à Justine d'en boire, elle te dira elle aussi que c'est dégoûtant.

Quoi encore ?

Théo debout, les mains sur les hanches, refusait d'avaler le bol de chocolat au lait que ma mère avait posé devant lui.

La mère – Et je peux savoir, Théo, ce qu'il y a de dégoûtant dans un bol de chocolat au lait ?

Théo – C'est pas du vrai lait.

La mère – Comment ça, pas du vrai lait ?

Mon petit frère a sorti de la poubelle une bouteille blanche et verte sur laquelle une biquette était dessinée. Oh elle exagère !!!! Elle a essayé de lui fourguer son lait de chèvre bio. Ça a un goût immonde !

Théo – Tu vois que c'est pas une vraie bouteille de lait. Il y a une chèvre dessus.

La mère – Et tu aurais préféré quoi ? Un dromadaire ? Un poussin ? Une marguerite ?

– Qu'est-ce qui se passe ici ?

J'adore quand mon père arrive au milieu d'un conflit et qu'il prend sa grosse voix d'arbitre qui va tout régler. Généralement, son intervention provoque le chaos total.

La mère – Théo ne veut pas boire son lait.

Théo – C'est pas du lait et j'ai des preuves.

Il lui a tendu sa pièce à conviction d'un air grave, mon père l'a examinée.

Le père – C'est bien du lait.

La mère – Ah ! Qu'est-ce que je disais !

Le père – Mais pas du lait pour enfants.

Théo – Ah ! Qu'est-ce que je disais !

Maman/Théo : 1-1 !

La mère – Et je peux savoir pourquoi ce n'est pas du lait pour enfants ?

Le père – C'est du lait de chèvre et mon fils n'est pas un chevreau.

Papa marque ! La vie de famille est pleine de rebondissements.

La mère – En temps normal, il boit du lait de vache et notre fils n'est pas un veau.

Papa/maman : La balle au centre !

Bon, avant que mes parents passent en revue tous les animaux de la ferme et leur progéniture, je file. Je m'achèterai un croissant en route et je boirai un thé au lycée.

Il n'y avait personne quand je suis arrivée dans la cour. Normal j'avais près de vingt minutes d'avance et le matin, chaque minute compte quadruple. J'ai pris un Paic citron au distributeur et ça m'a fait tout drôle de le boire sans Léa. J'ai réalisé à quel point elle me manquait.

Où pouvait-elle être à cette heure-ci et dans quel état ? Elle avait plaisanté lors de son deuxième appel mais j'étais certaine qu'elle avait masqué ses émotions pour ne pas m'inquiéter. J'ai été interrompue dans mes réflexions par une voix qui m'a littéralement explosé les tympans.

– T'es au courant pour la valise de Léa ?

Qui pouvait savoir que la valise de Léa avait disparu ? À part un agent secret du FBI enquêtant sur le vol des bagages des Frenchies prenant le car en gare de Waterloo, je ne vois pas... Ah si ! Ninon alias Radio langue de VIP. Elle doit avoir un réseau de pestes anglaises que je n'ai pas l'intention de relayer. Elle n'apprendra rien par ma bouche.

Justine – Oui, je suis au courant.

Ninon – Il paraît qu'elle était assise à côté de Ugly Monster.

Justine – Hum hum.

Ninon – Grossière erreur.

Justine – Hum hum.

Vous avez remarqué ? Pour être sûre de ne rien lui révéler, j'adopte la méthode psy. Je laisse l'autre délirer et je ponctue mon discours d'un « hum hum » qui laisse croire que je suis parfaitement attentive. Ça peut finir par agacer mais, avec des gens qui aiment s'écouter parler, ça fonctionne bien.

Justine – Hum hum.

Ninon – Tu es enrouée ?

Ah mince, j'ai fait deux fois hum hum de suite sans lui laisser la possibilité de placer une info, c'est pour ça qu'elle l'a remarqué. Je vous assure qu'en temps normal, on peut hum-humer plusieurs fois de suite.

Pour m'en débarrasser, j'ai prétexté un coup de téléphone urgent à donner avant que la cloche sonne.

Ninon – Tu vas appeler Léa ?

Incorrigible…

La matinée est passée à la vitesse d'un escargot dépressif et j'ai attendu avec une certaine tension l'heure de la cantine pour rejoindre Thibault que je n'avais pas réussi à voir à la pause de dix heures. Il fallait qu'on parle de notre soirée ratée d'hier.

J'ai eu beau chercher, je n'ai trouvé que Nicolas alias le cousin corse, qui apparemment n'avait pas digéré mon rendez-vous nocturne avec mon prince. Il m'a tourné le dos dès qu'il m'a vue.

Justine – Bonjour mon cousin chéri !

Nicolas – Salut !

Il a grommelé « Salut » mais il fallait entendre « Dégage, j'ai pas envie de te parler, ton histoire avec Thibault me gonfle au plus haut point ». Je n'ai donc pas osé lui demander s'il avait vu my lover.

Je me suis assise plus loin et j'ai avalé une semelle hachée avec des frites. Pardon, un steak haché avec des frites !!!

Dans le genre journée pourrie, celle-là remportait la palme d'or. Dire qu'en dernière heure, je devrais sortir un sexe en plastique et des préservatifs devant une classe en folie. Je ne le sentais pas, mais alors pas du tout.

Je souhaitais que ce moment n'arrive jamais !

Et pourtant... À quinze heures, la prof de SVT, Mme Chabret, est entrée dans la classe. Elle n'a pas attendu pour me prévenir :

La prof de SVT – Justine, je fais l'appel et je vous cède la parole.

Oui enfin, la parole c'est une façon de parler. J'ai pris le sac où se trouvait mon « matériel pédagogique » et je me suis préparée à monter à l'échafaud. Mes camarades sortaient leur classeur d'un air morne, ils n'imaginaient pas un instant le show auquel ils allaient assister.

La prof de SVT – C'est à vous Justine. Je vous laisse faire votre exposé.

Ah non, c'était pas prévu... Je devais juste enfiler le machin sur le truc, pas donner une conférence. Je suis allée m'asseoir au bureau de la prof, mon sac collé contre ma poitrine.

Lorsque trente paires d'yeux se sont braquées sur moi, j'ai pensé très fort : je ne serai jamais prof et je dois trouver le moyen de mourir en moins d'une seconde pour ne pas sortir du sac... ce que vous savez.

Mais comme il n'est pas facile de mourir en moins d'une seconde, j'ai marmonné une introduction.

Pour être tout à fait honnête, j'ai lu une définition trouvée sur Internet.

Justine – Le sida est une maladie sexuellement transmissible qui peut atteindre tout individu ayant des rapports non protégés avec une personne ayant contracté le virus. Il n'existe actuellement aucun vaccin contre cette maladie. Seul le..., le...

Jusque-là, j'avais réussi à aligner plusieurs mots de suite sans bégayer, mais impossible de prononcer le mot « préservatif » en classe. Tant pis, je ne le dis pas. Je passe directement à la suite.

Justine – ... protège d'une contamination.

La prof de SVT – Excusez-moi Justine, je n'ai pas compris votre dernière phrase.

Justine – Euh... Protège d'une contamination.

La prof de SVT – C'est le début de votre phrase que je n'ai pas compris.

Normal, je ne l'ai pas prononcé.

La prof de SVT – Pouvez-vous répéter la phrase entière ?

Justine – Seul le... le...

Michael a hurlé :

Michael – La capote, Justine, la capote !!!

Ceux qui jusque-là ne s'étaient pas manifestés ont éclaté de rire. Ah non, s'ils s'y mettent tous, je n'y arriverai pas. La prof qui a senti le dérapage avant même que je présente le matériel pédagogique est vite intervenue.

La prof de SVT – Je vous remercie, Michael, pour cette aide précieuse mais je vous demanderai dorénavant de lever la main avant d'intervenir et surtout d'employer les termes adéquats. Nous sommes en cours de SVT et non sur un forum de discussion. Le terme de préservatif est à utiliser ici. Reprenez, Justine.

Justine – Le... le...

Tous mes camarades ont clamé : « le pré-ser-va-tif », « le pré-ser-va-tif ».

Justine – Lui-même... protège d'une contamination.

Je ne cherchais pas à être drôle pourtant mon « lui-même » a déclenché l'hilarité générale. En temps normal, ce succès m'aurait galvanisée mais là, il m'a totalement paralysée. Comment sortir l'engin dans cette ambiance survoltée ? À voir la tête de ma prof, je n'étais pas la seule à craindre le pire.

Elle a demandé le silence pour me permettre de continuer. J'ai repris le cœur battant.

Justine – Il est donc obligatoire de se protéger si on ne connaît pas l'état sérologique de son partenaire. Séropositif, le partenaire est porteur du virus et peut le transmettre, séronégatif (depuis plus de trois mois et sans rapports non protégés dans l'intervalle), le partenaire est sain. Certaines règles doivent être respectées quand on met un... un...

Pour éviter que les élèves ne rejouent le chœur des vierges, la prof a prononcé le mot avant eux.

La prof de SVT – Préservatif.

Justine – Oui, c'est cela... Et je vais vous montrer tout de suite comment cela se passe.

J'ai entendu Michael qui chuchotait à son voisin :

Michael – Si elle a besoin du modèle XXL, je me porte volontaire.

J'ai fermé les yeux pour me couper de la réalité. Cet exposé était un cauchemar. Je devais me lever et quitter la classe au plus vite. Mais Mme Chabret a été plus rapide que moi.

La prof de SVT – Et pour vous expliquer la pose du préservatif, j'ai confié à Justine la reproduction d'un sexe d'homme en érection. Bien entendu, il s'agit d'un objet dont l'utilisation est purement pédagogique.

Durant quelques secondes, il y a eu un silence incroyable puis quelques ricanements de garçons ont éclaté et enfin un fou rire général a secoué la classe. La prof n'a pas réagi.

La prof de SVT – Bien... Maintenant que vous avez suffisamment ri pour masquer votre gêne, abordons les choses de façon scientifique. Justine, pouvez-vous nous montrer la verge en plastique ?

Le fou rire a repris puissance mille. Je me suis accrochée à mon sac en priant pour que l'incroyable arrive : un tsunami, une guerre atomique, une amnésie générale.

La prof de SVT – Justine, s'il vous plaît, nous vous attendons.

Ah ça pour attendre, ils attendaient tous. Les garçons surtout. Enfin les garçons sauf un... Brice au premier rang écrivait dans un petit carnet à spirale. Il calculait quoi là ? Le nombre moyen d'utilisateurs de préservatifs dans une classe de terminale ?

J'ai glissé ma main dans le sac et j'ai sorti l'objet du délit. Malheureusement pour moi, je l'ai pris à l'envers, pointe vers le bas, et je l'ai montré dans ce sens à la foule en liesse.

La prof de SVT – Vous aurez assez peu l'occasion d'avoir à mettre un préservatif dans ce sens, donc je vous conseille de reprendre la verge à l'endroit.

Je croyais avoir eu déjà honte dans ma vie mais non, ce n'étaient que des petites gênes. J'ai connu la honte totale. Mes joues ont viré au rouge écarlate. J'ai retourné l'engin. Je m'apprêtais à sortir les préservatifs du sac pour en finir avec ce maudit exposé lorsqu'on a frappé à la porte.

Le proviseur a fait son apparition.

La prof qui était assise sur une table au fond de la classe s'est levée aussitôt mais il ne l'a pas vue. Pour lui, le prof c'est la personne qui est assise au bureau.

Or c'était moi qui m'y trouvais, brandissant un sexe en plastique. Je suis restée figée comme s'il y avait eu un arrêt sur image.

Mme Chabret s'est précipitée pour sauver la situation.

La prof de SVT – Bonjour monsieur le proviseur.

M. Présario a dû aussi rester sur le mode pause parce qu'il n'a pas détourné son regard du pénis. Il est resté la bouche ouverte. Seuls ses yeux horrifiés s'agrandissaient de seconde en seconde.

La prof de SVT – Justine, voulez-vous interrompre un instant votre exposé sur le sida et le préservatif ? Monsieur le proviseur souhaite s'adresser aux élèves.

Alors qu'il avait encore le regard fixé sur moi, l'œil droit du proviseur a cligné à toute allure. Sa bouche a accompagné le mouvement. Puis se reprenant, il s'est placé devant moi, me tournant délibérément le dos.

Le proviseur – Si je viens aujourd'hui dans votre classe, c'est pour vous prévenir qu'à partir de la semaine prochaine, des anciens élèves du lycée Colette aujourd'hui étudiants en médecine, en droit, en économie et dans bien d'autres domaines, viendront vous parler de leurs études, de leurs filières et de leurs débouchés. Ces réunions ne sont pas obligatoires puisqu'elles auront lieu en dehors des heures de cours, pourtant je vous conseille vivement d'y assister. Vous devrez bientôt choisir votre orientation pour l'année prochaine et il est important que vous soyez informés.

M. Présario s'est exprimé dans un silence total mais personne ne l'écoutait vraiment. Tous les yeux étaient rivés sur moi. Je n'avais toujours pas réussi à baisser le bras malgré les gestes discrets de la prof et des élèves. Si quelqu'un avait filmé la scène du fond de la classe, on aurait vu apparaître à l'image le proviseur du lycée Colette avec un sexe d'homme en plastique au niveau de l'oreille droite.

Remarquez, il n'est pas resté longtemps. Après avoir remercié la prof, il est sorti en faisant quelques pas de côté. Je crois que l'idée de me revoir lui était totalement insupportable. Lorsque la porte s'est refermée sur lui, il y a eu un soupir collectif.

La prof de SVT – Vous pouvez baisser le bras, Justine. Je crois que je vais finir l'exposé à votre place. Vous ne me semblez pas en état de continuer.

Elle n'a pas eu à me le répéter deux fois. J'ai posé le matériel sur le bureau et j'ai filé à ma place. Je n'ai pas pu écouter le reste du cours, j'étais dans un état d'hébétude totale.

La sonnerie m'a rappelée à la réalité.

Partir...

Rentrer maison...

Parfois je me sens super proche de ET.

Je n'ai pas attendu Thibault à la sortie du lycée. J'ai pris le bus comme on prend une aspirine quand on a mal à la tête. Vite, sans réfléchir, en espérant que ça réglera le problème.

Il n'y avait personne chez moi lorsque je suis arrivée et j'ai béni le ciel pour ce moment merveilleux de solitude. Bien sûr, j'allais me connecter sur MSN pour discuter avec Léa, mais d'abord me préparer un Earl Grey. Je l'avais mérité. J'ai récupéré *Elle* que ma mère avait laissé au salon et je me suis installée dans la cuisine. J'adore la rubrique « C'est mon histoire ». Chaque semaine, une lectrice raconte une histoire d'amour qui finit bien.

J'ai lu celle de la superwoman qui, après des vacances en Inde, a décidé de tout liquider en France et d'épouser son guide qui ne parlait que hindi ; l'histoire de celle qui, le jour de son mariage, a réalisé qu'elle aimait son meilleur ami et a demandé le divorce le lendemain de ses noces ou bien celle de la lectrice qui a attendu sagement dix ans un homme marié parce qu'elle savait qu'elle allait finir sa vie avec lui. À quel merveilleux conte allais-je avoir droit aujourd'hui ? J'ai lu : « Comment mon cousin et mon meilleur ami ont failli détruire mon couple. »

J'ai aussitôt refermé le magazine. Et décidé de ne lire ni mon horoscope solaire, ni le lunaire ni la numérologie aujourd'hui. C'est une journée noire.

J'ai bu mon thé en comptant le nombre de rayures sur un torchon, ce qui normalement ne devrait pas avoir trop d'incidences sur mon état psychologique.

De retour dans ma chambre, j'ai allumé mon ordi et regardé mes mails. Léa m'avait certainement laissé un message pour me dire à quelle heure on pourrait discuter.

Ma messagerie annonçait six nouveaux messages. Yes !!!

J'allais enfin savoir ce que devenait mon Anglaise préférée.

Chapitre-com

Astrocenter

Partirpascher

Bouygues Telecom

Plus deux spams : *hey Joe !* et *kill yourself.*

C'est beau la vie quand on a des amis...

Je me suis connectée sur MSN, Léa y était peut-être déjà. Pas âme qui vive ! Formidable. La journée continuait comme elle avait commencé. Je me suis roulée en boule sur mon lit, mon iPod à fond.

J'ignore combien de temps je suis restée comme ça. Suffisamment longtemps pour avoir raté cinq appels de Thibault sur mon portable !

J'ai écouté ses messages et le son de sa voix m'a immédiatement donné envie de le voir. Dans le premier message, il me proposait de le rejoindre au café près du lycée. Au cinquième et une demi-heure plus tard, le ton était moins enthousiaste : il m'annonçait qu'il avait un rendez-vous et qu'il ne rentrerait pas avant dix heures ce soir.

Ça s'achète où le cyanure ?

Personne ne sait ? Bon, ben je vais tenter de résoudre mes cinq exercices de maths pour demain, ça doit faire le même effet.

Alors que je m'asseyais à mon bureau, j'ai vu que Léa s'était connectée. Son pseudo du jour était « Sans Valise Fixe ». Je me suis ruée sur mon ordi.

Justine : Coucou Léa, c'est moi. Alors, des nouvelles de ta valise ??? Any good news ?

Sans Valise Fixe : Ah enfin... ça fait dix minutes que j'attends que tu te connectes. Raconte !!! Tell me everything about IT !

Justine : Non c'est toi qui racontes !

Sans Valise Fixe : You're kidding ? Tu te moques de moi ??? Tu passes ta soirée seule avec Thibault et tu veux que je te parle de ma valise ?!

Justine : Je ne dirai rien de ma soirée torride si tu ne me donnes pas d'infos sur ta valise.

Sans Valise Fixe : Aucune nouvelle... J'ai attendu toute la matinée au service des réclamations de la compagnie de cars. Ils m'ont fait remplir un formulaire de dix pages dans lequel je devais décrire chaque vêtement perdu, préciser sa marque et sa valeur. Je ne connaissais pas la moitié des mots en anglais. J'ai révisé le chapitre garde-robe.

Justine : Ta prof ne t'a pas aidée ?

Sans Valise Fixe : Elle était partie avec le groupe.

Justine : Quoi ? Elle t'a laissée toute seule ????

Sans Valise Fixe : Elle devait accompagner les élèves pour la balade en bateau sur la Tamise.

Justine : Et Peter ?

Sans Valise Fixe : Il avait un rendez-vous. Il était désolé mais il n'a pas pu rester avec moi.

Je savais que si je révélais à Léa ce que je pensais de son cher Peter, à savoir « Quel gros nul, il n'est jamais là pour toi quand tu as des ennuis. Pour une fois qu'il aurait pu servir à quelque chose, il a encore choisi de te laisser tomber. What a clown ! », elle ne me le pardonnerait pas. J'ai donc opté pour la solution « changement de pseudo ». On fait souvent ça avec Léa quand on se connecte sur MSN. On se confie l'essentiel à travers les pseudos.

Justine qui ne commente pas l'absence de Peter mais n'en pense pas moins : Du coup, tu es restée seule toute la journée…

Léa qui apprécie l'absence de commentaires sur l'homme qu'elle aime : Non ! La prof m'avait donné rendez-vous à treize heures au pied de Big Ben. J'ai donc retrouvé le groupe et on est allés déjeuner. À propos, tu me jures que tu n'as pas appelé Eugénie pour la prévenir du vol de ma valise ?

Justine qui n'a qu'une parole : Juré craché, I swear… Pourquoi ??? why ???

Léa petite-fille de sorcière : Elle a appelé la prof afin de savoir pourquoi j'étais si triste.

Justine la mortelle : Comment elle a su ???

Léa sorcière nouvelle génération : Le pendule ? Le tarot ? Le rêve éveillé ? Le fluide ? Avec les sorcières aux méthodes traditionnelles, tout est possible. En tous les cas, alors que je remplissais mon formulaire de déclaration de perte, la secrétaire de la compagnie des cars m'a passé le téléphone en me disant : « Call for you ». J'ai pensé qu'elle se trompait de personne mais comme elle insistait, j'ai fini par prononcer un timide Allô. C'était Eugénie !!!

« Dis donc, m'a-t-elle hurlé dans les oreilles, j'ai réfléchi. Il serait temps que tu fiches à la poubelle tes vieilles robes. Elles ont fait leur temps. Je viens de te virer trois cents euros sur ton compte, prends plaisir à dépenser cet argent avec ta carte bancaire en rapportant de jolies choses de Londres. J'ai regardé sur Internet, tu trouveras ton bonheur à Camden Market. »

Je n'ai pas demandé à Eugénie d'où elle tenait toutes ces informations, je lui ai juste rétorqué que cet après-midi on visitait la National Gallery et que, malgré sa proposition alléchante, je n'aurais pas le temps de faire les magasins.

« Non, m'a-t-elle répondu, cet après-midi, vous allez à Camden Market. »

Je n'ai pas cherché à la contrarier. C'est une sorcière mais elle n'a pas tous les pouvoirs.

Justine folle de jalousie pour ce sponsor de shopping à Londres : Et alors ???

Léa qui a eu tort de douter du pouvoir de ses ancêtres : Après s'être payé Le Globe, la Tour de Londres, Saint Paul, la Tate Britain, on est allés à Camden Market... Trop fun !

Justine qui bave d'envie devant une telle chance : Et alors ???

Léa aux dix mille robes : J'ai un look d'enfer et un super cadeau pour toi !!!

Justine folle de curiosité : What is it?

Léa qui n'a pas oublié que sa meilleure amie a passé une soirée unique : Que s'est-il passé exactement ???

La nouvelle Justine : Ce qui devait arriver.

Léa qui n'aime pas les énigmes des gâteaux des restaurants chinois : Sois plus claire, please.

Justine la prude : Ça y est, c'est fait.

Léa qui ne se contentera pas d'une formule lapidaire et préférerait un plan construit : Conditions ? Réalisation ? Résultat ? Conclusion ?

Léa

Ma Justine, je te promets qu'on reviendra ici ensemble. C'est là que j'ai acheté toutes mes fringues avec les sous d'Eugénie.

Camden Market est l'un des plus grands marchés permanents d'Europe. Il regorge de boutiques et de friperies en tous genres. L'ensemble est très animé, les prix sont plutôt bas, on en sort à chaque fois avec une affiche, une paire de lunettes de soleil, un vinyle ou une robe gothique pour pas cher. On y croise des individus de toutes sortes, toujours très colorés : punks, hippies, goths et autres individus non identifiables.

La Doc Martens animée au-dessus du « shop » officiel est trop top !

De nombreux stands proposent de la cuisine exotique pour quelques livres sterling.

Le must : descendre à la station de métro Camden Town, c'est absolument incontournable à Londres.

Aujourd'hui, 18h57 · J'aime · Commenter

Justine aime ça.

Justine envoyé spécial : Conditions catastrophiques. Nicolas, Jim, Yseult, Ingrid, Théo interrompant l'approche, intervenant à peu près toutes les cinq minutes + un tee-shirt Snoopy et des chaussettes dépareillées à planquer discrètement. Réalisation désastreuse : fou rire au mauvais moment. Impossibilité d'oublier le gonfleur de ballons et nos essais dans ma chambre. Résultat, agacement, perte de moyens, excuses gênées puis reprise des activités. Conclusion : bof !

Léa la romantique qui croit en l'amour : Bof?????? C'est rarement génial la première fois. Il faut recommencer très vite pour ne pas créer de problème là où il n'y en a pas. Don't worry!

Justine qui n'est pas très pressée : Je ne suis plus très sûre d'en avoir envie.

– Coucou, je suis là!!!!

J'ai poussé un hurlement.

Justine – Théo!!! Je t'ai déjà dit de frapper à la porte de ma chambre avant d'entrer et de ne pas crier. Je ne t'ai pas entendu arriver et tu m'as fait très peur.

Théo – J'ai deux choses super importantes à te dire. La première : on a rapporté des galettes de riz au chocolat.

Justine – Super, n'oublie pas de les ranger dans la poubelle.

Après avoir hésité un moment sur le sens de mes paroles, Théo a éclaté de rire.

Théo – Et puis...

Justine – Et puis rien, sors de ma chambre, je discute avec Léa sur MSN.

Théo – Mais je dois te...

Justine – Tu ne dois rien du tout, sors immédiatement de cette chambre.

Justine à la fashion victim : Excuse-moi pour ce silence, je viens de virer Théo.

Léa qui ne tient pas à changer de sujet : Tu as vu Thibault aujourd'hui?

Justine qui préférerait qu'on parle d'autre chose : C'est pas ce soir la sortie théâtre avec ton irrésistible brun ?

Léa qui respecte ton silence mais reprendra cette discussion en live dimanche soir : Si... Tonight's the night. À part ma tenue d'enfer, tu ne sauras rien. Imagine un bustier en guipure noire et par-dessus une longue chemise en dentelle avec un jupon rouge sang. Avec mes Doc noires et ma grosse bague aux hippocampes, je serai ultra glamour.

Justine qui aimerait t'accompagner au bal des vampires : Avec son manteau noir et sa queue de cheval, il sera assorti, le Peter. Go get it girl.

On a frappé à la porte de ma chambre. Théo tentait une nouvelle incursion.

Théo – Justine, il faut que...

Justine – Théo, dehors.

Théo – Mais je dois te...

J'ai pris mon air des mauvais jours.

Justine – Théo, tu obéis !!!

Mon petit frère a filé en hurlant :

Théo – Eh ben tant pis pour toi. Je ne te donnerai pas le message secret que Thibault a écrit pour toi.

Quel message secret de Thibault ???

Justine – Théo, reviens ici immédiatement.

Une voix m'a répondu du fond de l'appartement :

Théo – Même pas en rêve !!!

Justine : Il paraît que Thibault a confié à Théo un papier secret pour moi. Le nain ne veut pas me le rendre.

Léa qui ne négocie pas avec les chenapans : Chatouille-lui les pieds, tire-lui les cheveux, mords-lui l'oreille mais récupère le billet !!! Vas-y, je ne bouge pas de l'écran !!!

J'ai couru jusqu'à la chambre de Théo. Du haut de sa mezzanine, il m'a bombardée de peluches pour m'empêcher d'approcher.

Théo – Va dans le métro, sac à glace !!!

Justine – Théo, donne-moi ce papier immédiatement.

Théo – Pas question.

Justine – Théo, je vais me fâcher.

Théo – Trois euros...

Justine – Quoi ????

Théo – Je te le vends trois euros sinon je le mange.

Et joignant le geste à la parole, mon horrible petit frère a roulé le papier en boulette et l'a mis à sa bouche. J'ai hurlé :

Justine – Noooon !!!! Je vais chercher l'argent.

J'ai honte de l'avouer mais je me suis pliée à la volonté du monstre-chanteur. Je lui ai donné ses trois euros et je suis retournée dans ma chambre en serrant le butin dans ma main.

Justine victime d'un chantage odieux : Je viens de payer trois euros à mon petit frère pour récupérer le message de Thibault.

Léa Machiavel qui pense que la fin justifie les moyens : Peu importe... Lis-le.

Justine qui rêverait d'être enfant unique : « J'ai pensé à toi toute la journée. J'ai annulé mon rendez-vous, je t'attends chez moi. Ensemble on fera... »

Léa témoin de la plus romantique des déclarations : On fera quoi ??? Pourquoi tu t'arrêtes ???

Justine qui va assassiner son frère : C'est pas que je ne veuille pas te le lire, la bave de Théo a effacé le dernier mot.

Léa qui ne comprend pas ce que vient faire ici la bave de Théo : Descends immédiatement rejoindre Thibault. Now!

Justine la trouillarde : Tu crois????

Léa qui croit en l'avenir de cette belle histoire d'amour : Je ne te servirai pas une seconde de plus d'alibi pour rester devant ton ordi. Salut!!! Goodbye! So Long! Farewell! See you later!

Et elle s'est déconnectée.

Mais elle est folle? Je suis incapable de prendre une décision sans elle!

J'ai relu les quelques lignes écrites par Thibault et je suis restée un long moment à m'interroger.

Bien sûr je désirais le rejoindre pour me blottir dans ses bras mais je craignais nos retrouvailles, après cette première fois un peu ratée.

J'ai pris la pièce d'un euro qui était dans ma poche, la seule qui me restait après le racket fraternel.

Face, je descends tout à l'heure.

Pile, je fais comme si je n'avais pas reçu le message.

Je l'ai lancée en l'air...

Happy housewives

La mère – Justiiiiiine, tu as allumé le four?

Justine – Oui!

La mère – Justiiiiiiine, tu as remis de l'eau dans les bacs à glaçons?

Justine – Oui!

Mais elle va arrêter de hurler depuis sa chambre, je suis dans la cuisine, pas à l'autre bout du monde. En plus, ça fait douze fois qu'elle me pose les mêmes questions. Ça la plonge dans un état, cette soirée, je n'en reviens pas.

Ma mère est entrée dans la cuisine comme une météorite affolée.

La mère – Tu as allumé le four?

Justine – Oui!!! Et j'ai remis de l'eau dans les bacs à glaçons.

La mère – Ouf. Pourquoi tu me regardes comme ça?

Justine – Pour rien...

Je ne voudrais pas ajouter de stress mais elles arrivent dans moins de dix minutes et ma mère porte toujours son vieux peignoir. Bon, elle a déjà enfilé ses collants noirs satinés, son brushing est impeccable, seulement pour le reste c'est pas gagné.

La mère – Justine, dis-moi la vérité, comment je suis?

Justine – En peignoir...

La mère – C'est pas ce que je te demande! Tu ne trouves pas que je fais vieille?

Justine – Par rapport à qui?

En voyant l'air désespéré de ma mère, j'ai arrêté tout de suite mon ping-pong verbal. Je l'ai prise dans mes bras.

Justine – Tu es la mère de quarante-quatre ans, bientôt quarante-cinq, la plus sexy du monde!

La mère – Tu le penses vraiment?

La crise de la quarantaine dure jusqu'à cinquante? Parce que moi, je ne supporte pas ça six ans de plus.

Justine – Oui, tu es super sexy... Et je ne suis pas la seule à le penser!

La mère – Ah oui??? Qui encore?

Justine – Ne fais pas l'innocente.

La mère – Je te jure que je ne sais pas de qui tu parles.

Justine – Bonseigna...

La mère – Le maçon?

Non, le charcutier, le fromager et le marchand de journaux... il y en a plein des Bonseigna par ici. Ils s'appellent tous Bonseigna. Elle se moque vraiment de moi.

La mère – Tu n'es pas sérieuse Justine? Pas le maçon...

En plus, elle nous la joue aristo incapable de distinguer l'homme dans le petit personnel. C'est pas elle qui a vu deux fois le film où la châtelaine lady Chatterley tombe amoureuse de son garde-chasse?

La mère – Tu es folle...

Et elle est sortie de la cuisine, en répétant « Ma fille est folle ». Je ne le jurerai pas mais elle avait dans la voix une note de joie et d'amusement qu'elle ne possédait pas quelques secondes auparavant. La simple pensée d'un maçon admiratif peut suffire à redonner confiance à une femme.

Je l'ai entendue dans le couloir fredonner sur l'air de *Coucou hibou coucou* :

La mère – Coucou Léa, coucou Léa, coucou Léa!!!

Là, elle est pathétique.

Léa – Bonjour Sophie. Tu n'es pas encore habillée? C'est pas huit heures pile, l'heure des retrouvailles?

La mère – Si... J'enfile ma petite robe, je mets un soupçon de khôl et je suis prête.

Il y a trois secondes, on prenait rendez-vous pour la chirurgie esthétique et maintenant, elle est redevenue une jeune fille en fleur. L'industrie cosmétique devrait se pencher sur l'efficacité du garde-chasse ombrageux et du maçon italien libidineux au lieu de consacrer ses recherches aux anti-oxydants et aux radicaux libres.

Léa – Salut Justine...

Justine – Salut.

Léa – T'en fais une tête! Quelque chose ne va pas?

Justine – Si, tout va très bien...

Léa – Tu es jalouse parce que ta mère organise une fête avec ses copines et pas toi?

Justine – Exactement.

Léa – Moi, je trouve cette idée absolument géniale.

Justine – Parce que toi tu as de la chance, tu ne subis pas les dommages collatéraux.

Léa – Tu exagères... Imagine que ça nous arrive dans vingt-cinq ou trente ans.

Justine – Ça me donne la chair de poule!

Bon, je vous explique la cause de l'enthousiasme délirant de ma meilleure amie et de l'agitation de Sophinette chérie, sinon vous ne comprendrez rien... Il y a deux mois, ma mère a été contactée par Nathalie, une ancienne copine qui était avec elle en quatrième au collège pour filles Notre-Dame-de-la-Providence. Grand moment d'émotion, elles se sont raconté au téléphone les trente ans d'existence qu'elles avaient vécus séparées et nous, on a eu droit à la retransmission le soir même à table.

Je croyais que la séquence nostalgie était terminée, mais non. Les deux survivantes de la quatrième B ont décidé de lancer un avis de recherche pour retrouver les autres. Il ne s'est pas passé une journée sans que Nathalie appelle ma mère pour lui faire part de ses découvertes. Sylvie se serait mariée en 1984 et serait partie vivre dans le Sud avec un type louche genre mafieux, quant à Christine elle aurait épousé un ancien de la quatrième C et ils seraient tous deux agents secrets, euh non, agents de la SNCF.

Ma mère a enquêté elle aussi : Danièle serait devenue ostéopathe pour chevaux après une grande déception sentimentale (pourquoi devient-on ostéopathe pour chevaux quand on a eu un chagrin d'amour ?) et vivrait près de Rennes, et Anne serait mère de cinq enfants dont l'aîné aurait vingt-cinq ans.

Je vous passe les remarques : « Quoi, elle a déjà un enfant de vingt-cinq ans ??? Ça signifie qu'elle l'a eu à... Quarante-quatre moins vingt-cinq... Dix-neuf ans ???? Attends, c'est pas possible, elle s'est mariée à quel âge ? Ben, à dix-huit... Non !!! À dix-huit ans elle passait son bac. Tu te rappelles, elle était moche comme un pou et aucun garçon ne tournait autour d'elle... »

Sans commentaires.

Bref, deux mois plus tard, la classe au grand complet était reformée et les copines disponibles invitées à la maison. Léa et moi avions été réquisitionnées pour passer les petits fours, quant aux garçons ils avaient été nommés DJ officiels.

Ne s'étant vu attribuer aucune fonction, mon père avait proposé de filmer l'arrivée de chacune des convives et de procéder à de courtes interviews, mais sa proposition avait été rejetée violemment par ma mère. Motif : aucun conjoint présent.

Pauvre daddy, chassé de chez lui par une horde d'Amazones en délire et condamné à trouver une terre d'accueil où passer sa soirée au chaud !!!

Léa – Tu as allumé le four ?

Justine – OUI !!!

Léa – Mais pourquoi tu hurles ?

Justine – Parce que j'en ai assez qu'on me pose cette question.

Léa a éclaté de rire.

Léa – Est-ce que la formulation : « Est-il assez chaud pour réchauffer les mini quiches et les mini feuilletés ? » te conviendrait mieux ?

Justine – Oui.

Léa – Oui quoi ? Il est assez chaud ou la formulation te convient ?

Justine – Les deux mon capitaine !

Léa – Alors aurais-tu l'amabilité de sortir la plaque avec le gant pour que j'y mette une première fournée de quiches aux poireaux ?

Et après avoir relevé ses mitaines en dentelle noire jusqu'aux poignets afin de ne pas les salir, ma meilleure amie s'est occupée de réchauffer les petits fours. Elle les a ensuite disposés sur les plateaux en bambou. Je l'ai regardée faire avec admiration. Je n'ai jamais compris comment elle arrive à être gracieuse dans toutes les situations. Normalement une fille qui réchauffe des quiches aux poireaux, c'est juste une fille qui réchauffe des quiches aux poireaux. Eh bien Léa, quand elle réchauffe des quiches aux poireaux, on oublie les poireaux et on ne voit plus qu'elle.

Et aujourd'hui plus particulièrement... Elle avait choisi une robe de sorcière qui lui allait à merveille.

Justine – C'est beau ce que tu portes. Made in London ?

Léa – Oui... C'est la robe que j'ai mise pour aller au théâtre, je t'en avais parlé sur MSN.

Justine – La fameuse soirée avec Peter.

Léa – Oui !!!

Les yeux de Léa se sont agrandis d'un seul coup comme s'ils devenaient un écran sur lequel se projetait son bonheur avec Peter. J'ai détourné le regard, un peu gênée.

Léa – Oui, je sais ce que tu vas me dire... que depuis mon retour dimanche dernier, il n'a donné aucun signe de vie, qu'il joue avec moi, que je n'aurais jamais dû recoucher avec lui, qu'il serait temps que je passe à autre chose.

Justine – Là, c'est toi qui le dis.

Léa – Tu le penses tellement fort... Seulement voilà, je l'aime lui et pas un autre. Tu pourrais comprendre, maintenant qu'il y a Thibault dans ta vie et que, toi non plus, tu n'as pas recouché avec lui depuis la semaine dernière.

Justine – Ce n'est pas pareil !

Léa – Ah bon pourquoi ?

Justine – Il habite juste en dessous, je le vois chaque jour et je ne suis plus sûre d'avoir envie de coucher avec lui.

Léa – On peut être très intime avec un homme qui habite loin, et à des années-lumière d'un homme qui vit à nos côtés.

On a sonné.

Léa – Voilà les invitées. On continuera cette discussion plus tard.

Justine – D'accord... Mais viens avec un dico la prochaine fois parce que je n'ai rien compris à ta dernière phrase.

Léa – C'est ça, joue les imbéciles... Allez, va plutôt accueillir les amies de ta mère.

Je me suis vite recoiffée avec les mains, j'ai imprimé le sourire de la fille parfaite sur mes lèvres et j'ai ouvert la porte.

– Pourquoi tu fais cette tronche de coincée ?

Nicolas et Jim sur le seuil me regardaient en riant. Ah c'est malin... Ils ont sonné pour me faire croire que c'étaient les autres. Je ne me suis pas donné la peine de répondre, j'ai rejoint Léa à la cuisine.

Nicolas – C'est bon, détends-toi Justine. Elles vont arriver tes copines.

Justine – C'est pas mes copines. Thibault n'est pas avec vous ?

Nicolas – Non, encore un coup de fil mystérieux et une disparition subite.

Comme je n'avais pas envie que mon cousin commente mon silence sur la vie de Thibault, je me suis empressée de changer de sujet.

Justine – Yseult passe nous faire un petit coucou?

Jim – Non... Depuis qu'elle est sélectionnée pour *Étoile naissante*, elle n'a plus beaucoup de temps. La maison de production a commencé les premiers enregistrements, il faut qu'elle se tienne à sa disposition. Bonjour Léa, t'es canon dans cette robe.

Tiens, je ne suis pas la seule à changer de sujet quand il y a un lézard...

Léa – Merci.

Nicolas – Un peu Halloween quand même.

Léa – Il y en a à qui ça plaît.

Nicolas – Ah oui, à qui??? Au mort vivant avec queue de cheval qui ressuscite deux fois par an?

Ouh là, il attaque fort. Léa risque de s'énerver.

Léa – Je préfère deux apparitions annuelles qui me rendent heureuse à trois cent soixante-cinq qui m'ennuient, si tu vois ce que je veux dire?

Le regard noir de Crueléa a atomisé Nicolas sur place. Il n'a rien trouvé à ajouter.

DING DONG.

Jim a respiré...

Jim – Il faut aller ouvrir, les voilà.

On n'était pas sortis de la cuisine que des cris stridents ont retenti :

– Oh Soso, tu n'as pas changé, je t'aurais reconnue entre mille.

Soso??? Ne me dites pas que c'était le diminutif de Sophinette au collège Notre-Dame-de-la-Providence...

– Nath, où sont tes boucles brunes?

– Lissées et teintes en blond parce que je le vaux bien !

Humour...

Bon, je vous fais grâce des retrouvailles, à moins que vous soyez sensible à :

– Et regardez Cricri, elle a toujours ses petites lunettes rondes !

– Ah ouiiiiiiiiiii !!

– Je rêve ou c'est mademoiselle Sylvie la reine de la tarte aux pommes ?

– Ça va, cette histoire a plus de trente ans, il y a prescription !!! Tu veux que je parle de Soso miss Saucisse ?

– Chut, mes enfants sont là !!!

J'ai deux solutions : soit je fais semblant de n'avoir rien entendu, soit j'assume d'être la fille de Soso miss Saucisse.

Nicolas – Bon on les rejoint, ça a l'air top leur soirée.

Évidemment Nicolas spécialiste des teufs underground a dit cela avec une tonne d'ironie dans la voix.

Justine – Tu ne voudrais pas laisser ton cynisme au vestiaire ? Tu étais prévenu sur la soirée, non ? Tu ne pourrais pas montrer un peu de tolérance pour les retrouvailles de femmes qui ont vécu et profitent du plaisir simple de se revoir ?

Je ne pense pas un traître mot de ma dernière réplique.

Nicolas – T'inquiète, je serai super cool. Et puis, quand elles sauront que je suis le neveu de Soso miss Saucisse, elles m'adoreront. Tu viens Jim ? Sylvie la reine de la tarte aux pommes m'excite à mort...

Le spectacle son et lumière dans le salon était assez hallucinant. C'est dingue le décalage qui peut exister entre des femmes du même âge. Une notamment paraissait dix fois plus âgée que les autres. J'ai cru un instant que c'était une prof. Je dois avouer qu'en regardant ma mère virevolter au milieu de ses copines, j'ai trouvé qu'elle se défendait pas mal côté silhouette.

Nicolas m'a chuchoté à l'oreille :

Nicolas – C'est qui la vieille au look de trav ?

J'ai éclaté de rire. C'est vrai, en plus de paraître âgée, elle ressemblait à un homme.

Je n'ai pas eu besoin d'expliquer à Léa et à Jim la raison de mon fou rire, ils avaient entendu la réflexion de mon cousin. Heureusement elle a été noyée par le brouhaha de la quatrième B version XXIe siècle.

Alors que je commençais à me calmer, une petite un peu rondouillarde a hurlé :

– Aaaaahhhhhh Soso, ne me dis pas que ce sont tes enfants ? Ce que la brune te ressemble, c'est toi au même âge.

Euh... La brune en question c'est Léa !!! Je ne voudrais pas qu'on me dise encore une fois que je suis bêtement jalouse et exclusive mais la fille de Soso, c'est moi. Que cette bourgeoise n'ajoute pas que Jim est le portrait de ma mère, elle achèverait de se ridiculiser.

La mère – Non, la belle brune c'est Léa, la meilleure amie de ma fille Justine, qui est juste à côté.

La petite rondouillarde – Qu'est-ce qu'elle est grande et mince ta fille, on croirait Jane Birkin.

Oh les références d'avant-guerre... Elle n'a pas entendu parler de Kate Moss la brindille ?

La mère – Et je vous présente Nicolas, le fils de mon frère et Jim, son ami de toujours.

Un chœur de vierges (enfin plus vraiment) s'est élevé pour commenter « Qu'ils sont beaux !!! ». Et puis très rapidement, elles nous ont complètement oubliés.

Les garçons se sont mis à la sono et avec Léa, on a passé les feuilletés et les quiches. C'est incroyable le nombre de femmes qui, lorsqu'on présente un plateau de victuailles, refusent dans un premier temps, prétextant un régime, et se jettent dessus dès qu'on a le dos tourné. Si Brice était là, je lui proposerais de faire des statistiques sur le rapport qui existe entre la fermeté du refus inversement proportionnel aux aliments ingurgités. Je suis certaine que plus une femme oppose ostensiblement de la résistance à la nourriture, plus elle se goinfre.

Qu'est-ce que je disais, vous voyez la rondouillarde qui a refusé la quiche il y a trois secondes, elle vient de s'enfourner deux feuilletés à la saucisse, un dans chaque joue !!! Ma mère a eu tort de renoncer à son buffet bio, il va y avoir des crises d'angoisse sur les pèse-personne demain.

Nicolas – Justine, t'as maté les CD de ta mère pour la soirée ?

Justine – Non. Elle s'est acheté des compils cet après-midi mais je n'ai pas regardé.

Nicolas – C'est le cauchemar ! Années 70 et revival 80's... C'est pas de la musique, c'est de la daube !

Justine – Tu exagères. Montre...

Mon cousin était très en dessous de la vérité. À part quelques tubes qui ont traversé le siècle, le reste était dramatique : Claude François, Joe Dassin, Il était une fois, Karen Cheryl, Michel Delpech, Michel Fugain, la bande originale de *Saturday night fever* et des chanteurs dont je n'ai jamais entendu parler.

C'est violent de s'apercevoir après seize ans que sa mère est une étrangère. Jusqu'à aujourd'hui j'étais née de Sophie Perrin, mariée, deux enfants, secrétaire de direction dans une PME, et je me retrouve brutalement fille de Soso miss Saucisse, adepte du disco et de la variété ringarde.

Nicolas – Je suis vraiment obligé de passer ça?

Justine – Oui puisqu'elle te l'a demandé mais... le plus tard possible! Elles mangent et elles papotent, elles ne vont pas se rendre compte qu'il n'y a pas de musique.

Et je ne me suis pas trompée... Personne n'a réclamé *J'ai encore rêvé d'elle* ou *Pour un flirt avec toi*. Du coup, on s'est retrouvés tous les quatre au spectacle.

Nicolas – Elle est bien gaulée la grande brune.

Léa – Laquelle?

Nicolas – Il y en a pas trente-six. Celle qui est à gauche de Sophie.

Jim – Ouais c'est vrai, elle est pas mal.

Nicolas – Elle a une super paire de seins.

Justine – À son âge, ça doit être des implants.

Léa – Non, pourquoi? Ma mère a encore une très jolie poitrine.

Nicolas – En plus, elle est bien foutue, elle n'a pas un gramme de bide.

Léa – Pfff, ça doit être le genre step et abdos-fessiers tous les matins.

Jim – Oui, il est certain qu'elle s'entretient mais c'est une nature aussi. On sent que cette femme a toujours été mince.

Nicolas – C'est dingue ça les filles, dès qu'on trouve qu'une meuf est bien, vous la critiquez.

Justine – Pas du tout...

Nicolas – Si!!! Toi tu prétends qu'elle a les seins refaits, Léa pense que c'est une pétasse qui passe sa vie dans les salles de sport.

Jim – Merci pour les salles de sport!

Nicolas – Non, c'est pas ce que je voulais dire...

Et tandis que mon cousin tentait de se justifier, j'ai réalisé qu'effectivement nous avions critiqué cette femme selon nos complexes. Moi la planche à repasser, j'avais visé les seins, et Léa la ronde le ventre plat. Et si dans la vie, c'étaient nos imperfections qui nous rendaient agressives avec les autres ?

Nicolas – Moi, tu vois, cette meuf, je la trouve très comestible.

Justine – Mais t'es malade ??? C'est une copine de ma mère...

Nicolas – Et alors ?

Justine – Tu pourrais être son fils.

Nicolas – Ça tombe bien, je ne le suis pas. Je ne serais pas le premier à vivre une expérience avec une femme plus âgée qui m'apprendrait plein de choses.

Justine – Je trouve ça dégueulasse... Pas toi Léa ?

Léa – Non, pourquoi ? Les gens ont le droit de s'aimer sans sortir leur acte de naissance. Moi, je pense que les femmes qui vivent avec des hommes plus jeunes ont du courage. Et je suis sûre que tu n'es pas choquée quand tu vois une bimbo avec un homme qui a l'âge d'être son grand-père. Regarde le nombre d'hommes qui ont la quarantaine et qui sont attirés par des filles de vingt ans, personne ne le conteste. Mais *Le blé en herbe*, ça choque toujours autant.

Nicolas – Quel rapport avec *Le blé en herbe* ?

Jim – C'est un roman de Colette.

Léa – Bravo Jim !

Nicolas – Comment tu sais ça, toi ???

Les joues de Jim se sont empourprées.

Ben pourquoi il rougit ? Il a le droit de connaître le titre d'un roman de Colette ! Léa qui a senti le malaise de Jim est venue à la rescousse.

Léa – C'est effectivement un roman de Colette dans lequel un garçon tombe amoureux d'une femme mariée.

Nicolas – Ça doit être chaud comme roman.

Léa – À l'époque, il a fait scandale, d'autant que l'auteur entretenait des rapports quasi incestueux avec son beau-fils.

Justine – Le mari de sa fille?

Léa – Non, le fils de son mari.

Nicolas – Je comprends rien...

Léa – Colette couchait avec le fils que son mari avait eu d'un premier mariage. Il était tout jeune. C'est comme si tu couchais avec la nouvelle femme de ton père.

Nicolas – Ça ne risque pas, je n'ai aucun goût pour le boudin. Tu l'as lu ce bouquin Jim?

Jim – Euh oui... Euh... Un peu quoi...

Nicolas – T'as fait comme au collège, t'as appris le résumé sur Internet.

Jim – Voilà...

Je ne le jurerais pas, mais Jim ne semblait pas à l'aise.

Nicolas – Eh je rêve ou elle me mate la grande brune?

Justine – Oui, enfin, elle regarde plutôt dans notre direction.

Nicolas – Vous croyez qu'elle fait quoi dans la vie?

Justine – Elle ne bosse pas, t'as vu la longueur de ses ongles? Elle ne doit pas pouvoir sortir un Kleenex de son sac.

Jim – Moi, je la vois très bien diriger un magazine féminin, le genre wonder woman glamour.

Nicolas – Et toi Léa?

Léa – Je ne sais pas. Il y a quelque chose de décalé entre son image et la femme qu'elle est vraiment.

Nicolas – On t'a pas demandé son thème astral, on t'a demandé un métier.

Léa – Joker...

Nicolas – C'est pas du jeu. Allez on imagine chacun un métier et le gagnant sera celui qui trouve le métier le plus près de la vérité.

Justine – C'est quoi le cadeau si on gagne?

Nicolas – Une soirée en tête-à-tête avec moi.

Justine – Tu parles d'un cadeau...

Nicolas – Alors Léa?

Léa – Peintre en bâtiment.

Nicolas – N'importe quoi.

Léa – Toi, qu'est-ce que tu proposes?

Nicolas – Illustratrice de livres pour enfants.

– Eh les jeunes, qu'est-ce que vous complotez? Regardez-les, on dirait un tribunal...

On s'est soudain retrouvés le point de mire des quarantenaires. Ma mère, fière de créer l'événement, a repris :

La mère – C'est vrai, vous nous observez comme si on était des bêtes de foire. Quelque chose vous gêne?

Alors que je cherchais à toute allure une raison avouable à nos regards peu discrets et que j'hésitais entre : « Nicolas nous disait à l'instant qu'il se taperait bien ta vieille copine » ou « On se demandait ce que fait comme boulot la brune avec ses gros seins et ses ongles vernis », Léa est intervenue.

Léa – Voilà, nous vous observions toutes et nous tentions d'imaginer quel pouvait être le métier de chacune. On va choisir notre orientation et ça devient une obsession d'interroger les gens là-dessus.

La force de repartie de cette fille !!! Elle a réussi à inventer une raison acceptable qui va nous permettre d'obtenir, l'air de rien, la réponse aux questions que nous nous posions.

Le visage de ma mère s'est éclairé. L'intervention de Léa correspondait très exactement à l'image qu'elle voulait donner des ados de sa tribu : des jeunes sympas, autonomes et préoccupés par leur avenir.

Elle a crié d'une voix suraiguë en tapant des mains, façon pestouille de huit ans qui propose à ses copines venues pour son anniversaire de se maquiller et de se parfumer dans la salle de bains avant le retour des parents :

La mère – J'aiiiiiiiiii une iiiiiiiidée !!! On va jouer au jeu des métiers.

Nicolas m'a chuchoté à l'oreille :

Nicolas – Oh putain, non... Moi, je ne fais pas dans l'animation de clubs du troisième âge. J'avais accepté de m'occuper du son, c'est tout.

Justine – La grande brune ne t'intéresse plus ?

Nicolas – Si, mais au plumard, pas dans la cour de récréation avec toutes ces vieilles petites filles.

Justine – T'es monstrueux.

La proposition de ma mère a déclenché l'enthousiasme général de ses copines.

La mère – Je fixe les règles du jeu : vous devez donner trois indices permettant qu'on découvre le métier que vous exercez. À chaque indice, les jeunes ont droit à une réponse. S'ils ne trouvent pas au bout de trois, ils ont perdu et ils ont un gage, ensuite on passe à quelqu'un d'autre. D'accord ?

La classe de quatrième B rebaptisée par Nicolas « la quatrième B, le retour des mutantes » a jugé l'idée géniale.

La mère – Edith, tu commences.

L'Edith en question, une grande femme assez sèche vêtue d'une jupe droite au genou et d'un pull bleu marine, s'est prêtée au jeu sans rechigner.

- *Edith* – Premier indice : bureau.

La mère – À toi Jim.

Jim – Trop vague, presque tout le monde a un bureau...

La mère – Allez, propose un métier.

J'ai entendu Nicolas bougonner :

Nicolas – Putain, j'y crois pas. On avait prévu de leur coller trois CD et ensuite de se fumer tranquille un bédo au grenier et on se retrouve à *Questions pour un champion*. *Questions pour un con*, oui...

Obligé de jouer le jeu, Jim a proposé :

Jim – Employée de banque.

Edith – Non ce n'est pas ça... Deuxième indice : spores de champignon.

La mère – À toi Léa !

Léa – Spores de champignon ??? Bureau et spores de champignon ??? Vous êtes... restauratrice ?

Edith – Non !!!!

La mère – Attention, il ne reste plus qu'un seul indice.

Edith – Avec cet indice vous allez trouver immédiatement : élève.

Quoi, une prof ???? Ne me dites pas qu'on cherche depuis cinq minutes une prof ? Et puis pourquoi les spores de champignon ?

La mère – Nicolas, à toi chéri !

Elle le provoque, là !!! Je crains l'incident diplomatique.

Nicolas – J'hésite.

La mère – Oh !!! Pourtant c'est facile. Élève...

Aïe aïe aïe...

Nicolas – J'hésite entre clown ou bourreau.

Durant quelques secondes, il y a eu de l'incompréhension dans l'air. Le neveu de Soso miss Saucisse serait-il un idiot?

Non, juste un insolent allergique au lycée.

C'est la grande brune qui a sauvé la situation. Elle a éclaté de rire, transformant le dérapage de Nicolas en moment d'humour. Les autres l'ont suivie. Ma mère en a rajouté.

La mère – Eh bien bravo, voilà comment les jeunes voient leurs enseignants... mais au fait Edith, pourquoi spores de champignon?

Edith – Je suis prof de SVT.

La mère – Tu as cherché à les piéger, les pauvres!!!

Ben, oui, c'est une prof!!! Elle a de l'entraînement.

La mère – On continue.

Je vous épargnerai le défilé de vedettes : commerçante, dentiste, puéricultrice... C'était ennuyeux à mourir. Nicolas a prétendu avoir oublié un CD et est remonté chez lui, en prenant soin de me demander de l'appeler sur son portable pour le passage de la grande brune. Évidemment, la belle quadra est intervenue en dernier!

La mère – À toi, Pauline... Il ne manque plus que toi!

Ainsi la mystérieuse inconnue qui faisait fantasmer mon cousin se prénommait Pauline.

La mère – Vous allez avoir du mal, les jeunes, je préfère vous prévenir. On ne s'attend pas à ce que Pauline exerce ce métier.

Léa s'est penchée vers moi.

Léa – Quand je vous disais qu'il y avait un décalage entre ce qu'elle paraît être et ce qu'elle est vraiment.

Pauline nous a regardés d'un air amusé puis elle a souri à Nicolas qui arrivait. Mon cousin a rougi. C'est la première fois que je le vois intimidé par un individu de sexe féminin.

Pauline – Le premier indice est le suivant...

Elle a parlé d'une voix super chaude et a détaché chaque mot comme si elle le savourait. Mon cousin la fixait avec le même regard hypnotisé que lorsqu'il joue sur sa PS3.

Pauline – ... On m'appelle toujours quand il y a une urgence.

La mère – Alors Justine, qu'est-ce que tu proposes ?

Je ne sais pas comment elle fait pour examiner ses patients avec ses ongles de sorcière mais je dirais que cette femme est médecin.

Justine – Médecin ?

Pauline – Non, pas du tout. Deuxième indice : les gens qui me téléphonent rencontrent en général de grosses difficultés et ont besoin d'aide...

La mère – Nicolas, une suggestion ?

Vu l'air crétin qu'il a adopté depuis que Pauline a commencé à parler, je ne crois pas qu'il soit en mesure d'aligner deux idées cohérentes. Heureusement qu'on n'entend pas les désirs intérieurs des gens parce que si on branchait le cerveau de mon cousin, ce serait chaud.

Nicolas – Commissaire de police ?

C'est la première fois aussi que j'entends Nicolas prononcer le mot police. En général on a plutôt le droit à keuf, flicaille, poulet et autres synonymes !

Pauline – Non. Pas commissaire de police, toutefois les gens ont besoin de mes tuyaux... D'ailleurs, tuyaux sera mon troisième indice. Qui essaie de deviner cette fois-ci ?

La mère – Jim, à toi !

Jim – Si Pauline n'est pas commissaire de police mais qu'on a besoin de ses tuyaux, je ne vois qu'une solution : détective privé.

Le club des quarantenaires a éclaté de rire. Qu'est-ce qu'il y a de drôle ? J'aurais répondu la même chose.

La mère – Vas-y Pauline, dis-leur.

Pauline – Je suis... plombier !

Quoi ??? C'est quoi un plombier ???

Non, un plombier je sais, mais une Pauline plombier ?

Pauline – Ça vous surprend hein ?

C'est pas qu'on soit surpris, c'est qu'on n'a pas compris. Je vais tenter une question qui devrait éclaircir la situation.

Justine – Vous êtes plombier avec une trousse à outils ?

Pauline – Cela vaut mieux si je veux réparer une installation.

Donc c'est ça, elle est plombier...

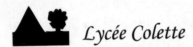 *Lycée Colette*

Orientation scolaire :

Aux élèves de seconde, première et terminale du lycée Colette.
En attendant les rencontres-formations prévues au deuxième trimestre, nous vous conseillons d'aller consulter ces deux sites.

Portail de l'État, des régions et des partenaires sociaux :

www.orientation-formation.fr

L'Onisep élabore et diffuse l'information sur les formations et les métiers :

www.onisep.fr

– Bonjour tout le monde, je dérange ?

Ingrid venait de faire son apparition. Depuis samedi dernier, jour où elle avait appris son renvoi d'*Étoile naissante*, on ne la voyait plus. Officiellement elle avait eu une rhinopharyngite mais on savait que ce n'était pas la vraie raison. Elle digérait avec difficulté ses rêves de gloire évanouis. Et pour tout dire, ça me la rendait assez sympathique. Pour une fois, Ingrid ne se la jouait pas star, elle n'en avait pas les moyens. Elle venait de subir un échec cuisant et avait du mal à tourner la page.

Justine – Oh Ingrid, ça fait plaisir de te voir. Tu nous as manqué cette semaine. Ça va mieux ?

J'ai bien vu qu'elle marquait un temps d'arrêt avant de m'embrasser. Comme si elle redoutait une phrase assassine après mes mots de bienvenue. Les autres l'ont saluée à leur tour, renouvelant mon message d'amitié.

Justine – Viens, tu vas à avoir à résoudre une énigme toi aussi. Mesdames, je vous présente Ingrid, une amie.

Son pull rose porté sur des leggins noirs et ses bottes pointues ont été très largement observés par l'assemblée de bonnes mères de famille. Sans oublier le boa en plumes fuchsia qu'elle avait posé négligemment sur l'épaule.

Justine – Ingrid, je te présente Pauline, une amie de ma mère. À ton avis, quelle est sa profession ? Pour le découvrir, tu disposes de trois indices : urgence, besoin d'aide et tuyaux.

Ingrid – Docteur Ross !

Justine – Pardon ?

Ingrid – Elle est médecin urgentiste comme George Clooney, le docteur Ross dans *Urgences* ? Ben oui, les tuyaux c'est les perfusions pour les gens malades.

Pauline a ri de nouveau. Elle n'a pas été la seule.

Pauline – Eh bien non Ingrid, je ne suis pas le docteur Ross, je suis plombier.

Ingrid – Comment ça ?

Jim – Elle est plombier avec une trousse à outils.

Ingrid – Impossible...

Pauline – Pourquoi ?

Ingrid – Parce que ça n'existe pas, plombier au féminin.

Pauline – Et pourtant j'existe bien, moi !

Et comme on souhaitait en savoir plus, elle nous a raconté son parcours.

Pauline – Je ne vous dirai pas que je rêvais d'être plombier dès ma plus tendre enfance, ce serait un mensonge. Mais aussi loin que je m'en souvienne, j'ai toujours tout démonté pour voir comment ça fonctionnait. Je désolais ma mère quand elle retrouvait mes poupées ou mes jouets en pièces détachées. À l'école, je m'ennuyais. J'attendais la fin des cours pour jouer avec les outils de mon père. En troisième, lorsqu'il a fallu choisir une orientation, j'ai demandé à faire un BEP plomberie. J'avais lu une brochure sur les métiers manuels et j'avais trouvé l'idée tentante.

Jim – Et votre père était d'accord ?

Pauvre Jim, dès qu'on prononce le mot études, le mot « père » s'inscrit immédiatement dans son cerveau.

Pauline – Chez moi, c'était ma mère qui décidait. Mon père acquiesçait à ses moindres volontés.

Justine – Et elle a accepté ?

Pauline – Non... Elle voulait que je passe mon bac et l'idée d'un métier manuel comme la plomberie l'ulcérait. Elle répétait sans cesse : « Une jeune fille de bonne famille ne doit pas s'accroupir chez des inconnus sous un lavabo sale pour y enlever des cheveux et des rognures d'ongles. »

Ingrid – C'est vrai que c'est pas très glamour.

Pauline – C'est une façon de voir les choses.

Nicolas – Et alors?

Pauline – Je n'ai pas renoncé. Ma mère m'a inscrite en seconde. Je ne mettais les pieds au lycée qu'un jour sur trois. J'écrivais des faux mots d'absence. Quand elle s'en est rendu compte, j'ai subi toutes les menaces possibles mais j'ai résisté!

Jim – Vous avez fugué?

Pauline – Non, je rentrais le soir.

Jim – Et vous faisiez quoi pendant la journée?

Pauline – Alors ça, c'est secret Défense.

Léa – Et on peut le connaître aujourd'hui?

Ma mère et ses copines ont hurlé en chœur : « Le secret, le secret!!! » Nicolas les a accompagnées de sa voix grave. Je l'ai regardé d'un air narquois, il a cessé immédiatement.

Pauline – D'accord!!! Il y a prescription maintenant... Un jour où je me promenais en attendant l'heure de rentrer, j'ai croisé un homme assez âgé. Il portait sur l'épaule la besace en cuir des plombiers. Je ne sais pas ce qui m'a pris, je l'ai suivi. Il regagnait un petit magasin dans lequel il stockait son matériel. La semaine d'après, je suis revenue chaque jour.

Nicolas – Et il ne s'est rendu compte de rien?

Pauline – Bien sûr que si! Un jour où il pleuvait, il est sorti de son échoppe et il m'a dit : « Viens t'abriter dans le magasin, tu vas tomber malade à rester dehors. »

Justine – Et c'est tout?

Pauline – Non, il m'a appris à souder des tuyaux.

Jim – Il ne vous a posé aucune question?

Pauline – Aucune... Le vieux Maurice était un taiseux. Il n'avait pas besoin de parler, il disait tout avec les yeux.

Léa – Et vous y êtes retournée ?

Pauline – Presque tous les jours pendant près de dix ans. J'ai appris le métier avec lui.

Jim – Et votre mère ?

Pauline – Elle ne m'a pas adressé la parole durant les trois années de mon CAP. C'était plutôt positif vu les horreurs qu'elle était capable de me balancer quand elle ouvrait la bouche.

La voix de Pauline s'est cassée sur cette dernière phrase. C'est curieux, elle avait l'âge d'être ma mère et elle semblait souffrir comme une petite fille.

Léa – Et qu'est devenu le vieux Maurice ?

Pauline – Il est mort le jour de mes vingt-cinq ans en me léguant son magasin et cette phrase : « Ne laisse à personne le droit de choisir ta vie à ta place. » J'ai repris des études de gestion, j'ai travaillé dur et aujourd'hui dix plombiers que j'ai formés travaillent chez *Maurice et fille*.

Aucun de nous n'a prononcé un mot après ce récit. La belle Pauline nous avait scotchés. Ma mère, qui sentait que sa fête prenait un tour particulier, a voulu remettre un peu d'ambiance.

La mère – Waouh !!! Merci Pauline pour ton histoire... Maintenant place à la musique. Les garçons, vous nous passez le CD de Claude François ?

Aïe... On va avoir droit aux sirènes du port d'Alexandrie, Alexandra... « Alexandrie où l'amour danse au fond des draps, ce soir j'ai de la fièvre et toi, tu meurs de froid. »

Nicolas s'est exécuté en grommelant. Elles se sont toutes levées pour danser.

La mère – Et si on refaisait le spectacle de fin d'année ? Vous vous souvenez ?

Des cris de souris ont accueilli la proposition de ma mère.

Reprenant une chorégraphie des Claudettes, elles ont dansé sur *Le lundi au soleil*. Elles ne nous ont rien épargné, ni les rouleaux avec les bras, ni les yeux écarquillés ni les mouvements exagérés de la tête.

Nicolas

Regarde la playlist de « la mort qui tue » que j'ai préparée pour la soirée revival de ta mère. Au top des chansons préférées des Français ! Il ne faut plus se demander pourquoi ce pays va mal :-)

⭐ Belles, Belles, Belles.

⭐ Comme d'habitude.

⭐ Alexandrie Alexandra.

⭐ Cette année-là.

⭐ Le lundi au soleil.

Allez, on prépare la choré, moi je serai Cloclo, Léa, Ingrid et toi les Claudettes : « Les lumières du port d'Alexandrie !!! »

Aujourd'hui, 21h45 · J'aime · Commenter

 Léa Même pas en rêve…

Aujourd'hui, 21h47 · J'aime

 Justine Demande à Ingrid, ça va lui plaire…

Aujourd'hui, 21h48 · J'aime

 Ingrid Trop top, j'adore ! Je mets ma tenue à paillettes !!!!

Aujourd'hui, 21h49 · J'aime

Lorsque, après avoir achevé la compil de Claude François, elles ont réclamé Michel Delpech, on a décidé de disparaître. Il n'est pas bon pour la psychologie des ados d'assister à n'importe quel débordement parental.

Nicolas – On va chez moi ? Mon père est chez sa pouf.

Ingrid – J'aurais aimé mais j'ai un rencard.

Pauvre Ingrid... Elle s'invente un rendez-vous parce qu'elle n'assume pas son échec. Elle craint qu'on parle d'*Étoile naissante* et que ça lui fasse mal. Il faut que je l'aide.

Justine – Oh non, viens... On va passer une bonne fin de soirée.

Ingrid – Désolée Justine, je ne peux pas toujours traîner avec vous. J'ai autre chose dans ma vie : un rencard avec un producteur qui m'a remarquée pendant le casting. Il faut commencer à vous habituer à mon absence. Je sais, « Un seul être vous manque et tout est démeublé... » Eh oui, il n'y a pas que Léa qui s'y connaisse en poésie !

Et tandis que ma mère et ses copines martelaient *C'était bien chez Laurette !* les mains croisées sur le cœur, je me demandais, effondrée, si dans trente ans je serais obligée de supporter une soirée revival avec Ingrid et Brice.

Explications dans l'escalier

Léa – Allô !

Justine – Salut Léa, c'est Justine !

Léa – Je sais.

Justine – C'est vrai toi tu sais tout, t'es une sorcière !!!

Léa – Non, c'est juste que j'ai la présentation de numéro sur mon portable. T'es réveillée depuis longtemps ?

Justine – Depuis huit heures.

Léa – Huit heures un dimanche matin, après la fête de Soso miss Saucisse et notre super fin de soirée au grenier ???

Justine – Huit heures parce que ma mère, à huit heures moins une, a mis en marche lave-vaisselle, machine à laver et aspirateur... Sans compter sa conversation au téléphone avec sa grande copine Nathalie : « C'est dingue ce que Christine est ringarde, dire qu'en quatrième mademoiselle nous donnait des leçons de mode » ou bien « Personne n'a osé faire remarquer à Anne que le serre-tête bleu marine passé vingt ans, c'est complètement tarte »...

Léa – Elles en sont encore là !!!

Justine – Ouais.

Léa – Tu crois qu'on sera comme ça à leur âge ?

Justine – Non, on n'est pas comme ça au nôtre.

Léa – Vraiment ???

Justine – On a le sens critique mais on n'est pas des pestes...

Léa – À propos de peste, tu as reçu un coup de fil d'Ingrid ?

Justine – Malheureusement oui.

Léa – Et tu lui as répondu quoi pour ta présence à son fameux rendez-vous ?

Justine – Que je la rappelais tout de suite pour lui donner une réponse.

Léa – Et alors ?

Justine – C'était il y a à peu près une heure et je ne l'ai toujours pas rappelée ! Depuis, elle me harcèle sur mon portable.

Léa – Tu me disais quoi à l'instant ? Que tu n'étais pas une peste ?

Justine – Attends, elle ne veut quand même pas qu'on joue les potiches de part et d'autre de la Ferrari de monsieur ?!

Léa – Attendons de voir la Ferrari ! Si ça se trouve, elle est en plastique et elle mesure cinq centimètres.

Justine – Et c'est moi la peste ????

Je vous explique. Alors qu'hier soir on avait décidé d'être cool avec Ingrid pour l'aider à surmonter sa peine d'avoir été virée du casting d'*Étoile naissante*, elle nous avait snobés en nous annonçant sa rencontre exceptionnelle avec THE producteur of THE world. Et maintenant elle nous convoque à treize heures trente devant la porte aux turquoises. Raison officielle : nous présenter son nouveau coup de foudre. Raison réelle : grimper dans la Ferrari rouge du nouvel homme de sa vie, façon Paris Hilton, sous nos regards envieux.

Je veux bien être sympa, mais il y a des limites.

Léa – On lui fait plaisir, on y va ? Ça nous prendra cinq minutes et après, on aura de quoi discuter pendant deux heures comme ta mère et sa copine !!!

Justine – J'hésite. Les garçons seront là ?

Léa – Ingrid ne me l'a pas précisé mais je pense que la perspective d'approcher une Ferrari va les motiver.

Justine – C'est vraiment crétin un garçon !!! Tu te déplacerais, toi, pour une voiture ?

Léa – Non... Mais pour voir la tête du type qui la conduit, oui !!! Et toi non plus, je suis sûre que tu ne résisteras pas !

Justine – N'importe quoi. Tu déjeunes à la maison ?

Léa – Ah non !!! Excuse-moi Justine, mais j'ai encore sur l'estomac les cous d'oie farcis et les blettes du jardin de la dernière fois. Je ne supporterais pas une nouvelle attaque chimique de ton père.

Justine – Je comprends !

Léa – Et puis j'ai une dissert de philo à rendre pour demain, j'en suis à peine à la moitié : « Le langage ne sert-il qu'à communiquer ? »

Justine – Oh le sujet de la mort ! T'as regardé sur Internet s'il y avait une correction ?

Léa – Tout le monde va l'utiliser. La prof n'est pas débile. Il vaut mieux que j'écrive un truc moyen mais perso... Et toi, t'as du boulot ?

Justine – Cinq exercices de physique, la moitié des annales de maths de Strasbourg, une leçon de SVT et des questions sur un texte d'anglais.

Léa – Bon, alors je te laisse bosser et je viens admirer Ingrid tout à l'heure.

Justine – D'accord...

J'ai travaillé non stop tout le reste de la matinée. J'avais mis NRJ à fond pour m'isoler du monde. Bien sûr, ma mère a fait irruption à trois reprises pour baisser le son et me demander si je travaillais réellement dans ces conditions. Est-ce qu'un jour quelqu'un pourra expliquer aux parents que la musique n'empêche pas le cerveau de fonctionner ? Et quand je dis musique, je parle de vraie musique ! Pas de la variété Chante France de ma mère, ni du classique qui donne envie de se pendre de mon père.

Vers treize heures, comme je m'étonnais de ne pas avoir été convoquée pour déjeuner, je suis allée voir ce qui se passait dans la cuisine.

Incroyable !!! La table était vide, pas une marmite ne mijotait sur le feu et il ne régnait aucune odeur nauséabonde...

– Ah tu es sortie de ta tanière, toi ?

Mon père, l'air renfrogné, me regardait.

Justine – On ne déjeune pas ?

Le père – Je n'en sais strictement rien. Dans la mesure où je ne suis pas convié aux fêtes que ta mère organise le samedi soir, je ne vois pas pourquoi je préparerais un festin le dimanche midi.

Yes, double yes, triple yes !!! J'échappe à la recette *Elle* de la semaine revue et aggravée par mon père.

Justine – Chacun mange ce qu'il veut alors ?

Pourquoi il prend cet air du type offensé ? Il est bizarre parfois.

Justine – Bon moi, je me fais un steak haché surgelé avec des frites au four.

Le père – Si ça te convient, il n'y a pas de problème.

Oui, ça me convient, c'est même mon repas préféré. Entre ma mère qui ne veut plus cuisiner de viande ni utiliser de graisse et mon père qui se lance dans des recettes immondes, je n'ai pas souvent l'occasion d'être à la fête.

Le père – Eh bien bon appétit Justine et bonne journée...

Qu'est-ce qu'il y a encore? Il voudrait que je porte le deuil de son repas dominical? Alors là, il peut rêver... Qu'il règle son problème d'ego avec ma mère, moi ça ne me regarde pas.

Comme je n'avais pas l'intention de faire les frais de la crise parentale, je me suis dépêchée de manger (avec Théo, ravi du menu) et je suis descendue. Il n'était que treize heures vingt mais je préférais attendre dix minutes dans le froid que de risquer le clash familial.

Les volets de Thibault étaient ouverts quand je suis arrivée pourtant je n'étais pas sûre qu'il ait envie de me voir débarquer chez lui à l'improviste. Depuis notre première fois ratée, il ne s'était rien passé. Enfin pas exactement... Il s'était passé que je n'avais pas accepté de le revoir seule chez lui. Après avoir insisté un petit moment, il avait changé de tactique. Il était devenu glacial... Ça m'avait d'abord arrangée, puis inquiétée. Et aujourd'hui, je ne savais plus très bien ce que je voulais. Étais-je encore vraiment amoureuse de lui?

Mais il est avec qui Thibault, là? Qui est la personne assise en face de lui?

Je me suis approchée des portes-fenêtres. Oui, je sais, on ne doit pas observer chez les gens. Mais d'abord, c'est mon homme et puis j'ai le droit de savoir avec qui il passe ses dimanches. En plus je suis myope, donc il faut bien que je regarde de plus près.

Ma planque derrière un volet – très peu discrète, je l'avoue – a provoqué un sérieux branle-bas de combat. La personne de dos s'est retournée vivement, certainement après avoir été avertie par Thibault de ma présence; elle a rangé des affaires dans un sac tandis que mon ex-futur prince charmant faisait disparaître des objets de la table.

Je me suis redressée très vite et j'ai fait quelques pas vers les massifs de fleurs, comme la fille qui n'espionne pas chez son voisin et se promène dans le jardin.

Quoi ??? Qu'est-ce qu'il y a d'invraisemblable au fait que j'inspecte l'invasion de pucerons sur les rosiers en novembre par 0 °C un dimanche, à l'heure du déjeuner, dans le jardin de la maison bleue?

J'ai entendu coulisser les portes-fenêtres et Thibault crier :

Thibault – Tu ne rentres pas, Justine?

J'ai fait semblant de sursauter comme si j'étais surprise de le savoir chez lui.

Justine – Ah salut Thibault, tu es là! Je croyais que tu étais sorti.

Ce qu'il est beau avec son petit col roulé noir et son treillis de combat! Je me sens l'âme d'une résistante... Enfin d'une femme de résistant.

Justine – Merci mais j'attends Léa ici.

Thibault – Tu peux l'attendre à l'intérieur, il fait froid aujourd'hui.

Justine – Je ne veux pas te déranger, j'ai vu que tu n'étais pas seul.

Oh, Justine, il y a cinq secondes tu as joué l'étonnée en le voyant comme s'il revenait après vingt ans de maquis, et maintenant tu dresses un état des lieux façon huissier de justice.

– C'est moi qui t'empêche d'entrer?

Jim venait de passer la tête derrière le corps sculptural de Thibault.

Le corps sculptural de Thibault?

Euh là, j'en rajoute... Il n'est pas si baraqué que ça. Il n'est même pas du tout baraqué. Je ne sais pas pourquoi j'ai dit ça! Une comparaison avec Jim ? Un regain d'amour ? Non n'exagérons pas. Je reprends, Jim venait d'apparaître.

Comment ça Jim ????

Mais je rêve ? C'est lui LA personne qui était avec Thibault ? Pourquoi ils ont tout planqué quand je les ai observés ? Ils trafiquaient quoi ?

Justine – Bonjour Jim ! T'es pas au *Paradisio* ?

Jim – Non, pas aujourd'hui.

Justine – Mais ne vous interrompez pas pour moi, continuez ce que vous étiez en train de faire...

Je suis pas trop subtile, là ? Ils vont se sentir obligés de me donner des explications.

Jim – On avait fini.

Ils avaient fini quoi exactement ? Il ne pourrait pas être plus clair ?

Jim – Et puis tu sais que tu ne déranges jamais.

Comment ça « tu ne déranges jamais » ? On dirait un couple qui reçoit la vieille copine collante.

Thibault – Ah voilà Léa !!! Je branche la bouilloire pour le thé.

Léa – Salut tout le monde !

Jim – Bonjour Léa.

Cette arrivée impromptue leur évite de fournir des explications sur leur activité secrète.

Tu sais quoi, Justine ? Parfois, tu ressembles à Théo et à son copain Tobie. C'est ridicule cette façon d'écrire un scénario à partir d'un geste que tu as cru deviner à travers une vitre.

Euh, excuse-moi Moi, seulement je n'apprécie pas que tu me fasses passer pour une pauvre fille qui affabule alors que tu sais aussi bien que moi ce que j'ai vu. Je te rappelle que tu l'as forcément vu puisque tu es moi.

Oui mais moi, je suis Toi avec le sens critique nécessaire à une vie réelle.

Mais c'est qui tous ces « moi » ? Il y a des fois où je n'arrive plus du tout à me suivre...

Justine

Les méchantes sœurs de Cendrillon

Ma Léa, j'ai compris le rôle d'Ingrid dans notre vie... Lis ce que j'ai trouvé sur un site consacré aux méchantes !!! Ingrid est à elle seule Javotte et Anastasie réunies.

Javotte et Anastasie sont les deux demi-sœurs de Cendrillon. Elles incarnent la jalousie et la rancœur que l'on ressent contre un frère ou une sœur. Javotte et Anastasie représentent la mauvaise éducation : celle faite dans l'excès, dans le vice et dans le culte de l'enfant-roi. En réalité, Javotte et Anastasie ne forment qu'une seule et même personne : leurs répliques vont de pair et se complètent. Elles sont le pendant de Cendrillon et permettent de mettre en valeur la beauté, la simplicité et la douceur de cette dernière.

Aujourd'hui, 11h13 · J'aime · Commenter

 Léa Et si c'était Ingrid Cendrillon et nous les méchantes sœurs ????

Aujourd'hui, 11h14 · J'aime

 Justine Oh non !!!!!

Aujourd'hui, 11h15 · J'aime

Léa – Elle n'est pas encore arrivée Ingrid-Cendrillon? Pourtant Léa-Javotte et Justine-Anastasie les méchantes sœurs sont prêtes à mourir de jalousie en voyant le prince charmant l'enlever dans sa Ferrari rouge.

Les garçons ont éclaté de rire.

Jim – Nous l'enlèvement on s'en fout, c'est juste de voir un autre au volant de la Ferrari rouge qui va nous faire mourir de jalousie.

Le portable de Léa a sonné. Elle l'a sorti de sa poche en nous chuchotant :

Léa – Je parie cinquante contre un que la citrouille ne s'est pas transformée en Ferrari, que le prince charmant est en garde à vue et que Cendrillon désespérée nous appelle pour qu'on vienne la chercher au pays des illusions. Allô? Oui? Ah salut Enzo. Non, tu ne me déranges pas... Je suis à la maison bleue. Oui, je les ai dans mon sac, pourquoi? C'est d'accord, je demande à Thibault si ça ne le dérange pas parce que je suis chez lui.

Léa a posé sa main sur le combiné.

Léa – Enzo a besoin de mes services, ça te dérange s'il passe cinq minutes?

Thibault – Pas de soucis. Dis-lui qu'on l'attend pour le café.

Ma meilleure amie a souri.

Léa – Allô Enzo? C'est bon viens... À tout de suite.

Léa n'avait pas raccroché qu'on a entendu des cris. Jim s'est précipité au-dehors.

Jim – Qu'est-ce qui se passe?

Une dispute avait éclaté dans la cage d'escalier et elle avait l'air sévère. On est sortis dans le hall pour savoir de quoi il s'agissait.

Jim – C'est pas la voix de Nicolas ?

Léa – Si. Qu'est-ce qu'il a ?

Léa n'avait pas terminé sa phrase que Jim avait disparu dans les étages. On l'a suivi et on a pu entendre :

– Si ça ne te convient pas la porte est grande ouverte !

– Eh bien je me casse, je ne resterai pas une seconde de plus chez toi. T'en as rien à foutre de moi et je suis sûr que ça t'arrange que je m'en aille.

– C'est ça, ça m'arrange...

– Tu diras à ta future femme que c'est mon cadeau de mariage. Je débarrasse le plancher devant madame.

Je n'ai pas eu besoin de voir le visage de celui qui se disputait avec Nicolas pour comprendre qui c'était. Qu'est-ce qui leur prend à tous les deux ? D'accord, mon oncle et mon cousin se chamaillent souvent (enfin quand ils se voient !), seulement la plupart du temps, ils font ça en privé et ça ne dure jamais.

Nicolas – Elle peut venir s'installer dès ce soir, je me barre.

En nous voyant agglutinés dans l'escalier, l'air consterné, mon oncle a coupé court à la dispute. Après avoir gratifié Nicolas d'un « bon voyage », il est parti.

Mon cousin a attendu quelques secondes puis il a grommelé un « Vieux con, j'en ai rien à foutre de toi ».

Pire que le regard de Nicolas au moment où il a prononcé cette phrase, il y a eu celui de Jim. Léa s'est avancée vers mon cousin et lui a pris la main.

Léa – C'est rien, ça va aller.

220

Mes parents qui avaient entendu les éclats de voix sont descendus.

La mère – Qu'est-ce qui se passe les enfants ?

Justine – Rien maman, tout va bien maintenant, vous pouvez rentrer.

S'adressant à Nicolas et Jim, mon père a prononcé d'un air grave :

Le père – Vous devriez savoir que vous pouvez régler les conflits autrement qu'en hurlant. C'est terrible que les filles soient obligées de vous retenir pour que vous ne vous tapiez pas dessus. Même Thibault a l'air effaré...

Mais qu'est-ce qu'il raconte ?

Le père – Léa, lâche Nicolas, et toi, Justine, pas la peine de t'agripper à Jim. Je suis là maintenant, je les sépare s'il y a un problème.

Ah oui !!! Super analyse de la situation... Il a vraiment tout compris.

Qui a affirmé que le ridicule ne tue pas ? Eh bien tant mieux parce que sinon je serais orpheline.

Nicolas – Ne t'inquiète pas tonton, on va se calmer. C'est promis, hein Jim ???

Mais pourquoi il lui répond ça ? Il n'était pas en train de se disputer avec Jim.

Jim – Oui... C'est fini. Juste un dérapage.

Le père – Alors serrez-vous la main.

Les garçons se sont exécutés.

Je ne comprends plus rien !

Mon père a prononcé, avec l'air pénétré du médiateur qui vient de gérer un conflit intergalactique :

Le père – C'est bien. Je suis content d'avoir réglé ce petit malentendu entre deux amis. Je vous laisse, cool, les jeunes.

Nicolas a attendu que mes parents soient partis pour remercier Jim.

Nicolas – Heureusement que tu as réagi au quart de tour, je n'avais pas envie qu'ils se mêlent de mon histoire avec mon père. Ils auraient voulu arranger les choses et ça aurait été pire. Merci.

Jim – Pas de quoi, mec ! *SOS Conflit avec votre père* vous écoute et vous comprend 24 heures sur 24.

Thibault – Vous savez qu'à un moment, je n'ai plus rien compris !!! Vous avez parfaitement joué la comédie...

Ah, ça fait du bien de ne pas se sentir la seule débile !

Thibault – Allez, on va le boire ce café ? Je crois qu'on en a besoin.

Nicolas – Ouais, profitons-en. On n'en aura plus beaucoup l'occasion.

Jim – Pourquoi tu dis ça ?

Nicolas – Je me casse de chez mon père, c'est décidé.

Justine – Mais où est-ce que tu vas ?

Nicolas – Chez ma mère.

Léa – Elle habite à plus de soixante kilomètres maintenant, tu ne pourras pas faire les allers et retours tous les jours pour le lycée.

Nicolas – Je m'inscrirai dans le bahut à côté de chez elle.

Jim – Et nous ?

Un silence horriblement pesant s'est installé. Nicolas a soupiré très fort puis il a shooté dans la première marche de l'escalier.

Nicolas – Putain, ça fait chier.

Léa – Tu ne devrais pas prendre de décision tout de suite.

Nicolas – Je n'ai pas l'intention de m'écraser devant mon père.

Thibault – Mais pourquoi vous vous êtes disputés ?

Nicolas – Il m'a annoncé que sa pouf venait habiter ici avec ses deux lardons.

Léa – C'était à prévoir...

Nicolas – Peut-être mais il aurait pu attendre que j'aie mon bac. Quelques mois, c'est pas la mer à boire.

Léa – Tu le lui as expliqué gentiment?

Nicolas – À quoi ça aurait servi? Quand il me dit que sa meuf s'installe ici, il a conscience que ça va me poser un sérieux problème. Il a réfléchi à la situation et il se fout totalement des dommages collatéraux.

Léa – Peut-être pas...

Nicolas – Arrête, Léa, de trouver des circonstances atténuantes à tout le monde, t'es fatigante. Mon père est un égoïste qui a toujours vécu en tenant compte uniquement de ses intérêts.

Justine – Eh bien, tu n'as qu'à faire comme lui. Bats-toi pour obtenir ce que tu veux. Il changera peut-être d'avis.

Nicolas – Je ne négocierai pas avec lui. Je m'en vais...

Thibault – On devrait continuer cette discussion chez moi au lieu de rester dans l'escalier. Je crois que Jim a besoin d'un café.

On s'est tournés vers Jim, il était blanc comme un linge. Nicolas lui a donné une tape amicale dans le dos.

Nicolas – Le train c'est pas fait pour les chiens... Et puis tu m'inviteras chez toi pendant les vacances.

Jim a essayé de répondre mais aucun son n'est sorti de sa bouche. Ça m'a fendu le cœur. Je n'ai pas été la seule. Malgré les efforts de Nicolas pour nous remonter le moral, les minutes qui ont suivi ont été d'une tristesse épouvantable. Léa a servi le café et le thé puis, en s'asseyant, elle a chuchoté comme si elle se parlait à elle-même :

Léa – Décidément nos pères ne sont pas une réussite ! Entre ceux qui sont morts, ceux qui voudraient que leur fils soit différent et ceux qui sont incapables de conjuguer remariage et enfants, on est à plaindre.

Thibault – Tu oublies ceux qui préfèrent la gloire de leur fonction à leur petit chéri.

Léa – Exact.

Jim – Finalement Justine, il n'y a que ton père qui fasse à peu près correctement son boulot...

Justine – Si on ne tient pas compte de ses tentatives dominicales d'empoisonnement.

C'était idiot un argument pareil, mais c'est tout ce que j'ai imaginé pour ne pas me retrouver à l'extérieur de leur clan d'enfants tristes.

Ils ont explosé de rire !

C'est drôle que le rire l'emporte sur le drame, un peu comme si la tension du chagrin devait toujours finir par céder.

J'en ai rajouté pour les entendre encore rire.

Justine – Dois-je vous rappeler le ridicule avec lequel il a réglé à l'instant un conflit qui n'existait pas, sans avoir conscience une seconde de la honte qu'il infligeait à sa fille ?

Nicolas – C'est vrai... J'avoue que ça a dû être difficile à assumer.

Léa – Allez, je lève ma tasse de thé à nos pères : les vivants mal présents et les morts trop absents !!! Qu'on réussisse nos vies malgré eux...

On a crié d'une seule voix : « À nos pères ! »

Nos tasses étaient encore en l'air quand on a frappé à la porte-fenêtre. Même sans lunettes, j'ai reconnu mon oncle. Thibault est allé lui ouvrir.

Jim

Nico, à partir d'aujourd'hui je propose qu'on cherche les proverbes du monde entier sur les rapports père/fils. Je crois qu'on n'est pas les seuls à souffrir :-(

« Mon fils est un imbécile ! C'est tout le portrait de son pauvre père ! »

Jean Anouilh

« Un père ne connaît pas les défauts de son fils, ni le laboureur la fertilité de son champ. »

Confucius

« Un père a deux vies : la sienne et celle de son fils. »

Jules Renard

« Louer son fils, c'est se vanter ; blâmer son père, c'est se flétrir. »

Proverbe chinois

Aujourd'hui, 13h27 · J'aime · Commenter

Thibault aime ça.

 Nicolas Je te propose celui que je viens d'inventer : « Un bon père est un père mort ! »

Aujourd'hui, 13h28 · J'aime

 Léa Tu ne sais pas ce que tu dis…

Aujourd'hui, 13h29 · J'aime

L'oncle – Nicolas, tu viens immédiatement.

Nicolas – Sinon quoi ?

L'oncle – Tu viens, c'est tout.

Nicolas – Je ne suis pas un chien.

L'oncle – Non... Mais je te rappelle que je suis ton père et que tu me dois le respect.

Nicolas – Le respect, ça se mérite.

Il y avait de l'électricité dans l'air.

Léa a touché discrètement le bras de Nicolas pour l'inciter à suivre son père. Mon cousin s'est levé mais a cogné sa chaise contre la table pour manifester son mécontentement.

Ils sont partis.

Justine – Tu parles d'un dimanche, je suis prisonnière d'un train fantôme avec une crise d'angoisse toutes les deux minutes trente !

Je ne croyais pas si bien dire. Une voiture a klaxonné avec insistance dans la rue.

Léa – La Ferrari de ces messieurs dames est avancée.

Jim – Je n'ai pas envie d'aller voir, je n'ai pas le cœur à ça.

Justine – Moi non plus...

Léa – Faites un effort, Ingrid n'est pour rien dans ce qui arrive. Il ne faut pas tout mélanger. Si elle a obligé ce type à venir, c'est que c'est très important pour elle. Moi, j'y vais.

Thibault – Je te suis.

Jim m'a regardée en souriant :

Jim – Allez viens, si on peut rendre quelqu'un heureux aujourd'hui, ça sera déjà ça !

Et voilà comment on s'est retrouvés dans la rue à jouer les faire-valoir.

Ingrid – Désolée pour le retard, Davy avait un rendez-vous avec un comédien pour son prochain film. Je ne peux pas dire son nom, il n'a pas encore accepté le rôle mais quand vous saurez qui c'est, vous allez hurler.

C'est maintenant que j'ai envie de hurler !!! Cette fille ne m'a jamais autant tapé sur le système...

Ingrid – Ah vous ne connaissez pas Davy !!! Je vous présente Davy, il est producteur !

On ne risque pas de l'oublier. Il est producteur et il a une Ferrari. Je ne sais pas si c'est suffisant pour définir un homme, a priori ça a l'air de l'être pour Ingrid. Pourtant l'individu mérite davantage : grand, brun, l'air très content de lui et une petite tache de naissance violette sur la pommette gauche.

Ingrid – Davy, je te présente mes amis !

Nous, ses amis ??? J'espère que vous aurez rectifié de vous-même !

Ingrid – Léa, Justine, Thibault et Jim.

Davy – Salut !

On a répondu en chœur salut !!!!

Et puis comme on n'avait strictement rien à ajouter, on est restés à sourire bêtement dans le vide. Thibault a tenté de sauver la situation.

Thibault – Magnifique ta voiture.

Davy – Ouais...

Thibault – Ça doit être un vrai plaisir de conduire un bijou pareil ?

Davy – Ouais...

Ah, j'ai oublié de vous préciser un truc super important : il a le sens inné de la repartie, Davy! J'espère que c'est pas lui qui écrit les dialogues des films qu'il produit.

Thibault a fait une nouvelle tentative pour relancer la discussion. Un peu comme quand un feu s'éteint dans la cheminée et qu'on ajoute tout ce qu'on a sous la main pour le rallumer : journal, petit bois, épluchures de clémentine...

Thibault – En entretien, tu dois dépenser une fortune pour une merveille pareille?

Davy – Ouais...

À moins de donner différentes significations aux « ouais », il va être difficile de comprendre qui est ce type.

On pourrait imaginer que le premier « ouais » voulait dire : « Oui, je suis vraiment heureux de posséder cette voiture, j'en rêvais comme tous les garçons depuis l'enfance et le jour où j'ai gagné de l'argent, ça a été mon premier achat », le deuxième « ouais » comme : « Je n'autorise personne à conduire mon jouet, j'y tiens comme à la prunelle de mes yeux » et enfin le dernier « ouais » : « C'est sûr qu'il n'y a pas que le prix de la voiture, après il faut compter avec l'entretien, ces bolides c'est de l'horlogerie suisse de précision. Les réglages se font au millimètre. »

Thibault – J'imagine qu'on ne doit pas sentir les kilomètres avec un engin pareil?

Davy – Ouais...

Euh là, j'arrête d'écrire ses dialogues parce que je ne suis pas payée pour ça. Il n'a qu'à faire un effort.

Ingrid – Bon, ben on va y aller, hein Davy?

Davy – Ouais...

Et de cinq.

228

Ingrid – Salut tout le monde ! Amusez-vous bien cet après-midi. Vous restez là ?

J'ai eu envie de répondre « ouais » mais je me suis retenue. De toute façon nos activités du dimanche n'intéressaient absolument pas Ingrid, elle souhaitait juste qu'on la regarde monter dans la voiture.

Alors c'est ce qu'on a fait. Elle nous a adressé un petit signe de la main et a mis rapidement des lunettes noires. Si on veut être remarqué, la Ferrari rouge et les lunettes noires sont les moyens les plus efficaces.

Dès qu'ils ont tourné au coin de la rue, les commentaires ont fusé :

Thibault – Il n'a vraiment fait aucun effort pour me répondre.

Jim – Ce mec n'est pas clair.

Thibault – Ah bon, tu crois ?

Jim – Il y a des signes qui ne trompent pas : le regard fuyant, le refus de dire quoi que ce soit qui le concerne. Ça pue l'embrouille.

Léa – Je suis d'accord avec toi.

Thibault – C'est vrai qu'il n'a pas été très bavard mais ça ne doit pas être évident d'être présenté aux amis d'une fille qu'on vient de rencontrer.

Aux amis ??? Il s'y met lui aussi !!!

Jim – Davy n'était pas mal à l'aise.

Justine – Il était quoi ?

Jim – Je ne sais pas, Ingrid ferait mieux de se méfier.

Justine – Tu crois qu'elle est en danger ?

Jim – C'est pas un serial killer mais j'ai l'impression que c'est pas un type bien. Et comme Ingrid est un peu écervelée, je ne suis pas rassuré. Il y a tellement de sales mecs qui séduisent les filles et en profitent après. C'est de cette façon que certaines franchissent la limite...

Thibault – Attends, il n'y a pas de quoi s'inquiéter non plus. Il n'arrivera pas à ses fins en un après-midi. On appellera Ingrid ce soir pour lui en parler calmement. Et puis je pense que tu la sous-estimes, elle est plus maligne que tu ne le penses. Le problème de Nicolas avec son père me paraît plus ennuyeux...

Oh, j'adore quand Thibault calme les angoisses de chacun avec sa maîtrise totale de la situation. Il est trop fort !!! Si je ne me retenais pas, je me jetterais sur lui pour l'embrasser. Alors je l'aime ???

– Ben qu'est-ce que vous faites donc tous immobiles dans le jardin avec ces mines de conspirateurs ?

Allons bon, c'est qui encore ?

Léa – Salut Enzo !

Enzo – Bonjour la compagnie.

Et comme on restait perdus dans nos pensées, Enzo a insisté :

Enzo – Il y a un problème ? Vous avez l'air lugubres.

S'il veut, je lui résume rapidement la situation : Nicolas s'est disputé avec son père et risque de quitter la maison bleue, Ingrid a été enlevée avec son consentement par un sale type et moi, je ne sais plus très bien où j'en suis avec Thibault. J'ai un amour clignotant : un coup il s'allume, un coup il s'éteint. Je lui passe évidemment la dissert de philo de Léa et mes annales de maths de Strasbourg.

Si Enzo a quelque chose à ajouter à la liste, qu'il ne se gêne pas. Côté stress aujourd'hui, c'est open bar !

Léa – On a des petits soucis mais comme ils n'ont rien de définitif, c'est pas la peine qu'on t'ennuie avec ça.

Enzo – Comme quoi par exemple ?

Léa – Ingrid vient de nous présenter son nouveau petit copain et on a des doutes sur sa moralité. Il a rencontré Ingrid lors du casting d'*Étoile naissante* et s'est présenté comme un producteur de cinéma. Peut-être qu'on délire mais on a l'impression qu'il la manipule à des fins peu avouables.

Jim – Et à tout juste vingt ans, le personnage possède une Ferrari rouge et un regard qui ne dit pas la vérité. Tu vois le genre ?

Enzo – Il conduit une Ferrari rouge ?

Jim – Ouais.

Enzo – Ça ne serait pas un mec grand et brun ?

Jim – Oui !!!

Enzo – Il n'aurait pas une tache violette sur la pommette gauche ?

Thibault – Exact. Tu le connais ???

Enzo nous a souri en dodelinant de la tête.

Enzo – Il est incorrigible celui-là...

Léa – Tu nous expliques qui est ce Davy, s'il te plaît ???

Enzo – Davy ??? Il vous a dit qu'il s'appelait Davy ?

Justine – Oui.

Enzo – N'importe quoi. Il a dû penser que ça ferait américain ! En fait, il s'appelle Jérémy et il n'est pas plus producteur que vous et moi.

Jim – Alors comment il a pu se payer une Ferrari ?

Enzo – Il ne l'a pas payée.

Jim – Il l'a piquée ???

Enzo – Pas tout à fait.

Justine – Tu joues avec nos nerfs, Enzo... Il la sort d'où sa voiture ?

Enzo – Du garage de son patron.

Jim – Il est mécano ?

Enzo – Non, chauffeur d'un mec blindé. Et comme le dimanche monsieur est au golf, Jérémy emprunte discrètement sa caisse pour draguer les filles. À chaque fois, il s'invente une vie. La dernière fois, il s'est fait passer pour le fils d'un banquier suisse super friqué.

Justine – Alors il n'est pas producteur ???

Enzo – Non, mais franchement c'est un type gentil.

Léa – Tu trouves ? Voleur, menteur... de jolies qualités !

Enzo – Il est surtout paumé et il a envie qu'on l'aime.

Justine – Il va voir comme Ingrid va l'aimer quand elle saura qu'il est chauffeur. J'espère qu'il court vite ton copain...

Thibault – La bonne nouvelle c'est que Davy-Jérémy n'est ni un dealer ni un mac. Ingrid sera très énervée de s'être fait manipuler quand elle l'apprendra ce soir, mais au moins, elle ne court aucun danger.

Justine – Moi, je pense qu'il faut la prévenir tout de suite. On lui téléphone sur son portable, comme ça elle ne sera pas dupe longtemps.

Léa – Je ne suis pas certaine qu'elle t'écoute.

Justine – Mais si...

J'ai immédiatement composé le numéro de notre peste bien-aimée pour la mettre en garde. Elle n'était peut-être pas mon amie seulement j'agissais au nom de la solidarité féminine.

Ça vous ennuie si je ne vous fais pas part de notre discussion dans le détail ? Je n'ai pas envie de revenir là-dessus. En résumé, Ingrid m'a envoyé vertement balader dès que je lui ai suggéré de se méfier de son homme. Elle ne m'a pas laissé le temps de lui annoncer qu'il s'appelait Jérémy et qu'il était chauffeur. Elle m'a gratifié d'un « Pauvre fille aigrie, tu ne sais pas comment ruiner mon bonheur » et m'a raccroché au nez.

Léa – Je m'y attendais…

Justine – Ah mais quelle garce !!! Qu'elle ne s'avise pas de pleurer dans mes jupons après.

Mon portable a sonné.

Justine – Si elle me rappelle pour en rajouter une couche, je vais la recevoir. Ah ben non, c'est Nicolas… Allô ?

Là non plus, je n'ai pas envie de répéter mot pour mot notre conversation. Ça me donne trop envie de pleurer. Mon cousin, des sanglots dans la voix, m'a avertie qu'après sa discussion avec son père, sa décision était prise : il quittait la maison bleue dès ce soir. Il m'a murmuré qu'il ne préférait pas nous dire au revoir parce que ce serait trop dur. Avant de raccrocher, il m'a demandé si j'accepterais de transmettre un message à Léa. J'ai évidemment accepté. Ses mots ont été les suivants : « Tu vas me manquer, sorcière. »

J'ai tellement pleuré qu'il m'a fallu cinq bonnes minutes pour annoncer aux autres le départ définitif de mon cousin. Jim a disparu et Léa a sorti ses tarots. Thibault et Enzo sont restés muets.

Je me suis roulée en boule sur le canapé près de ma meilleure amie. Puis Lulu Cracra s'est blotti contre moi.

Ce qu'il y a de bien avec les animaux, c'est qu'ils vous aiment dans tous vos états. Avec eux, pas besoin de jouer la comédie du « je vais très bien, merci » ou de se faire belle pour leur plaire.

J'étais en train de caresser la tête de notre furet bien-aimé lorsque ma meilleure amie, qui scrutait toujours attentivement ses cartes, m'a dit :

Léa – C'est bizarre, je vois de la discorde et un départ dans le jeu de Nicolas, pourtant je vois aussi un amour véritable et secret pour une femme de son univers proche.

Gloups!!! Comment elle sait???

Je ne lui ai pas encore transmis le message de Nicolas parce que tout à l'heure, Jim et Thibault étaient autour de nous, mais j'ai promis de le faire.

Je lui ai chuchoté à l'oreille les mots de mon cousin. Elle a respiré profondément comme si elle cherchait l'oxygène puis elle a pris ses affaires et a disparu à son tour.

Enzo – Elle va où Léa?

Justine – Je crois qu'elle rentre chez elle.

Enzo – Maintenant?

Justine – Elle a besoin d'être seule... Ah zut elle devait te lire l'avenir!

Enzo – Ça m'est égal, c'est pour elle que je m'inquiète. Ce n'est pas le moment qu'elle reste seule. Vous avez besoin les uns des autres.

Jim est entré façon météorite dans le salon et a annoncé d'un air catastrophé :

Jim – Léa est partie.

Justine – Oui, on sait. Elle ne se sentait pas très bien.

Jim – J'en ai marre de cette journée.

Thibault – Il faut avouer que ça commence à faire beaucoup...

Le téléphone de Thibault a sonné.

Thibault – J'espère que ce n'est pas une mauvaise nouvelle!

Il est allé dans sa chambre pour répondre.

Oh sa chambre! Elle me rappelle tellement de souvenirs... Je crois que je suis prête à y retourner. Il faut absolument qu'on ait une discussion tous les deux. Dès qu'il revient, je l'invite à aller boire un verre ailleurs pour qu'on parle en toute intimité.

Je n'en ai pas eu l'occasion, lorsque mon prince a réapparu il nous a annoncé, désolé, qu'il avait un rendez-vous urgentissime. Mon cœur a failli se décrocher. Décidément, on ne serait jamais en phase tous les deux.

Thibault nous a proposé de rester dans son appartement le reste de l'après-midi.

Enzo – Ah non merci, il faut que j'y aille, je suis déjà super en retard.

Thibault – Et vous deux?

Jim m'a regardée d'un air interrogatif et insistant.

Justine – Non, j'ai plein de boulot pour demain. Je rentre.

En moins de deux minutes, on s'est tous retrouvés dans le jardin.

Alors que je montais les escaliers le cœur très lourd, Jim m'a rattrapée.

Jim – Je peux venir un moment avec toi? J'ai trop le cafard.

Justine – Bien sûr...

Jim – Je ne te dérangerai pas, j'ai des trucs à lire moi aussi.

Justine – Ah bon, tu aimes lire, toi, maintenant?

Jim m'a souri.

Jim – Depuis toujours je crois, mais ça avait l'air de faire tellement plaisir à mon père que je m'en suis privé.

Justine – Si tu veux, on va au grenier. Je n'ai pas envie d'expliquer la situation à mes parents. Mon oncle la leur révélera bien assez tôt. Je prends mes affaires et j'arrive. OK ?

Jim – D'accord.

Lorsque après avoir habilement évité les questions de mes parents, j'ai rejoint Jim, il avait allumé des petites bougies partout. Le grenier ressemblait à un vrai décor de conte de fées.

Justine – C'est mignon...

Jim – Ouais !

Justine – Tu lis quoi ?

Jim – Tu ne vas pas me croire.

Justine – Dis toujours.

Jim – Jure le secret alors !

Justine – Je jure de ne rien révéler de ce qui va m'être confié. Croix de bois, croix de fer, si je mens je vais en enfer.

Jim – Ça va... Tu peux regarder.

Histoire classe de terminale.

Justine – Ben pourquoi tu lis un livre de terminale ???

Jim – Devine !

Il ne peut pas passer son bac, il a arrêté ses études en troisième. Comme s'il avait lu le doute dans mes yeux, Jim m'a chuchoté :

Jim – Les candidats libres, ça existe. Mes résultats de français n'ont pas été très bons mais je tente le coup.

Je me suis jetée dans ses bras.

Justine – Oh c'est génial que tu passes ton bac !!! Et tu m'as caché ça ??? J'ai à la fois envie de te massacrer pour tes cachotteries et de t'embrasser pour te féliciter.

Jim – Embrasse-moi plutôt.

Tandis que je tendais mes lèvres vers la joue mal rasée de Jim, il m'a attrapée fermement par la taille et m'a embrassée sur la bouche avec passion. Je n'ai pas cherché à lui résister une seconde. J'ai savouré le goût de nos quatorze ans.

Mon cœur s'est mis à battre très fort et ma tête à tourner. J'ai juste entendu cette dernière phrase :

Jim – Je n'ai jamais cessé de t'aimer, Justine.

Moi, jalouse?

Nicolas avait quitté la maison bleue depuis une semaine pour retourner chez sa mère et plus rien n'était comme avant.

Et quand je dis plus rien, c'était vraiment plus rien.

Je ne voyais plus Thibault. Il passait toutes ses soirées je ne sais où et, les rares fois où je le croisais au lycée, il était d'une froideur polaire. Je ne savais même plus si ça me faisait de la peine ou non.

Jim aussi m'évitait soigneusement. On n'avait évidemment parlé à personne de notre moment d'égarement. Il me semblait presque certain que Jim et moi nous nous étions plus consolés que retrouvés.

Entre Yseult qui restait vingt-quatre heures sur vingt-quatre avec l'équipe du tournage d'*Étoile naissante* et Thibault qui avait déserté mon histoire d'amour, on avait eu besoin d'un peu de chaleur. Si on ajoutait à cela le départ de Nicolas, c'était peut-être suffisant pour expliquer notre dérapage. À moins que je me leurre... On voit si mal ce qui se passe en soi, peut-être parce qu'on est trop près ?

Dans la rubrique « Et pour les autres personnages de la bande des CIK, quelles sont les nouvelles ? », ce n'était pas franchement mieux.

Léa traversait une période « huître », du genre : « Je ne peux pas venir ce soir, j'ai trop de travail », « Ne compte pas sur moi pour le thé, je dois passer à la bibliothèque », « Désolée je ne peux pas te parler, je suis super en retard, je te rappelle plus tard ». Ça me vrillait le cœur à chaque fois.

Ce n'était pas seulement sa mise à distance qui me désespérait, mais aussi ses cernes noirs et son regard triste. Elle avait eu beau m'expliquer mille fois qu'elle avait besoin de solitude, que le départ de Nicolas avait réveillé en elle des angoisses terribles de séparation, je n'arrivais pas à comprendre.

Quand on a froid, c'est toujours mieux d'être deux, non ???

Ben non, elle préférait qu'on congèle chacune de son côté.

Ingrid, quant à elle, faisait ostensiblement la tête, persuadée qu'on avait comploté pour la laisser aux mains du vrai faux producteur. Évidemment, elle pensait que j'étais à l'origine de cette machination internationale visant à décrédibiliser sa carrière de chanteuse. Je n'avais pas cherché à l'en dissuader, à quoi bon ?

Bref, on était loin, très loin des jours heureux de la maison bleue et aujourd'hui, après mes cours, j'étais rentrée sans chercher à savoir ce que faisaient les uns ou les autres de leur samedi après-midi. Enfin plutôt ce que faisait l'un ou l'autre de son samedi après-midi parce que, vu la désertification de la région, le pluriel est inutile.

J'avais avalé dans un sacrifice digne des grandes héroïnes le sandwich tofu-courgette-sésame que ma mère m'avait préparé et j'avais filé dans ma chambre pour m'achever une fois pour toutes à coup de fiches mémo de philo et d'exercices de physique.

J'en étais au troisième quand Théo a fait irruption dans ma chambre. Je n'étais franchement pas d'humeur à faire la causette avec mon petit frère.

Théo – Est-ce que tu savais que les kangourous sont la première cause d'accident de voiture dans le bush australien ?

Justine – Et toi, est-ce que tu sais que la Justine est la première cause de meurtre sur gnome à intelligence précoce lorsqu'on entre dans sa chambre sans frapper ?

Mon petit frère m'a regardée un long moment avec inquiétude, puis il a sorti de la poche de son jean son petit carnet à tête de mort et un drôle de stylo, et il s'est mis à écrire.

Justine – Qu'est-ce que tu gribouilles encore ?

Théo – Je ne gribouille pas, j'écris.

Justine – Et t'écris quoi ?

Théo – Quelques indices pour l'enquêteur en cas de mort accidentelle.

J'ai éclaté de rire.

Justine – Tu crois vraiment que je pourrais te tuer ?

Théo – Pour se débarrasser d'un témoin gênant, certains sont allés jusqu'au fratricide.

Mais comment il connaît ce mot-là, à son âge ???

Je me suis penchée sur son carnet pour lire les fameux indices. Rien. La page était blanche.

Justine – Tu ne vois pas qu'il n'écrit pas, ton stylo ?

Théo – Il marche très bien pour ceux qui savent regarder.

C'est quoi encore cette phrase de la mort ? Parfois, il m'inquiète ce môme. Je me demande si mes parents ne devraient pas l'emmener voir un psy.

Je me suis approchée plus près du carnet. J'en louchais. Toujours rien.

Justine – Tu as conscience que la page est blanche ?

Théo ne s'est pas donné la peine de lever la tête, il m'a dit en continuant à écrire :

Théo – Stylo à encre sympathique... Un bon détective saura quoi faire en cas de pépin.

Justine – Je n'ai aucune raison de te liquider, Théo, tu n'as rien contre moi ! Et si tu comptes me faire chanter parce que tu m'as vue entrer dans le jardin par la porte aux turquoises avec Thibault l'autre soir, je te rappelle que tu étais au même moment en pyjama, en train de donner du poulet à Lulu Cracra, et qu'on a passé un pacte. Donc si tu me balances à maman, je te balance aussi.

Théo – Je ne pensais pas à ça.

Oh ce qu'il m'agace quand il prend son air de journaleux qui a des dossiers compromettants sur un ministre de la Famille abonné aux clubs échangistes et aux sites pornos !

Justine – Et tu pensais à quoi ?

Théo – À rien.

Justine – Je ne vois même pas pourquoi je perds mon temps avec toi. Allez, sors de ma chambre et va jouer avec ton ordi baby !

Là, c'est la réplique qui tue... Dire à mon frère qu'il s'amuse avec un ordi baby alors qu'il est potentiellement capable de programmer les ordinateurs de la Nasa, ça va le vexer à mort.

YES !!! Le moucheron ne dit plus rien et se gratte la tête !!!

Je suis trop forte. Il ne me reste plus qu'à lui jeter un regard plein de mépris et à me remettre à mes exercices de physique comme s'il n'existait pas.

Aussitôt pensé, aussitôt fait.

La fréquence de grattage de tête a augmenté de cinquante pour cent en quelques secondes à peine.

Théo – Bon ben, je m'en vais. Thibault m'a invité à venir manger un Magnum double chocolat, il adore que je lui raconte les histoires secrètes de la maison bleue.

Les histoires secrètes de la maison bleue??? Quèsaco???

Théo – Je note les petites choses que je vois par-ci par-là et après je fais ma chronique du jour.

Justine – Et tu crois que ça intéresse Thibault de savoir que maman a cuisiné des brocolis ou que papa est parti cinq minutes plus tôt un matin?

Oh non, je m'étais dit que je garderais le silence!!! Le gnome a réussi à me faire sortir de ma réserve.

Théo – Ce n'est pas le genre d'informations dont je me sers pour ma chronique.

Évidemment, Théo a prononcé cette dernière phrase d'un air énigmatique et je n'ai pas pu m'empêcher de lui demander :

Justine – Et on peut savoir quels potins tu utilises pour te faire offrir des glaces?

Théo – Un bon journaliste ne livre jamais ses scoops avant leur publication.

Justine – T'es journaliste ou détective? Faudrait savoir!

Théo – Tout bon journaliste est aussi un détective. Ça s'appelle l'investigation. Disons que pour la chronique d'aujourd'hui, j'ai déjà une trame précise.

Surtout ne lui poser aucune question qui pourrait lui laisser entendre que je panique à l'idée qu'il raconte des choses sur moi à Thibault.

Théo – Les mots clefs du jour sont : grenier, bougies, bisou avec la langue.

Vous avez entendu ça?! Non, ce n'est pas possible. Théo ne peut pas savoir pour Jim et moi, on était seuls quand on s'est embrassés. L'échelle était remontée et la trappe fermée, il n'a rien pu voir.

Théo – « Je n'ai jamais cessé de t'aimer, Justine. »

Mais c'est pas vrai??? Il a placé des micros là-haut ou quoi? Et peut-être même des caméras! Cet enfant est un monstre.

Théo – C'est beau l'amour.

Justine – Combien?

Théo – Comment ça combien?

Justine – Combien tu veux pour ton silence?

Je sais, ça peut paraître minable de parler argent avec un être humain de sept ans qui a les mêmes parents que vous, mais ne pas le faire, c'est juste perdre du temps. Il est inutile de tergiverser avec un maître chanteur.

Théo – Ton millepapattes.

Justine – Quoi?

Théo – Mon silence contre ton millepapattes.

Justine – Jamais!

Mais c'est monstrueux de me demander un truc pareil! Mon millepapattes, j'y tiens comme à la prunelle de mes yeux. Oui, d'accord, j'ai dix-sept ans demain, et alors? J'ai le droit d'être attachée à un objet fétiche de mon enfance sans passer pour une pauvre fille en état de régression totale.

Théo – Alors la vérité éclatera au grand jour.

Mon portable a sonné. J'ai regardé le nom qui s'affichait.

Léa, mon amie, celle que j'ai choisie.

Pas comme certains!

J'ai aussitôt invité Théo à sortir de ma chambre.

Théo – Tu as une heure pour me donner une réponse à propos de notre affaire. Au-delà, tu t'exposes à de sérieux risques.

Et il est parti après m'avoir fixée avec insistance du haut de son mètre douze.

J'ai décroché.

Justine – Allô Léa ? Si tu savais comme je suis contente que tu m'appelles ! Je commençais à désespérer.

Léa – Tu as des ennuis, chérie ?

Justine – Comment tu le sais ?

Léa – Depuis cinq minutes, ça grince sec au niveau du chakra de ton plexus solaire. Comme si on voulait t'arracher quelque chose auquel tu tiens et que ça te coupait le souffle.

Justine – T'es une vraie sorcière...

Léa – Pour te servir !!! Alors, quel est le problème ?

Justine – La question serait plutôt *qui* est le problème.

Léa – Et c'est qui ?

Justine – Théo.

Léa – Alors c'est un petit problème.

Justine – Petit mais costaud ! Il a vu quelque chose qu'il n'aurait pas dû voir et il exige mon millepapattes en échange de son silence.

Léa – Quoi ???

Justine – Tu as bien entendu.

Léa – Mais qu'est-ce qu'il a découvert de si grave qui rende possible un chantage pareil ?

Justine – Tu es assise ?

Léa – Non.

Justine – Assieds-toi.

Léa – Ça y est.

Justine – Je ne sais pas comment, mais Théo nous a surpris Jim et moi en train de nous embrasser sauvagement.

Léa – Thibault.

Justine – Quoi Thibault ?!

Léa – Tu as dit Jim et moi, tu voulais dire Thibault et moi.

Justine – Non.

Il y a eu un long silence à l'autre bout du fil.

Justine – Léa, tu es là ?

Léa – Oui je crois... Ça devient vraiment n'importe quoi cette maison bleue. Et elles ont eu lieu quand, ces émouvantes retrouvailles ?

Justine – Juste après le départ de Nicolas.

Léa – Il y a pratiquement une semaine... Tu t'es bien gardée de m'en parler.

Justine – Avoue que tu ne m'en as pas vraiment laissé l'occasion ces derniers jours. Et puis il suffisait que tu regardes au niveau du chakra de mon plexus solaire, non ?

Léa – En tout cas, ne viens plus jamais me faire une remarque sur mes cachotteries avec Peter ! Et tu comptes te débrouiller comment, ce soir, avec tes deux hommes en même temps ? Dix minutes chacun ?

Justine – Pourquoi, il se passe quoi ce soir ?

Léa – Thibault ne t'a pas appelée ?

Justine – Non.

Léa – Bon, je crois que tu vas avoir besoin d'aide. Fais chauffer l'eau pour le thé, je suis là dans moins de dix minutes.

Comme promis, ma meilleure amie est arrivée très rapidement. Je ne lui ai pas laissé le temps d'enlever son manteau.

Justine – Alors ? Il se passe quoi ce soir ??

Léa – Mais c'est le premier prime d'*Étoile naissante* à la télé ! On va enfin découvrir les quinze candidats sélectionnés, dont Yseult et Anna. Thibault a donc proposé d'organiser une soirée buffet où chacun apporte un truc. J'ai une tarte au chèvre et des brownies cooked by Eugénie. On doit être chez lui vers vingt heures pour regarder l'émission tous ensemble.

Justine – Qui ça, tous?

Léa – Jim, Thibault, Enzo et son nouveau mec, toi et moi.

Justine – Et Ingrid?

Léa – Elle est invitée à une soirée chez des copains, paraît-il. Je crois qu'il ne faut pas trop lui en demander. C'est vraiment difficile pour elle de venir se réjouir avec nous de la présence des filles à cette émission.

Justine – Ouais, je comprends.

Léa – Ce sera notre première soirée sans Nicolas...

Ma meilleure amie a prononcé cette dernière phrase avec une voix grave presque cassée et j'ai réalisé à quel point elle était touchée par le départ de mon cousin. Même si l'absence de Nicolas m'était aussi très pénible, j'ai voulu positiver.

Justine – Les vacances de Noël, c'est bientôt... Il nous a promis-juré qu'il passerait les deux semaines entières avec nous. Il a même proposé qu'on parte tous ensemble quelques jours.

Léa – Je sais, il m'en a parlé.

Justine – Vous vous êtes téléphoné souvent tous les deux?

Léa – Il faut bien que le forfait gratuit après vingt et une heures serve à quelque chose!

J'ai dodeliné de la tête en souriant. Tiens, la sorcière avait du mal à exprimer ses sentiments?

Léa – Et pour ton anniversaire, qu'est-ce que tu as décidé?

Justine – Rien. Nicolas m'a annoncé qu'il ne pourrait pas venir ce week-end et je n'ai pas envie d'organiser un truc sans lui.

Léa – Mais enfin Justine, tu vas avoir dix-sept ans, ça se fête!

Justine – C'est toi qui dis ça? Je te rappelle que tu joues les solitaires depuis son départ.

Léa – Oui... Bon... Alors juste un gâteau au chocolat et un verre de Coca light?

Justine – Avec qui ?

Léa – Avec nous.

Justine – Et avec qui dans le rôle du petit ami ? Thibault ou Jim ? Franchement, je n'ai pas le cœur à m'amuser.

J'avais à peine fini ma phrase que mon portable a sonné.

J'ai bondi en voyant le prénom de Thibault s'afficher. Je n'ai pas eu besoin de dire à ma sorcière préférée qui m'appelait. Je l'ai entendue chuchoter :

Léa – À en juger par l'intensité de la réaction, je parierais plutôt pour Thibault dans le rôle du petit ami.

J'ai décroché en imitant le timbre grave et sensuel des hôtesses d'accueil :

Justine – Allô...

Thibault – Justine ?

Justine – Ben oui.

Thibault – Je n'avais pas reconnu ta voix. T'es malade ?

Le premier qui fait un commentaire, je ne lui raconte pas la suite.

Justine – Pas du tout. Je discutais avec Léa.

Thibault – Alors, elle t'a prévenue pour ce soir ?

Justine – On en parlait, justement.

Thibault – Tu viens ?

Justine – Bien sûr.

Thibault – Eh bien à tout à l'heure.

Et il a raccroché. Quoi, c'est tout ? Même pas un « Bisou » ou un « Je t'embrasse » ? Je ne demande pas un « À ce soir, lumière de mes jours » mais au moins quelques mots affectueux qui montrent qu'on a un peu couché ensemble !

Léa – T'en fais une tête quand il raccroche sans te donner le moindre signe d'affection.

Elle m'énerve, la sorcière !

Léa – Oui, je sais, je t'énerve et pourtant tu ne peux pas te passer de moi.

J'ai souri. Ça c'est bien vrai. Il n'empêche, elle m'agace à tout comprendre à demi-mot.

Léa – Je propose une migration dans la cuisine pour boire notre thé vert au jasmin.

On n'avait pas passé le seuil de ma chambre que Théo, en embuscade dans le couloir, a surgi devant nous. Léa et moi, on a hurlé en chœur.

Mon petit frère, très fier de son effet, m'a tendu une enveloppe cachetée avec de la cire rouge puis il est parti en courant.

Justine – Franchement, tu ne trouves pas qu'il est complètement ouf ce gamin ?

Léa – Original, je dirais. Vas-y, ouvre sa lettre.

J'ai déchiré l'enveloppe et j'en ai extrait une feuille blanche sur laquelle le gnome avait collé des lettres découpées dans le journal de mon père. Le genre de lettre anonyme qu'envoient les pervers envieux à leurs voisins dans des villages totalement glauques.

La missive était brève : « Il te reste vingt-cinq minutes pour te décider à propos de millepapattes. » Léa a éclaté de rire quand je lui ai montré la lettre.

Justine – Tu trouves ça drôle ? Ben pas moi. Ce monstre a pris l'habitude de me faire chanter. Je n'aurais jamais dû payer la dernière fois pour le mot de Thibault.

Léa – Quel mot ?

Justine – Quand tu étais à Londres, Thibault a demandé à Théo de me remettre un message. Le nain l'avait à moitié mâché pour me faire peur.

Léa – C'était le lendemain de votre soirée torride ?

Justine – C'est ça... Torride !!! Avec le défilé de tous les habitants de la maison bleue. Pas étonnant que ça ne se soit pas très bien passé après. Enfin bref, depuis son masticage à deux ou trois euros, le gnome se croit tout permis.

Léa – Il faut le prendre à son propre piège et lui donner une bonne leçon sinon il va continuer. Il doit comprendre que ce ne sont pas des façons d'agir.

Justine – Et comment tu comptes procéder ? Je te préviens, il est redoutable.

Léa – Je ne sais pas encore. Pour l'instant, donne-lui ton millepapattes, tu ne peux pas courir le risque qu'il raconte tout à Thibault. Ça va être la guerre entre les garçons, sinon.

Justine – Mon millepapattes ? Jamais !

Ma meilleure amie a de nouveau éclaté de rire.

Léa – Allez, t'inquiète, on le récupérera après, je te le promets.

J'ai donc cédé aux exigences du maître chanteur en culottes courtes. Il n'a pas caché sa joie lorsque ma peluche bien-aimée s'est retrouvée dans ses bras. J'ai failli la lui arracher mais le regard de Léa m'en a dissuadée. Mon frère est sorti triomphant de ma chambre. Il avait raison, dans certains cas, le fratricide s'impose.

Léa – Allez viens ma Justine, on va boire notre thé pour t'aider à te remettre de la perte de ton millepapattes. En ce qui concerne tes deux hommes, tu verras ce soir sur place.

Justine – Ça va être quelque chose !!!

Le reste de l'après-midi est passé comme un rien, entre fous rires bruyants et confidences chuchotées sur ce qui nous faisait battre le cœur.

Lorsque nous avons descendu l'escalier de la maison bleue à vingt heures, je ne savais toujours pas qui j'aimais et avec qui j'allais continuer ma love affair.

Justine – J'ai pas mis trop de mascara?

Léa – Non.

Justine – Les grandes créoles argent, c'est pas too much?

Léa – Non.

Justine – Mon tee-shirt vert anis, il me fait pas un teint de laitue?

Léa – Non.

Justine – En bref, tu me trouves parfaite?

Léa – Le son en moins, ça serait formidable!

J'ai failli louper une marche! Mais quelle chipie!

Je n'ai quand même pas pu m'empêcher de lui demander à nouveau si elle me trouvait bien au moment où elle s'apprêtait à frapper à la porte-fenêtre de Thibault.

Justine – Attends, Léa! Attends! T'es sûre que ça va? Regarde-moi, il n'y a pas un truc qui cloche?

Léa – Si! Un truc énorme.

Quoi??? J'ai encore oublié de mettre mon jean? Mon waterproof a coulé et j'ai un regard de panda? Une pustule de peste bubonique a poussé sur l'aile droite de mon nez?

Léa – Ce qui cloche, c'est ta confiance en toi. Elle est quasi nulle!

Et sans rien ajouter, elle a toqué au carreau. La tête de Lulu Cracra est apparue derrière la vitre. Il a levé ses pattes avant comme pour nous saluer.

Léa – Tu vois, tu as déjà séduit le furet, le plus gros est fait.

Je n'ai pas eu le temps de lui répondre : Thibault, en col roulé noir et treillis beige, nous a ouvert avec un large sourire.

Oh ce qu'il est craquant!!! Mais comment ai-je pu douter un seul instant de son pouvoir sur moi?

Thibault – Bonsoir les filles! Entrez vite, il fait froid.

Ah non, moi j'ai super chaud. Depuis à peu près une seconde et demie, j'avoisine la température de l'eau à ébullition. Si on me posait un œuf sur le front, il serait coque en trois minutes trente.

Thibault – Enzo et son copain Manu sont en train de nous plumer, Jim et moi.

Alors c'est lui, le nouvel amoureux d'Enzo? Il est beau garçon... Mais pourquoi les types les plus sexy (à part mon Thibault bien sûr, et Jim aussi) sont-ils la plupart du temps gay? Quel gâchis pour les filles.

Jim – Ben vous êtes devenues timides ou quoi? Vous ne nous embrassez pas?

Léa – On ne voulait pas vous déranger pendant votre partie.

Jim – Les bisous, ça porte bonheur.

Léa – Dans ce cas, avec plaisir!

Au moment où je me penchais vers Jim pour l'embrasser, il a exercé une pression très forte sur mon bras et m'a regardée avec une intensité incroyable. Ce qu'il est sexy, lui aussi! J'ai vraiment pas le droit de les garder tous les deux?

Thibault – On finit la partie dans moins de cinq minutes. Si vous voulez mettre à la cuisine la tarte et les gâteaux d'Eugénie, ne vous gênez pas.

Oui, très bonne idée, que je reprenne mes esprits. Ils me plaisent vraiment trop ces deux garçons. Je ne vais pas réussir à choisir. Vite, j'ai besoin d'une stratégie de sorcière!!!

J'ai attrapé Léa par la main et je l'ai remorquée à la vitesse de la lumière jusqu'à la cuisine.

– Bonjour... Vous êtes Léa et Ingrid, non?
Mais c'est qui cette rousse superbe sortie tout droit des pages glacées d'un magazine?

Justine

Là, vous allez encore me trouver lourde??? Wikipédia est une mine de renseignements...

Dans de nombreuses civilisations, les roux ont longtemps été considérés avec méfiance voire détestés. Les Égyptiens pensaient qu'ils appartenaient à la divinité guerrière Seth. Au Moyen Âge, ils étaient le signe d'un lien ou d'un commerce avec le diable, ainsi que de sorcellerie. Croiser un roux était un mauvais présage, car nombre de gens pensaient également qu'il s'agissait d'un loup-garou. En Roumanie, berceau du mythe des vampires, on représentait volontiers ces créatures avec des cheveux roux.

Aujourd'hui, 21h38 · J'aime · Commenter

Léa Réveille-toi, on est au XXIe siècle !!!

Aujourd'hui, 21h39 · J'aime

Ingrid : C'est une rousse naturelle, au moins?

Aujourd'hui, 21h40 · J'aime

Léa – Non, nous c'est Léa et Justine !

La rousse superbe – Justine ? Ça ne me dit rien... Je ne crois pas que Thibault m'ait parlé de toi. Moi, c'est Macha.

Je la tue tout de suite ou je la torture avant ?

– Ah, je vois que vous avez déjà fait les présentations. Désolé, les filles, je manque à tous mes devoirs.

Thibault, sur le seuil de la cuisine, nous souriait de toutes ses dents. Je ne le jurerais pas mais j'ai eu la nette impression que la situation l'amusait.

Thibault – Bon ben, j'y retourne.

C'est ça, retourne jouer avec tes copains. Si tu pouvais juste m'indiquer où se trouve le grand couteau pour découper les volailles, ça m'arrangerait. Je dois m'occuper d'une dinde !

Il était à peine sorti que Léa m'a dit d'une voix anormalement calme :

Léa – Justine, tu peux m'accompagner dans la salle de bains, s'il te plaît ? J'ai besoin de ton aide, j'ai un problème avec ma lentille. Tu nous excuses un moment, Macha ?

Qu'est-ce qu'elle raconte ? Elle ne porte pas de lentilles.

Macha – Mais je vous en prie. J'ai tout mon temps, je dors ici.

Là, Léa n'a pas attendu un dixième de seconde de plus, elle m'a attrapée par un passant de mon jean et m'a obligée à la suivre. C'est seulement après avoir fermé la porte de la salle de bains à double tour qu'elle a accepté de me lâcher.

Léa – Je te préviens tout de suite : si tu ne me jures pas sur notre amitié que tu ne vas pas massacrer cette fille à la tronçon-neuse, il est hors de question que tu quittes cette pièce !

Tiens, la sorcière a été mal renseignée par les mauvais esprits. Ce n'est pas à la tronçonneuse que je prévoyais de découper la rousse diabolique, c'est au couteau à volaille.

Léa – Mais enfin, Justine, quand apprendras-tu à te maîtri-ser? Tu n'as pas vu ton retroussement de babines quand elle a annoncé qu'elle dormait là, on aurait dit Hannibal Lecter dans *Le Silence des agneaux*. Allez, respire! Ça va aller? Justine, tu me réponds?

D'abord, je la scalpe. Sans sa tignasse de feu, elle fera moins la maligne.

Ensuite, je lui raccourcis les jambes d'au moins cinquante centimètres, ainsi elle ne pourra plus me narguer du haut de sa splendeur.

Léa – Justine? C'est quoi ce regard de psychopathe? Je te jure que tu commences à me faire vraiment peur.

On a frappé à la porte.

Jim a demandé d'une voix inquiète :

Jim – Ça va les filles?

Léa – Oui, pas de souci, on arrive tout de suite.

Et avant d'ouvrir le verrou, Léa m'a chuchoté :

Léa – On va sortir doucement. Je suis là. Tout va bien se passer. Un... Deux...

Je ne saurais pas exactement vous dire comment j'ai réussi à atteindre le salon et à m'asseoir dans le canapé. Il y a eu comme une coupure dans l'espace-temps durant laquelle j'ai fini d'achever virtuellement Mlle Zéro Défaut.

Thibault – Léa, t'as peur de t'envoler ou quoi? Pourquoi t'es accrochée à Justine comme ça?

Léa – On ne s'est pas beaucoup vues cette semaine, alors maintenant qu'elle est là, j'en profite!

Justine

Ma Léa, finalement je ne suis pas un cas isolé…
Regarde ce que j'ai trouvé sur Wikipédia. Tu pourras
venir témoigner en ma faveur ?

Le **crime passionnel** désigne un meurtre ou une
tentative de meurtre dont le mobile est la passion ou la
jalousie amoureuse.

La victime est généralement un être aimé du tueur
et l'ayant trompé, ou trahi, ou bien son amant(e).
Le schéma le plus classique est celui du triangle
amoureux : deux personnes qui en aiment une
troisième et se jalousent.

Le crime passionnel est souvent l'objet d'une législation
particulière, car il est considéré que la passion
amoureuse fait perdre le contrôle de soi-même dans
les cas extrêmes, notamment de jalousie. Il bénéficie
souvent de circonstances atténuantes, contrairement
aux autres types de meurtres.

Aujourd'hui, 23h07 · J'aime · Commenter

 Léa Tu n'es vraiment pas drôle. Il y a des sujets
sur lesquels on ne plaisante pas !

Aujourd'hui, 23h11 · J'aime

 Thibault D'accord avec toi Léa !!!

Aujourd'hui, 23h12 · J'aime

Manu – Ah vous êtes ensemble toutes les deux ? Enzo ne m'avait pas dit.

Jim – Qu'est-ce qu'il raconte, lui ? Comme si la situation n'était pas assez compliquée ! On a déjà testé pas mal de combinaisons, si en plus on ajoute des possibilités de couples homos...

Enzo – Mais non Manu, Justine et Léa aiment les garçons.

Manu – Comme moi alors ! Vous avez raison, il n'y a pas mieux.

Macha – Je suis parfaitement d'accord !

Thibault – Ça, je suis au courant Macha que tu aimes les garçons ! Aucun doute là-dessus.

La morte vivante a gloussé. J'ai senti une poussée d'adrénaline anormalement élevée dans tout mon corps. Léa s'est agrippée très fort à mon bras.

Léa – Quelqu'un peut allumer la télé, il est l'heure.

Puis elle m'a chuchoté à l'oreille :

Léa – Respire, Justine. C'est juste une bonne copine. Je viens de voir ça dans mes cartes.

Menteuse. Elle a laissé ses tarots chez moi.

Le générique d'*Étoile naissante* a défilé et lorsque le présentateur est apparu dans un décor des *Mille et Une Nuits*, tout le monde s'est tu pour l'entendre présenter les candidats sélectionnés.

Il a fallu supporter une brune qui se la jouait grunge, une blonde faussement poupée Barbie et un Grec poilu époque rock-and-roll avant de voir enfin Yseult et Anna. Elles étaient méconnaissables, maquillées et coiffées comme on ne les avait jamais vues. Comme quoi on peut facilement transformer des filles banales en bombes.

Enzo – Eh Manu regarde, c'est Yseult là.

Manu – Pas mon genre mais jolie meuf !

Thibault – Elle est superbe ce soir ! Tu dois être fier Jim, non ?

Jim a bégayé un « mouiiii » et m'a regardée d'un air gêné.

Enzo – Ben qu'est-ce que tu as, Jim, à jouer les coquettes ? Moi, si Manu passait à la télé, je serais super content.

Manu – Il est peut-être jaloux ?

Macha – Eh oui, c'est même sûr ! En général, vous n'aimez pas qu'on vous échappe. Tu dois avoir la trouille de la voir finir dans le lit d'un autre candidat.

Tandis que chacun donnait son avis sur ce qu'il ferait en pareille situation, Jim s'est arrangé pour venir près de moi. Il m'a pris la main discrètement et a murmuré :

Jim – Je compte parler de nous deux à Yseult, mais je ne pouvais pas le faire au téléphone juste avant son prime.

Et il est reparti se resservir de salade, l'air de rien.

J'ai vérifié que Thibault n'avait pas vu la scène.

Ça ne risquait pas. Macha avait coincé une mèche de ses cheveux dans la fermeture éclair de son pull (ah non, pardon, de sa robe, vu la longueur j'ai cru que c'était un pull) et il farfouillait dans sa nuque pour dégager une mèche. Léa qui avait suivi mon regard s'est levée d'un bond.

Léa – Laisse-moi faire Thibault, je m'en occupe.

Ils ne veulent pas que je le fasse moi-même ? J'ai un moyen très rapide de la sortir d'affaire : JE LUI COUPE LA TÊTE !!!!!!

Tout le monde s'est retourné vers moi. La stupeur se lisait sur tous les visages.

Quoi ? Qu'est-ce qu'il y a ? Je l'ai dit trop fort ?

– Vous jouez au jeu de la statue ???

Ingrid en minirobe vert pomme se tenait à l'entrée du salon. Pour la première fois de ma vie, j'ai été heureuse de la voir débarquer sans prévenir. Sa remarque a fait diversion.

Ingrid – On a l'impression qu'il y a eu un arrêt sur image. Tu leur as fait quoi, Justine, pour qu'ils te regardent tous comme ça?

Ah non! Je retire ce que j'ai dit. Cette fille ne me sera jamais d'aucune aide. Elle s'arrangera toujours pour souligner mes faux pas et me mettre dans des situations impossibles.

Léa – Alors là, bravo Justine!!! Tu l'as dit avant moi...

Quoi, qu'est-ce que j'ai dit avant elle?

Léa – On a fait un pari toutes les deux. La première qui trouverait l'occasion de hurler « Je lui coupe la tête » aurait le droit de demander ce qu'elle veut à l'autre. Là, avec la mèche de cheveux de Macha coincée dans sa fermeture, c'était génial. Bravo ma Justine!!!

Et elle est venue m'embrasser comme si j'avais remporté le maillot jaune d'une des étapes des Pyrénées un jour de canicule. Elle a dû être très convaincante parce que les autres se sont marrés.

Léa – Théo a regardé *Alice au pays des merveilles* et il s'est amusé à repasser en boucle le passage où la reine hurle « Qu'on lui coupe la tête! ». Avec Justine on n'en pouvait plus... Alors on s'est dit qu'on vous en ferait profiter ce soir. Il n'y a pas de raison!

Jim s'est arrangé pour me parler à l'oreille sans que personne s'en aperçoive.

Jim – Tu n'as pas besoin de lui couper la tête, Justine.

Oh que si... Je la hais!!! Je ne supporte pas qu'elle se colle comme ça à Thibault.

Jim – Elle est peut-être très bien maquillée et coiffée ce soir, mais tu es plus sexy qu'elle.

Mais qu'est-ce qu'il raconte? Elle n'a pas un gramme de maquillage et ses boucles rousses sont naturelles. C'est la bombe absolue.

Jim – Je t'ai dit que je lui parlerai et je le ferai. Tu n'as rien à craindre d'Yseult.

Yseult?! Quel rapport?

Ingrid est venue s'asseoir près de moi sur le canapé et a fixé l'écran avec attention.

Ingrid – Qu'est-ce qu'elle fait négligée cette brune. Personne ne lui a dit que ses bas étaient filés et que son vernis noir était monstrueux?

Manu – Elle n'est pas négligée, elle est grunge.

Ingrid – Ça, c'est un pseudo-concept. La réalité c'est que cette fille semble tout droit sortie d'une poubelle.

Thibault – D'une poubelle, rien que ça!

Ingrid – Et la blonde à côté, c'est quoi cette caricature de Paris Hilton?

Comment c'est déjà le proverbe? On ne voit pas la paille qu'on a dans l'œil mais on voit la loutre dans celle du voisin. Euh la poutre, je voulais dire. Désolée pour ce lapsus, ça doit être la proximité d'Ingrid!

Ingrid – Oh le brun poilu, il est immonde!

Macha – Dommage que tu n'aies pas été sélectionnée, t'aurais relevé le niveau.

La peste... D'accord, Ingrid est jalouse et cherche à dézinguer tout le monde, mais ce n'est pas une raison pour en rajouter. Elle est déjà tellement déçue de ne pas participer à l'émission.

Oui je sais, je ne suis pas toujours compréhensive avec Ingrid, mais je vous rappelle qu'elle est notre peste à nous et qu'il n'est pas question que d'autres lui fassent des remarques désagréables.

Macha – D'ailleurs, ça n'a pas dû être facile pour toi, Ingrid, d'être débarquée juste avant le premier prime?

Ingrid, qui en temps normal a le sens de la repartie, est restée sans voix. Heureusement on était là.

Léa – On ne peut pas dire que tu fasses dans la compassion et la délicatesse, Macha !

Enzo – C'est méchant ce que tu viens de dire !

Jim – Je ne vois vraiment pas l'intérêt de balancer un truc pareil.

Justine – Si je ne me retenais pas, je te balancerais mon poing en travers de la figure.

C'est dingue ça, alors qu'on avait été quatre à lui dire ce qu'on pensait d'elle, c'est encore vers moi que les visages se sont tournés.

Non, je ne saisis pas en quoi ma remarque est plus agressive que celle des autres. Juste plus directe, peut-être.

En tout cas, la peste rousse a hurlé à la persécution en se jetant dans les bras de Thibault.

Macha – Sauve-moi Thibault, Justine veut me frapper.

Alors que je labourais le parquet de mon pied droit comme les taureaux au moment où ils se préparent à foncer sur le torero, un grand brun que personne n'avait entendu arriver a toussoté pour signaler sa présence. Ce n'est plus un salon, c'est un tarmac avec atterrissage toutes les minutes et demie !

Le grand brun – J'ai frappé mais avec la télé à fond et vos hurlements, vous ne m'avez pas entendu.

Macha s'est dégagée des bras de Thibault à la vitesse de la lumière. Elle a couru vers le bel inconnu.

Macha – Ah tu es là ?

Le grand brun – Oui, apparemment j'arrive trop tôt. Je ne voulais pas te déranger, tu as l'air très occupée.

Macha – Mais pas du tout !!!

Le grand brun – Ah oui, vraiment? Il me semblait pourtant que le mec là-bas t'entreprenait sérieusement! D'ailleurs tu peux le rejoindre, je m'en vais.

Macha – Non, ne pars pas Tom. Je vais t'expliquer, Thibault est mon...

Elle n'a pas eu le temps de finir sa phrase, le fameux Tom est reparti comme il était arrivé. La belle Macha, rouge pivoine, s'est tournée vers Thibault, folle de rage.

Macha – Mais dis-le-lui, toi, que tu es mon cousin et que tu m'as demandé de faire tout ce cinéma pour rendre jalouse la fille que tu aimes!

Et elle a couru après Tom.

Je ne pourrais pas vous expliquer le sentiment de plaisir intense que j'ai éprouvé lorsque j'ai croisé le regard gêné de Thibault. Un vrai délice. La vie venait de me faire le plus beau des cadeaux d'anniversaire avec un jour d'avance...

Je suis la fille qu'il aime.

Je suis la fille qu'il aime

Je suis la fille qu'il aime.

Je suis la fille qu'il aime.

Oh quel cadeau!!!

Si vous pouviez me l'emballer avec Jim, le petit brun musclé qui est juste à côté, ça serait parfait!

La framboise
sur le gâteau

Mais c'est quoi cette main qui me touche les cheveux dans le noir ???

Je me suis redressée d'un coup et j'ai allumé la lumière.

Léa, penchée au-dessus de mon lit comme une bonne fée, a évité de justesse que je lui fracasse la tête et m'a souri.

Léa – Avant qu'ils arrivent, j'ai une super nouvelle à t'annoncer : j'ai récupéré ma chemise.

Mais de quoi parle-t-elle ? Et quelle heure est-il ?

Huit heures trente un dimanche matin !!! On s'est couchés à deux heures cette nuit, donc si je calcule, j'ai à peine dormi six heures.

Léa – Joyeux dix-sept ans ma Justine !

C'est très gentil mais, tout à fait entre nous, j'aurais préféré une grasse mat' pour démarrer la journée.

– Joyeux anniversaiiiiire Justine.

Et maintenant le chorus familial.

– Joyeux anniversaiiiiiire Justine.

Merci... Merci... J'ai compris, c'est mon anniversaire mais il ne faut pas que mes parents et mon petit frère chéri se sentent obligés de chanter la chanson jusqu'au bout.

– Joyeuuuuuux anniiiiiiversaiiiiire Justine, joyeuuuuuux anniiiiiiversaire...

Bon ben tant pis, j'ai droit à la totale.

– Joyeux anniversaire !

Le père – Et première surprise d'un papa qui s'est levé aux aurores pour cuisiner : le framboisier.

Oh pour une surprise, c'est une surprise, cette... bouillie de framboises. Franchement, à ce moment précis de ma vie, j'ai regretté de ne pas avoir été trouvée sur les marches d'une église avec zéro information sur le jour de ma naissance. Moi, j'ai un père qui connaît la date exacte et qui ne loupe jamais l'occasion de me la fêter en gâteau.

Oui, c'est vrai, je peux paraître ingrate mais je vous rappelle que j'ai déjà eu mon lot de gâteaux immangeables le jour de la rentrée et que ça a été difficile à digérer.

Le père – Allez, souffle !

Je vais m'exécuter avec plaisir. Le problème, c'est que ça va aggraver les choses. Parce qu'après le soufflage des bougies, il y aura le découpage du gâteau et après... le mangeage.

Oui, je sais, le mot mangeage n'existe pas mais ce néologisme est une façon d'attirer votre attention sur ce qui va suivre. Dans moins de cinq minutes, je vais devoir ingurgiter ce magma rosâtre en souriant et compter jusqu'à cinquante avant d'aller vomir dans les toilettes.

Le père – Allez Justine, souffle !!! Elle est encore complètement endormie ou quoi ?

Si ça pouvait être vrai. Si seulement mon père et son gâteau n'étaient qu'un horrible cauchemar et que je me réveille dans les bras de Thibault.

Comme je ne me décidais pas, mon père a engagé les autres à scander mon nom, façon supporter de l'OM au moment du dernier tir au but un jour de finale. Ils se sont donc tous mis à hurler :

– Justine, les bougies! Justine, les bougies!

J'ai fini par souffler.

Strike!!!

Le père – Dix-sept d'un coup! Bravo ma fille.

Ma mère, qui depuis le début avait gardé une main derrière le dos, m'a tendu un paquet.

Yes un cadeau...

La mère – Pour tes dix-sept ans, nous avons décidé avec ton père de t'offrir un cadeau symbolique.

Aïe.

J'ai déchiré le papier et j'ai découvert... un livre.

C'est ça le symbole?

Je ne voudrais pas piquer ses formules à Nicolas mais un livre, c'est pas la peine, j'en ai déjà un!

La mère – Ce sont les *Œuvres complètes* de Rimbaud dans la collection la Pléiade.

Génial!!! Je vais le filer à Léa, je suis sûre que ça lui plaira.

La mère – Si nous l'avons choisi, c'est pour un poème en particulier, un poème qui commence ainsi : *On n'est pas sérieux, quand on a dix-sept ans*. Et à ce propos, nous t'avons préparé, ton père, Théo et moi une surprise.

Mes parents et mon frère se sont placés l'un derrière l'autre du plus petit au plus grand et ils ont penché la tête d'un côté ou de l'autre pour que je puisse voir leurs visages. Après avoir compté jusqu'à trois, Théo a récité :

Théo – *On n'est pas sérieux, quand on a dix-sept ans.*

Un beau soir, foin des bocks et de la limonade,

Des cafés tapageurs aux lustres éclatants!

On va sous les tilleuls verts de la promenade.

Il avait à peine terminé sa phrase que mes parents ont répété en canon :

– *On n'est pas sérieux, quand on a dix-sept ans.*

Ils étaient trop mignons tous les trois. Et même avec un réveil aux aurores un dimanche matin plus une menace imminente d'empoisonnement à la bouillie de framboisier, je me suis dit que j'avais vraiment de la chance d'avoir une famille comme celle-là.

Léa, le Kleenex imbibé de larmes, les a applaudis à tout rompre. Ils ont salué la main sur le cœur.

Je me suis levée et je les ai serrés contre moi tous les trois en même temps. Comme j'avais encore un peu de place, j'ai demandé à Léa de se glisser entre maman et Théo.

Théo – C'est pas pour dire mais j'étouffe et maman me pleure dessus.

Le père – Ta mère ne pleure pas, Théo, elle salive à l'idée de manger mon gâteau.

On a tous éclaté de rire.

La mère – Euh... Pas tout de suite ! On le remporte en cuisine pour ce midi.

Ouf.

Le père – Pourquoi tu ne le goûtes pas maintenant ?

La mère – Parce qu'il est à peine plus de huit heures et que c'est trop sucré. On le mangera tout à l'heure.

Le père – Juste un petit morceau. Hein Justine ?

Vite une idée !

Léa – C'est mieux de le garder pour le déjeuner, comme ça on soufflera les bougies à nouveau.

Le père – Tu crois ?

Léa – Quand on a une pâtisserie de qualité, on la met deux fois à l'honneur.

Si votre glaçage se rapporte à votre feuilletage, vous êtes la pâtisserie des hôtes de ce bois.

Le père – Dit comme ça, on ne peut que s'incliner.

Le père ouvre un large bec et laisse tomber sa proie.

Personne ne s'en saisit...

YES !!!

J'ai un sursis de quatre heures.

Dès que mes parents sont sortis de ma chambre, j'ai félicité Léa pour son intervention de renard flatteur.

Justine – Une fois de plus tu m'as sauvée !

Léa – Monstre ! Tu ne sais pas la chance que tu as d'avoir une famille pareille.

Justine – C'est parce que ce n'est pas la tienne. On fantasme toujours sur les parents des autres.

Léa – C'est vrai ! Même s'il cuisinait horriblement, je serais ravie d'avoir un père.

Mais qu'est-ce que je suis nulle avec mon humour à deux euros !!! J'ai encore blessé Léa sans le vouloir. Je suis là à me plaindre de mon père pour des broutilles alors que le sien a disparu.

Léa – D'ailleurs à propos de père, j'ai retrouvé la chemise du mien.

Justine – La chemise blanche et bleue qui était dans ta valise ?

Léa – Oui !

Justine – Et elle était où?

Léa – Dans ma valise.

Comme je regardais ma meilleure amie d'un air ahuri, elle m'a expliqué :

Léa – À sept heures ce matin, Eugénie est entrée dans ma chambre en me disant : « Ma petite fille, je t'ai attendue jusqu'à onze heures hier soir puis j'ai renoncé, j'avais trop sommeil. N'entends aucun reproche dans mes paroles, je suis heureuse que tu vives ta vie. Tu as largement le temps d'être vieille et fatiguée, profite de toutes les opportunités de faire la fête. Si je te réveille de si bonne heure c'est parce que je t'ai rapporté quelque chose que tu avais perdu. » Et elle a posé sur mon lit ma valise anglaise, enfin la valise française volée à Londres. Je suis restée bouche bée. « Tu peux vérifier, a-t-elle ajouté, il ne manque rien. »

Justine – Comment Eugénie savait-elle ce qu'il y avait dedans?

Léa – Tu pourrais aussi me demander comment elle a réussi à retrouver une valise volée il y a plusieurs semaines à Londres alors qu'elle vit en France. À partir d'un certain degré de sorcellerie, il est plus sage de ne pas chercher à comprendre.

Justine – Et il ne manquait vraiment rien?

Léa – Tout y était, exactement comme je l'avais laissé.

Justine – T'es contente?

Léa – Oui, surtout pour la chemise de mon père. C'est la dernière fois que je la laisse toute seule. La prochaine fois que je voyage, je la porte sur moi!

Justine – Mais finalement t'es gagnante sur tous les tableaux, toi! Eugénie t'a donné trois cents euros pour remplacer tes fringues perdues, tu achètes des merveilles et en plus tu récupères les vieilles. C'est double garde-robe!

Léa – Eh oui ! Il faut bien qu'il y ait quelques avantages à être née dans une famille de sorcières amazones. Jalouse ?

Justine – Morte de jalousie !

Léa – Tu m'en vois ravie... Si tu savais comme ça m'a fait drôle quand je l'ai ouverte ! J'ai retrouvé ma tenue pour la soirée avec Peter. Je l'avais préparée avec minutie comme une habilleuse au théâtre : les mitaines en dentelle noire, la broche salamandre sur le béret, les bas avec la couture derrière.

Justine – Et alors ?

Léa – Et alors quoi ?

Justine – Et alors cette fameuse soirée avec Peter, c'était comment ?

Léa – Rien de spécial à raconter !

Justine – Vraiment ? Tu ne t'en sortiras pas comme cela, mademoiselle Silence-Radio-Sur-Ma-Vie-Privée. Jusqu'à maintenant, j'ai joué les copines discrètes et effacées, mais il ne faut pas exagérer. Toi, tu sais absolument tout ce qui se passe dans mon existence : Thibault, Jim...

Léa – Ce n'est pas exactement le bon ordre. Moi, je dirais plutôt Jim, Thibault, Jim, Thibault.

Justine – C'est malin de se moquer des copines qui ont des sentiments alternatifs ! Revenons plutôt à toi. Que s'est-il passé ce soir-là ?

Léa – Nous sommes allés au théâtre.

Justine – Oui et après ?

Léa – Nous sommes allés dîner.

Justine – Tu joues avec mes nerfs. Je vais essayer d'être plus directe ! À partir du moment où tu t'es retrouvée seule dans ta chambre avec lui, que s'est-il passé ?

Léa – Il n'est jamais venu dans ma chambre.

Justine – Il t'a encore posé un lapin???

Léa – Mais non! C'est moi qui suis allée dans la sienne.

Ma meilleure amie a prononcé cette dernière phrase d'une manière tellement ingénue que j'en suis restée sans voix.

Pas longtemps...

Justine – Et dans sa chambre, qu'est-ce que vous avez fait?

– Ils ont fait l'amour!

Théo, son carnet tête de mort à la main, nous regardait avec la mine du paparazzi qui vient de prendre en flag une actrice mariée en train d'embrasser son partenaire de tournage. Léa a eu l'air très contrariée.

Léa – Je ne crois pas que tu aies été invité à participer à cette discussion, Théo.

Théo – Je ne le voulais pas mais comme vous aviez laissé la porte ouverte...

Léa – Théo, est-ce que tu veux que je t'aide à te souvenir de la fois où tu as fouillé dans le sac de ta grand-mère pour y prendre ses bonbons à l'anis? Ou de celle où tu as cassé la fenêtre de la cuisine et laissé tes parents croire que monsieur Bonseigna avait mal fait son travail? À moins que tu préfères évoquer ta manie d'espionner les conversations de ta mère en décrochant le télé-phone de sa chambre?

Mon petit frère s'est mis à se gratter la tête à une allure impres-sionnante.

Léa – Tu souhaites que je continue cette liste ou non?

Théo a murmuré avec un regard de chiot qui a fait pipi sur le tapis :

Théo – Euh non, pas la peine.

Léa – Tu sais mon grand, tu n'es pas le seul à avoir des yeux et des oreilles. Et je te conseille de t'en servir à d'autres fins que de faire chanter tes proches, sinon tu pourrais avoir des ennuis... C'est compris?

Théo – Oui, Léa.

Léa – Alors tu vas me faire le plaisir de sortir de cette pièce et de fermer la porte derrière toi.

Théo – Oui.

Je n'en revenais pas! Mais comment ma meilleure amie savait-elle tout cela sur Théo? Même moi qui vis ici, je n'avais rien remarqué.

Au moment où mon frère tout penaud refermait avec application la porte de ma chambre, Léa a ajouté :

Léa – Sois gentil Théo, avant d'aller jouer rapporte son mille-papattes à ta sœur. Il est à elle.

Elle n'a pas eu besoin de le lui répéter deux fois. Théo s'est précipité au-dehors et a rapporté en moins de vingt secondes ma peluche préférée.

Léa l'a félicité pour sa rapidité puis elle lui a chuchoté quelque chose à l'oreille. Théo a souri et embrassé ma meilleure amie avant de disparaître.

Justine – Qu'est-ce que tu lui as dit?

Léa – Une parole de sorcière.

Justine – Je suppose que tu ne me la répéteras pas.

Léa – Non!

Justine – Très bien, nous allons donc reprendre notre discussion sur ta soirée avec Peter. Et puisque tu es la reine de l'esquive, je vais te poser des questions fermées auxquelles tu répondras par oui ou par non.

Léa – Un interrogatoire de police en quelque sorte.

Justine – Comme tu y vas ! Un questionnaire, plutôt. C'est mon anniversaire aujourd'hui et j'ai bien le droit de choisir mon cadeau.

Léa – Il ne sera jamais aussi beau que celui de Macha hier soir !

Justine – Ah non, ça c'est sûr... Oh c'était trop bien.

Léa – Oui, on l'a compris. Tu as gardé un sourire niais sur les lèvres tout le reste de la soirée et le pauvre Thibault, malgré ses efforts pour conserver sa dignité de fils d'ambassadeur, semblait super mal.

Justine – Il faut dire qu'Enzo et Manu se sont bien moqués de lui.

Léa – Heureusement qu'Yseult et Anna sont passées à la télé, ça a fait diversion.

J'allais commenter la prestation formidable des filles à *Étoile naissante* (il faut avouer que leur talent avait crevé l'écran) quand je me suis rendu compte qu'en matière de diversion Léa faisait très fort. Elle s'arrangeait systématiquement depuis le début de notre conversation pour éviter de parler de son Peter.

Justine – Bien, revenons à notre questionnaire sur ta soirée londonienne.

Léa – Ah oui, c'est vrai.

Oh la manipulatrice !

Justine – Donc tu es allée dans sa chambre ?

Léa – Oui.

Justine – Vraiment ?

Léa – Oui.

Justine – Directement en sortant du resto, ou tu l'as rejoint une fois que tout le monde était couché ?

Léa – Désolée mais il y a deux questions en une et je ne peux répondre que par oui ou par non.

Justine – Tu l'as rejoint une fois que tout le monde était couché ?

Léa – Oui.

Justine – Ça a dû être terriblement romantique. Tu n'as pas eu peur de croiser ton prof d'anglais dans les couloirs de l'hôtel ?

Léa – Désolée, ça fait trois.

Justine – Trois quoi ?

Léa – Trois questions posées.

Justine – Et alors ?

Léa – Je ne peux pas répondre.

Justine – Pourquoi ?!

Léa – Ma pudeur naturelle me l'interdit.

Mais ce n'est pas vrai ! Elle a encore trouvé un moyen de garder le silence. En plus, elle ne m'a même pas prévenue qu'il y avait un nombre limité de questions.

Malgré mes menaces, Léa est restée intraitable. Je n'ai pas pu en savoir davantage sur sa soirée avec Peter.

Justine – Et quand aurai-je droit à un nouveau lot de questions ?

Léa – Nous sommes le 2 décembre, disons le 2 janvier.

Justine – Quoi ? Trois questions par mois seulement ?

Léa – Non, par année. Celles du mois prochain comptent pour l'année suivante.

Devant ma mine ahurie, Léa a explosé de rire.

Léa – Si tu veux, en attendant, je t'abonne à *Gala* ou à *Public*. Avec un peu de chance, il y aura un article sur ma soirée !

Justine – Sale peste !

Léa – Sale fouineuse !

Comme Léa avait apporté son livre d'histoire pour réviser son DST et que je devais apprendre mes fiches mémo de philo, on a décidé qu'après ma douche et un petit-déj on travaillerait côte à côte sur mon lit.

LE LANGAGE DES ABEILLES

Le langage des abeilles
Karl von Frisch, 1948

Quand une abeille isolée découvre un butin, on la marque avant de la laisser retourner à la ruche. Peu après, on constate qu'un groupe d'abeilles, parmi lesquelles ne se trouve pas la première, se rend au même endroit. Il a donc fallu que la messagère ait informé ses compagnes. En effet, rentrée à la ruche, elle s'est livrée à une danse que les autres ont suivie. Cette danse peut prendre deux formes : soit un simple cercle si le butin se trouve à moins de cent mètres de la ruche, soit un huit si le butin est à rechercher entre cent mètres et six kilomètres (ici, l'inclinaison de l'axe par rapport au soleil indique la direction du butin, et la rapidité de la danse précise la distance).

Conclusion de cette expérience : les abeilles disposent d'un système de communication. En effet, on retrouve les caractéristiques principales d'un langage.

La matinée ne m'a pas suffi pour comprendre le cours de philo sur le langage. Et ce, malgré les explications lumineuses de ma meilleure amie.

Justine – La seule chose que j'ai vraiment saisie dans cette leçon, c'est la découverte de von Frisch sur le langage des abeilles.

Léa – Normal, c'est ce qui ressemble le plus à de la SVT. On a tendance à aimer ce qu'on connaît déjà, c'est dommage parce que la plupart du temps ça nous empêche de découvrir d'autres choses.

Justine – Tant mieux !

Léa – Comment ça tant mieux ?

Justine – Quel intérêt de découvrir la confiture de coing à la cardamome quand on connaît le Nutella ?

Léa – Ça permet soit d'aimer aussi la confiture de coing à la cardamome, soit de renforcer son amour pour le Nutella.

Justine – Tu as toujours réponse à tout ?

Léa – Ça dépend des questions. Pour certaines, je ne donne pas plus de trois réponses !

Justine – Et tu oses en reparler ?

On a frappé à la porte. Avant même que j'aie pu dire « Entrez », Ingrid est apparue dans une ultra-minirobe gris argenté avec escarpins assortis. Elle a mis ses mains sur les hanches et a défilé avec la moue boudeuse des top models au moment où on les prend en photo au bout du podium.

Ingrid – Comment vous me trouvez ?

Léa – Très sexy !

Ingrid – Oui, j'ai cru comprendre ça aux regards insistants des hommes que j'ai croisés dans la rue.

Quelqu'un pourrait expliquer à Ingrid que le fait que les hommes vous regardent dans la rue n'est absolument pas un critère de sex-appeal naturel ? Il suffit de raccourcir ses jupes de vingt-cinq centimètres et d'avoir un décolleté à ras du mamelon pour qu'ils se retournent tous.

Non, je ne suis pas jalouse, je suis lucide c'est tout.

Ingrid – Et toi Justine, tu me trouves comment?

Justine – Dans la mesure où je ne te cherche pas, je ne te trouve pas.

Ingrid – Je ne comprends pas.

Justine – C'est normal.

Ingrid – Tu me prends vraiment pour une idiote.

Justine – Mais non.

Ingrid – Oh si, je le sens bien, mais tu sais, derrière la ravissante blonde que je suis, il y a une fille intelligente et vive. Il faut parfois savoir regarder l'hiver du décor.

L'hiver du décor?

Léa – Je crois que tu voulais dire l'envers du décor, non?

Ingrid – Peut-être. Vous m'avez comprise, c'est l'essentiel.

On a de nouveau frappé à la porte de ma chambre. Cette fois-ci, c'est mon père qui a passé la tête.

Le père – À table les filles! Ah bonjour Ingrid, je ne t'ai pas vue entrer. Tu déjeunes avec nous?

Ingrid – Euh non merci, je suis en plein régime, je ne dois pas dépasser les cinq cents calories par jour.

Le père – Tu ne sais pas ce que tu rates.

Ingrid – Je compte sur vous pour me le raconter, je reviens tout à l'heure. Euh non, je ne reviens pas...

Elle a ajouté très vite en rougissant :

Ingrid – Enfin si... pour souhaiter bon anniversaire à Justine parce que j'avais un peu oublié que c'était aujourd'hui et je ne lui ai pas encore acheté son cadeau.

Je ne suis pas sûre de ce que j'affirme mais je crois qu'elle vient de me dévoiler un projet d'anniversaire surprise et qu'elle ne sait plus comment s'en dépêtrer.

Pour ne pas causer de peine à Léa qui devait certainement être à l'origine de l'événement, j'ai fait semblant de ne pas avoir entendu la révélation de la peste.

De toute façon, mon père était trop pressé de nous voir à table et il lui a coupé la parole quand elle a tenté pour la troisième fois de justifier son retour dans l'après-midi.

Ingrid – Parce que je...

Le père – Ingrid si tu ne comptes pas rester, nous allons être obligés de t'abandonner à ton triste sort. En ce qui nous concerne, le délice des papilles gustatives nous attend.

J'ai eu un haut-le-cœur.

La table était mise dans le salon et ma mère avait sorti sa nappe, ses serviettes, son argenterie et sa vaisselle octogonale des grands jours. Devant chaque assiette trônait un menu écrit et illustré par Théo :

- langoustine à la sauce aux truffes,
- biche rôtie avec sa ratte de Noirmoutier,
- farandole de fromages,
- tarte tatin revisitée par le chef et...
- framboisier.

Je peux vomir tout de suite ou je suis obligée d'attendre la fin ?

J'ai retourné le menu, il était inutile de souffrir à l'avance en lisant la liste des supplices, la douleur viendrait bien assez tôt.

Comme dans les grands restaurants, mon père a préparé en cuisine les assiettes et il semblait vraiment fier quand il les a déposées devant chacun d'entre nous.

C'est quoi ce crachat grisâtre devant la langoustine?

J'ai relu le menu.

Ah ça doit être la sauce aux truffes... Ça se mange ou c'est pour la déco? Enfin une déco pour un service de pneumologie parce que c'est horriblement dégoûtant. Je me suis tournée vers l'assiette de Théo tant il était étonnant que mon petit frère n'ait pas encore râlé.

Mais je rêve! Radis beurre? Pourquoi il a ça lui et pas moi alors que c'est mon anniversaire?

Ma mère qui avait suivi mon regard s'est sentie obligée de se justifier.

La mère – Ton père a préparé des langoustines parce qu'il sait que tu les adores mais Théo n'aime pas les fruits de mer alors je lui ai servi des radis.

Bon, n'ayez crainte, je ne vais pas continuer à me lamenter toute la journée sur ce repas d'anniversaire particulièrement loupé et indigeste.

Je vous signale juste que j'ai refusé, soutenue par Théo, de goûter à la biche rôtie. Il n'était pas question que je mange la maman de Bambi.

Il faut vraiment être sadique au dernier degré pour cuisiner un animal qui a d'aussi grands cils et qui a charge de famille.

Je me suis rabattue sur le camembert et le pain. Après tout, un bon sandwich au fromage, il n'y a rien de mieux.

Évidemment mon père a fait la tête et a annoncé solennellement :

Le père – Je ne vous sers pas la suite puisque personne n'apprécie mes efforts à leur juste mesure.

Pourvu qu'il tienne sa promesse!

Ma mère et Léa l'ont supplié de renoncer à ce funeste projet en l'assurant de la qualité et de la créativité de ses plats. Pour mon plus grand malheur, il les a crues... Je n'ai donc pas échappé à sa tarte tatin revisitée : des frites de pommes mollassonnes fichées dans du caramel spécial « plombage qui saute », ni à sa bouillie de framboise.

La mère – Qui veut du café, qui préfère du thé ?

Pour moi, ce serait plutôt du bicarbonate de soude pour tenter de digérer ce que j'ai difficilement avalé. Mais j'imagine que si je le demande ça va encore être mal interprété.

Au moment où Léa proposait à ma mère de l'aider, son portable a sonné.

Léa – Allô ? Oui... Attends deux secondes, je change de pièce, je capte mal ici.

Depuis quand on capte mal au milieu du salon ?

Elle est revenue quelques minutes plus tard sans justifier son coup de téléphone. En temps normal, elle me dit toujours : « C'était untel ou untel » mais là, rien.

Je n'ai pas insisté. L'organisation de mon anniversaire surprise poserait-elle quelques problèmes ? Je me demande ce qu'ils ont décidé de m'offrir comme cadeau...

Ce qui me ferait vraiment plaisir c'est que Thibault m'offre un cadeau tout seul. Un petit objet que je garderais toujours sur moi. Je ne sais pas moi, un cœur en verre... Oh oui, un petit cœur en verre, pur comme notre amour !

Le père – Alors Justine, ça te plaît finalement ce repas ?

Pourquoi il me dit ça ?

Le père – Tu souris enfin !

J'ai acquiescé, ça ne me coûtait pas grand-chose de le rassurer.

Justine

Ça y est, j'ai réussi à identifier l'état dans lequel je me trouve après avoir ingurgité un repas cuisiné par mon père. C'est en surfant sur Internet que je suis tombée dessus.

Qu'est-ce que l'indigestion ?

L'indigestion est un problème digestif commun à beaucoup de personnes. Les symptômes principaux sont :

- une sensation de lourdeur incommodante durant ou après le repas ;

- une sensation de cuisson ou une douleur entre le sternum et le nombril ;

- la nausée et une sensation de ballonnement.

Aujourd'hui, 14h37 · J'aime · Commenter

Nicolas Tu n'as pas bien identifié le truc… Cherche des infos sur l'intoxication alimentaire !

Aujourd'hui, 14h41 · J'aime

Léa Je confirme !

Aujourd'hui, 14h50 · J'aime

Dans l'heure qui a suivi, le portable de Léa n'a pas cessé de vibrer. Elle a reçu SMS sur SMS. Mais elle a invité tout le lycée Colette ou quoi ? J'espère qu'elle a prévu suffisamment de bière et de Coca.

Remarquez, comme ma mère a l'air dans le coup, elles ont dû faire les courses ensemble hier en début d'après-midi et penser au moindre détail.

Ce qui m'épate quand même c'est que Théo n'ait pas commis un seul impair ces derniers jours... à moins que je me sois fait un film et que rien ne soit prévu.

Vers quinze heures, Léa est partie s'enfermer dans la salle de bains et en est ressortie avec un large sourire. Elle s'est arrangée pour ne pas croiser mon regard.

Ça y est, j'ai compris : tout le monde est dans les escaliers pour me hurler « Joyeux anniversaire » quand j'ouvrirai la porte. Bon, alors je commence à prendre mon air niais de la fille qui ne s'attend pas du tout à ce qui lui arrive.

Comme je me levais pour accueillir mes « invités », ma meilleure amie m'a annoncé qu'elle avait quelqu'un à voir et qu'elle repasserait en fin d'après-midi.

Bien joué, le coup de la fille qui sort pour revenir avec tout le monde ! J'ai pris un air totalement dégagé.

Justine – Pas de problème, moi j'ai encore des exercices de maths et ma philo à réviser.

Léa – Alors à tout à l'heure.

Aussitôt Léa partie, j'ai aidé ma mère à débarrasser la table. Et tandis que je remplissais le lave-vaisselle, j'ai continué à cogiter sur l'organisation de mon anniversaire surprise.

Ça ne va pas se passer ici sinon ma mère aurait déjà tout rangé. Elle ne supporte pas qu'on voie la maison en désordre et puis j'ai vérifié dans le frigo, il n'y a pas une seule bouteille de bière ou de Coca.

Non, la fête va certainement avoir lieu chez Thibault. Quand Ingrid a dit qu'elle revenait ici cet après-midi, elle sous-entendait à la maison bleue.

Tout doit être prêt en bas et Léa est allée vérifier que c'était OK. Elle va revenir dans moins de cinq minutes et trouver un prétexte pour que je descende.

Je vais vite me mettre un peu de mascara et de blush pour plaire à mon prince. Et si j'enfilais mon petit cache-cœur bleu, je ne serais pas plus sexy ? Si !!!

Allez, je change de Converse aussi. Je ne vais pas avoir l'air d'une souillon le jour de mes dix-sept ans.

Bon, elle est où Léa ? Ça fait douze minutes que j'attends maintenant.

Vingt-trois minutes...

Au troisième top, ça fera une demi-heure.

Je vais descendre prendre le courrier. Elle n'est pas bonne l'excuse ? Oui, c'est vrai, on est dimanche, mais on ne sait jamais.

Le père – Tu sors, Justine ?

Justine – Je reviens tout de suite.

Il va se dépêcher de téléphoner à Léa pour la prévenir que j'échappe à sa surveillance. J'imagine tout ce qui se trame derrière mon dos en ce moment !

Arrivée près des boîtes aux lettres, je suis restée immobile et silencieuse. C'est dingue, ils ne font aucun bruit. Léa a dû exiger le silence complet.

Si je longe le mur et que je me planque derrière un volet, j'arriverai à voir où ils en sont de leurs préparatifs.

Je remonterai aussitôt après pour leur laisser le plaisir de la surprise.

Je me suis faufilée hyper discrètement. Oup là... Les volets et les rideaux sont ouverts, il faut que je fasse attention à ne pas être repérée. Je jette juste un œil.

Ben où ils sont??? L'appartement de Thibault est désert.

Je suis remontée dans l'indifférence générale. Ma mère était encore à la cuisine en train de ranger et mon père construisait une maquette de château fort avec Théo.

Excusez-moi d'avoir dix-sept ans aujourd'hui! Il ne faut surtout pas vous sentir obligés de faire quelque chose pour moi!

Je me suis allongée sur mon lit avec une envie épouvantable de pleurer.

Soudain mon portable a sonné.

Yes les affaires reprennent!

C'est qui??? Numéro masqué... Peut-être mon beau voisin qui me demande de les rejoindre en bas? Ou Jim au volant de son bolide qui m'attend pour m'emmener dans un café où je suis attendue comme une princesse?

Justine – Allô?

J'ai reconnu immédiatement le « Bonjour-ma-belle-chérie-tu-vas-bien? » de ma grand-mère. Elle ne m'a pas laissé le temps de lui répondre, elle a ajouté :

La grand-mère – Bon anniversaire notre Justine, je te passe papy, il a quelque chose à te dire.

J'adore mon grand-père mais vous comprendrez aisément que ce n'est pas lui que je rêvais d'entendre à ce moment précis.

Bon ben, je me suicide aux exos de maths, je ne vois plus que ça.

Vers dix-sept heures, alors que j'avais renoncé depuis long-temps à un témoignage quelconque d'amitié, mon téléphone a de nouveau sonné et le prénom de Nicolas s'est affiché.

Nicolas – Bon anniversaire ma cousine chérie.

J'ai failli exploser en sanglots en entendant sa voix.

Justine – Salut mon cousin adoré !

Nicolas – Alors, cet anniversaire ?

Justine – Une vraie daube pour parler comme toi. Déjeuner concocté par mon père à midi...

Nicolas – Beurk !

Justine – Et rien cet aprèm.

Nicolas – Tu ne bois pas un verre avec les autres pour fêter tes dix-sept ans ?

Justine – Je croyais qu'ils m'avaient organisé une fête surprise, mais apparemment non.

Nicolas – Oh c'est nul... T'avais pas prévu un petit truc ?

Justine – Tu sais, jusqu'à hier soir, j'avais un cafard monstre et je ne voulais rien préparer car je savais que tu ne serais pas là.

Nicolas – Oh mon pauvre bouchon ! Je te promets qu'on se rattrape dès que je reviens.

Justine – À ce propos tu arrives quand ?

Nicolas – Le soir même des vacances, vendredi dans deux semaines !

Justine – Cool ! Et sinon ça va toi, ton nouveau lycée ?

Nicolas – Je me suis fait deux potes sympas. C'est pas le club des CIK+I mais ça déconne bien.

Justine – Ils ont de la chance de t'avoir, ces veinards.

Dire qu'il y a quelques semaines, je râlais quand il me descendait son panier à clochette pour que je lui donne du pain frais ou du lait. On ferait mieux de réfléchir à deux fois quand on trouve les siens encombrants. On devrait se souvenir que rien n'est éternel.

Tandis que j'essuyais les grosses larmes qui coulaient sur mes joues après avoir raccroché, j'ai entendu mon père s'énerver au salon. Je suis allée voir. Pour une fois qu'il se passe quelque chose cet après-midi, j'en profite.

Le père – Il va falloir mettre un code à l'entrée de la maison bleue, c'est la troisième fois ce mois-ci que des gens prennent le jardin pour un dépotoir. L'autre jour on a eu droit à un sac poubelle, la fois d'après c'était une table à laquelle il ne restait que trois pieds, et aujourd'hui cet énorme carton pourri !

La mère – Les gens n'ont plus aucun respect... Et va savoir ce qu'il y a dedans ! Tu enfiles des gants si tu veux le remettre sur le trottoir.

Oui et pourquoi pas un masque à oxygène et une combinaison antiradiation, aussi ?

Le père – Je vais immédiatement faire un courrier bien senti aux copropriétaires pour les prévenir.

Et au Premier ministre tant qu'il y est. Je me demande si le Parlement européen ne devrait pas être informé ?

Bon, je vais leur éviter une fixette de deux heures, je descends immédiatement jeter le carton à la poubelle.

À peine étais-je arrivée en bas que ma mère a hurlé de la fenêtre de ma chambre :

La mère – N'y touche pas Justine ! C'est peut-être bourré de microbes.

Justine – T'inquiète mamounette, j'assure comme une bête !

J'ai tenté de soulever le gros carton et quelque chose a bougé à l'intérieur. J'ai poussé un hurlement.

La mère – Qu'est-ce qu'il y a ?

Justine – Je ne sais pas. On dirait qu'il y a un truc vivant dedans.

Je n'avais pas fini ma phrase que j'ai entendu derrière moi :

– HAPPY BIRTHDAY ! JOYEUX ANNIVERSAIRE JUSTINE !!!

Mes parents, à la fenêtre, ont applaudi Jim, Léa, Ingrid, Thibault, Enzo et Manu qui venaient de surgir de nulle part, tenant chacun un choco BN avec une bougie allumée. Je suis restée sans voix.

Léa – Nous espérons que ton cadeau te plaira. Excuse-nous pour la présentation, on n'a pas eu le temps de faire un paquet.

J'ai souri et je me suis avancée de nouveau près du carton. Il a encore bougé. Ils ne m'ont quand même pas acheté un chiot ? C'est vrai que j'en rêve mais ma mère n'en veut pas...

J'ai pris mon courage à deux mains et j'ai ouvert. Une masse a sauté hors de la boîte comme un diable. J'ai fermé les yeux.

– Alors on ne me dit plus bonjour ?

Non, ce n'est pas vrai ??? C'est impossible, pas lui ???

Justine – NICOLAS !!!

Nicolas – Lui-même. Enfin plus pour longtemps si tu m'avais laissé une seconde de plus dans ce carton. J'ai cru que j'allais mourir étouffé plié en douze !

Je l'ai serré dans mes bras.

Justine – Comment t'es venu ?

Nicolas – En voiture, avec Jim.

Justine – Et tu t'es déplacé juste pour mon anniversaire ?

Nicolas – Euh non, pour autre chose aussi. Toutes mes affaires sont dans le coffre, je me réinstalle à la maison bleue.

Justine – Mais la pouf... Euh... la compagne de ton père ?

Nicolas – Elle ne s'installe pas ici avant les résultats du bac et moi, j'ai l'accord officiel pour emménager au grenier. Les combles appartiennent à mon père, ça faisait partie du lot quand il a acheté l'appart. Il a accepté ma demande pour faire des travaux d'isolation et installer le chauffage !

Justine – Génial !!! Et pour le lycée, comment tu vas faire ?

Nicolas – Mon père avait demandé au proviseur de me laisser dix jours pour décider si je revenais ou pas. Il l'a prévenu hier de mon retour.

Je me suis tournée vers Léa pour avoir confirmation de la nouvelle. Elle a crié :

Léa – Et c'est reparti pour le club des CIK+I !!!

J'ai sauté de joie... C'était le plus bel anniversaire de ma vie.

Enzo – On ne pourrait pas adhérer à votre club, Manu et moi ?

Léa – On va réfléchir... En attendant, je vous propose de venir chez Thibault pour manger des crêpes et un gâteau au chocolat sponsorisés par Eugénie.

Mon père a hurlé de sa fenêtre :

Le père – Il me reste du framboisier et de la tarte tatin, je les descends ?

Justine – Super idée papa ! Merci !

Quoi ? Qu'est-ce qu'il y a ? Ça vous étonne que je lui réponde ça ? Mais la pâtisserie de mon papounet, j'en mangerais des tonnes !!!

Euh... S'il vous plaît, soyez discrets, c'est pas la peine de le lui répéter.

Le langage traduit-il nos pensées?

Justine – J'y vais pas, je vais me planter.

Nicolas – Allez, déconne pas!

Justine – Puisque je te dis que j'y vais pas!

Léa – C'est débile... Les élèves qui ne se présentent pas aux devoirs sur table ont zéro et un avertissement de travail. Il vaut mieux que tu tentes de faire ta dissert. Même si t'as trois sur vingt, ce sera déjà ça.

Justine – Rester quatre heures face à une feuille blanche, j'assume pas.

Léa – Il ne tient qu'à toi qu'elle ne reste pas blanche.

Thibault – Léa a raison, tu risques davantage en n'y allant pas.

Léa – Écris la leçon au moins. Les fiches que tu as apprises dimanche, tu peux toujours les ressortir en fonction du sujet.

Justine – Non. En philo, les cours m'intéressent mais écrire une dissert pendant quatre heures pour répondre à une question prise de tête, c'est au-dessus de mes forces.

Nicolas – Franchement, je la comprends. La philo c'est bon pour les gens qui ont envie de se faire des nœuds au cerveau. Tu sais ce que j'ai comme dissert à rendre pour la rentrée de janvier? « La justice doit-elle se contenter d'être équitable? » Déjà, il a fallu que je cherche les mots dans le dictionnaire pour comprendre la phrase, en plus je ne vois que trois réponses possibles : oui, non, je m'en tape.

Léa – Ton plan est excellent.

Nicolas – Tu te fous de moi ?

Léa – Non, je t'assure. C'est un très bon plan dialectique.

Nicolas – Mais c'est pas mon plan, c'est ma dissert rédigée !

Léa – Ah !!! Alors effectivement, c'est problématique.

– Qu'est-ce qui est problématique ?

Oh non, il ne manquait plus qu'Ingrid dans cette discussion sur la philosophie.

Léa – Nicolas nous expliquait que sa dissert sur la justice fait trois mots et je crains que ce ne soit un peu juste.

Ingrid – Ah mais oui, une dissert, c'est plus d'une copie double.

Elle est bête ou quoi ? C'était de l'humour !

Ingrid – Moi, j'adore la philo.

Euh... quelqu'un peut vérifier qu'il n'y a pas eu une inversion des noms des personnages pour les dialogues ? Je pense que c'était plutôt une réplique signée de Léa.

Ingrid – Je prends des notes sans arrêt pendant les cours et je les relis à la maison.

Ah non, j'ai compris... C'est elle qui fait de l'humour maintenant !

Léa – Merci Ingrid, je suis contente d'avoir une alliée... Parce qu'entre Nicolas et Justine, la philo n'est vraiment pas à l'honneur.

Nicolas – Et toi Thibault, t'es dans quel camp dans ce débat, pour ou contre la philo ?

Thibault – Certains thèmes me plaisent comme la conscience ou la liberté, mais je dois avouer que la plupart du temps je m'ennuie mortellement en cours.

Il n'a qu'à m'appeler dans ces cas-là, je lui donnerai des cours sur la conscience de moi et la liberté de me séduire.

Justine

À toux ceux qui ont la grande joie de passer le bac, quelques infos récapitulatives sur Spinoza glanées sur Wikipédia. Ce philosophe tombe souvent au bac, il n'est pas inintéressant d'en savoir plus sur lui…

Nom et prénom : Baruch Spinoza.

Dates : Né le 24 novembre 1632 à Amsterdam, mort le 21 février 1677 à La Haye.

Histoire : ce philosophe néerlandais a exercé une influence considérable sur ses contemporains et sur un grand nombre de penseurs et de philosophes postérieurs. Héritier critique du cartésianisme, il a pris ses distances avec toute pratique religieuse, sans négliger pour autant la réflexion théologique. Il s'est heurté à de vives et violentes polémiques.

Certains le considèrent comme le prince des philosophes, ou le premier philosophe moderne.

Ses principaux intérêts : le rationalisme, l'eudémonisme.

Ses œuvres majeures : *Traité de la réforme de l'entendement*, *L'Éthique*, *Traité théologico-politique*.

Il a influencé : Diderot, Fichte, Schopenhauer, Marx, Nietzsche, Freud, Althusser, Bergson, Deleuze, etc.

Aujourd'hui, 19h07 · J'aime · Commenter

Léa aime ça.

Nicolas À part ses dates de naissance et de mort, je n'ai rien compris.

Aujourd'hui, 19h23 · J'aime

Jim C'est qui, tous ces gens à la fin ? Ses remplaçants au foot ?

Aujourd'hui, 19h24 · 1 personne aime ça

Nicolas – Donc deux pour la philo, deux contre. Thibault, il faut trancher... La matinée de Justine va dépendre de ton choix.

Justine – Comment ça ?

Nicolas – Eh bien ta dissert sur table a été mise aux voix et c'est en balance à cause de Thibault.

Thibault – Oh tu exagères... Ce n'est pas moi qui vais décider pour elle. Justine est une grande fille capable de prendre ses décisions toute seule.

Exact ! D'ailleurs je viens de prendre la décision de passer la prochaine soirée avec toi puisque depuis notre baiser dans la cuisine, dimanche, jour du retour de Nicolas, on n'a pas eu l'occasion de se retrouver seuls tous les deux. Je te rappelle que nous avons ma nuit d'anniversaire à rattraper.

Nicolas – Tu ne t'en sortiras pas comme ça, monsieur le fils de l'ambassadeur, il n'y a pas de réponse diplomatique qui tienne ici. C'est pour ou contre, point barre !

Thibault m'a regardée droit dans les yeux et il a murmuré :

Thibault – Alors si c'est pour sauver ma belle Justine d'un avertissement de travail, je vote pour la philo.

Durant quelques secondes, j'ai imaginé mon prince sur son fidèle destrier débarquant dans le bureau du proviseur et m'arrachant des griffes du méchant homme.

Oh il est trop beau tout en blanc !!!

Euh comment on fait pour sortir du bureau de M. Présario en marche arrière sur un cheval ?

Nicolas – Bien ! Avec trois voix contre deux, Justine ira plancher quatre heures ce matin.

C'est mauvais signe un cheval qui piétine en hennissant, ça sent la ruade.

Nicolas – Justine ?

Justine – Oui ?

Nicolas – Tu as entendu ce que je t'ai dit ?

Justine – À propos de quoi ?

Devant mon regard totalement ahuri, ils ont explosé de rire.

Thibault – À cause de mon vote, tu es obligée de faire ton devoir de philo, mais je te propose une chose : puisque je suis responsable de tes problèmes, tu as le droit de me demander tout ce que tu veux ce matin.

Vraiment tout ?

Alors ce que je voudrais, c'est qu'il ouvre la porte-fenêtre pour qu'on sorte de là. Je commence à avoir vraiment mal au cœur sur ce cheval.

Nicolas – Ça c'est une connerie, Thibault... Il ne faut jamais dire un truc pareil à une meuf ! Tu ne sais pas dans quelle galère tu t'embarques.

Léa – Ah non, moi je trouve ça hyper romantique, j'adorerais qu'un homme me fasse cette proposition. Bravo !

Nicolas a marmonné dans sa barbe d'un air agacé :

Nicolas – S'il n'y a que ça pour lui plaire, je peux le faire aussi.

Léa – Alors Justine, que vas-tu exiger de Thibault puisque tu as carte blanche ?

Vraiment, je peux demander ce que je veux à mon grand amour ? Alors...

1 - Je m'installe définitivement dans son appartement.

2 - Il appelle toutes ses ex pour leur annoncer qu'il m'aime et qu'il ne veut plus jamais les voir.

3 - Il annonce à ses copains que l'âge des sorties et des jeux est révolu et qu'il est temps de se dire adieu.

4 - Il propose à ses parents de rester les vingt prochaines années au Liban.

5 - Il trouve un job qui l'occupe une heure par jour environ afin de me consacrer les vingt-trois heures restantes.

C'est tout. Je n'en veux pas plus. Bien sûr, je pourrais rajouter des choses sur la liste mais je ne suis pas une fille super exigeante. Il faut laisser à l'autre la possibilité de vivre ce qu'il désire. Quoi? Pourquoi vous rigolez en coin?

La première sonnerie a retenti.

Léa – Je propose qu'on reprenne cette discussion pendant le repas parce qu'il est l'heure pour Justine de descendre. Ça va aller ma Juju? Tu veux que je t'accompagne jusqu'à ta salle?

Justine – Non merci.

Léa – Tu me promets que tu vas quand même essayer d'écrire quelques lignes?

Justine – Je suis bien obligée, maintenant que vous avez voté pour mon incarcération.

Ingrid – On n'a jamais voté pour ça! Personne ne veut te brûler.

Nicolas – La brûler?

Ingrid – Ben oui Nicolas, l'incarcération c'est quand on brûle le corps des gens.

Léa – Non, tu confonds avec l'incinération. L'incarcération, c'est quand on enferme les gens.

Ingrid – C'est pas l'insémination ça?

On a tous éclaté de rire.

Ingrid ne le saura jamais mais elle vient de me donner le courage d'essayer de faire ma dissert.

Léa – Haut les cœurs, tu vas y arriver ma Justine!

Justine – J'en serais convaincue si tu me faisais le plan, mais bon, je vais quand même tenter ma chance.

Je suis descendue dans la salle de contrôle.

Au lycée Colette, quand on a des devoirs de quatre heures, on compose dans de grandes salles où chaque table est isolée. C'est horrible ! Pas seulement parce que tu ne peux pas truander avec ton voisin (encore que ce soit un gros problème), mais surtout parce que tu ne peux échanger aucun regard amical. Il y a comme un îlot de glace autour de chacun.

En plus, pour que les élèves travaillent en paix, tout le - I est réservé aux devoirs sur table. Donc quand tu arrives à huit heures, au lieu d'avoir l'effervescence de filles et de garçons qui se marrent et chahutent, tu croises des individus absorbés dans leurs révisions.

Lorsqu'ils t'adressent la parole, c'est juste pour te poser des questions de cours. À la pause de dix heures, c'est le silence dans les couloirs, personne ne sort... On n'entend pas une chaise racler le sol, pas un prof hurler les devoirs à des élèves prêts à partir, pas une voix crier un prénom à la cantonade.

Rien.

Durant quatre heures, tu vis dans le monde du silence ponctué uniquement par l'ouverture discrète de paquets de chewing-gums ou de gâteaux. La nourriture est le seul signe indiquant que nous sommes encore vivants.

Vous comprenez pourquoi certains appellent ces salles le cimetière.

– Bonjour Justine, je suis là !

Je me suis retournée en me demandant à qui appartenait cette voix masculine qui susurrait mon prénom juste dans mon cou. Oh non... Brice.

Le cimetière plus Brice, c'est vraiment la mort !

Malgré mon regard taurin qui n'invitait pas à la discussion, monsieur Petites-Cuillères a continué à me parler.

Brice – Je t'ai gardé une table devant.

Justine – Non merci. Plus je suis loin du prof, mieux je me porte. Je vais me mettre au fond.

Et je l'ai planté là. Malheureusement pour moi, je ne suis pas la seule à vouloir me tenir éloignée du corps enseignant, si bien que je n'ai pas trouvé une table libre dans les derniers rangs. J'ai donc regagné piteusement le devant de la scène sous l'œil ravi de Brice.

Il s'est senti obligé de commenter :

Brice – Je t'avais dit que c'était mieux là.

Je me suis approchée de lui, l'air méchante.

Justine – Non, c'est pas mieux là ! C'est qu'il n'y a pas de place ailleurs ! TU COMPRENDS ?

Brice – Je comprends surtout que tu es très en colère et ça ne peut pas être contre moi.

Retenez-moi ou je l'étrangle !

Brice – Spinoza définit la colère dans *L'Éthique* comme le « désir qui nous excite à faire du mal à celui que nous haïssons ». Ne te trompe pas de cible, je ne suis pas celui que tu hais.

Justine – Brice, tu veux un conseil ?

Brice – Dans quel domaine ?

Justine – Celui des rapports humains.

Brice – Pourquoi pas ?

Justine – Tu devrais me lâcher.

Brice – Jamais.

Comment ça, jamais ? Il est malade ou quoi, ce type ?

Brice – Rappelle-toi, nous sommes comme le pouce et l'auriculaire, le grand protège le petit. À la vie, à la mort.

Ah mais oui c'est ça, il est complètement malade. J'avais oublié !

Je me suis assise rapidement sans plus lui adresser la parole et j'ai sorti mes feuilles de brouillon et ma trousse. La prof de philo est entrée dans la salle, escortée par le prof de maths.

Mme Pouméroulie – Bonjour à tous ! Je vous distribue les sujets et je vous laisse en compagnie de monsieur Ajoupa qui vous surveillera de huit à dix, heures consacrées normalement aux mathématiques. Évidemment, je ne réponds à aucune question. Pour ce premier devoir sur table de quatre heures de type bac, vous n'avez que la dissertation. Je vous souhaite une belle réflexion.

Et elle est passée rapidement dans les rangs pour nous distribuer les photocopies. Lorsque tu as un DST, il y a un avantage à être au premier rang : tu reçois les sujets en premier et ça t'évite de lire l'infaisabilité de la consigne dans les yeux horrifiés de tes camarades. La prof m'a tendu ma feuille en souriant.

Le langage traduit-il nos pensées ?

Au secours ! Il n'y avait pas ça dans mes fiches... Je ne peux même pas placer von Frisch et ses abeilles !

J'ai demandé à Brice :

Justine – Une fois qu'on a les sujets, on peut partir au bout de combien de temps ?

Brice – Pour aller où ?

Je n'ai pas eu le temps de répondre. Ajoupa, le prof de maths, qui m'avait vue discuter avec mon voisin, s'est jeté sur moi toutes dents dehors.

M. Ajoupa – VOUS SORTEZ!!!

Ah! Enfin quelqu'un qui me comprend!

Mme Pouméroulie s'est retournée, l'air inquiète.

Mme Pouméroulie – Que se passe-t-il Edmond?

C'est qui Edmond?

M. Ajoupa – Justine Perrin a parlé avec son voisin.

Quoi, c'est le prof de maths Edmond?!

Edmond Ajoupa, j'y crois pas.

Ça fait toujours drôle d'entendre un prénom de prof, c'est comme si tout d'un coup, on prenait conscience qu'il est un être humain véritable. On se dit que, finalement, il a peut-être une maison et qu'il ne rentre pas se coucher le soir dans son casier en salle des profs.

C'était quoi son surnom quand il était petit?

Ed? Eddy?

Je n'ai pas pu m'empêcher de sourire.

M. Ajoupa – Et ça vous fait rire?

Franchement Eddy? Oui. Je crois que plus jamais je ne pourrai te regarder de la même manière.

Mme Pouméroulie – Justine, je crois que monsieur Ajoupa vient de vous poser une question.

Justine – Je vous prie de m'excuser.

Mme Pouméroulie – Peut-on savoir pourquoi vous communiquiez avec votre voisin?

Justine – Je désirais juste savoir à partir de quelle heure on pouvait quitter la salle.

Mme Pouméroulie – Pas avant dix heures, mais je vous conseille d'utiliser tout le temps qui vous est imparti. Et à l'avenir, si vous avez une question, il serait plus sage qu'elle soit d'ordre philosophique et que vous y répondiez vous-même par écrit.

Et elle a repris sa distribution en me laissant aux mains d'Ajoupa. Le prof de maths, qui n'avait pas dû supporter mon sourire, s'est approché à moins d'un millimètre de mon nez et m'a dit d'un air menaçant :

M. *Ajoupa* – Je vous ai à l'œil, Perrin.

Seulement un œil Eddy ? Pas les deux ?

On a frappé à la porte, qui s'est ouverte sur un visiteur inattendu : Nicolas !

J'ai failli avoir une attaque... Ça fait deux fois en moins d'une semaine qu'il est là où je ne l'attends pas. Mais en plus il n'est pas tout seul, Ingrid est avec lui. Qu'est-ce qu'ils font là ? Ils devraient être en cours.

M. *Ajoupa* – Que voulez-vous, jeunes gens ?

Ingrid s'est approchée du prof de maths sans m'accorder le moindre regard.

Ingrid – Excusez-moi monsieur mais j'ai composé dans cette salle hier et j'ai oublié ma trousse. Est-ce que je peux la récupérer ?

C'est quoi cette histoire encore ? Elle n'avait pas DST hier.

M. *Ajoupa* – Regardez rapidement si les personnes qui font le ménage ne l'ont pas mise sur la table du fond. Sur le bureau, il n'y a rien.

Ingrid – Merci beaucoup, monsieur.

Évidemment la peste s'est sentie obligée de traverser la salle en faisant chalouper à mort sa taille 34. Arrivée au fond, elle s'est penchée et tous les élèves ont pu admirer ses Dim Up plumetis. Ajoupa a réajusté ses lunettes.

Ingrid – Ben mince alors, elle n'y est pas.

Et elle est revenue droit sur le prof de maths.

Ingrid – Merci pour votre extrêêêême gentillesssssse. Je vous souhaite une trèèèèèès booooooonne journéééééée.

M. Ajoupa – Je vous en prie, mademoiselle.

Attends, je rêve ou Ajoupa a quitté son air d'ours mal léché pour lui sourire d'un air niais ? Oh non ! J'y crois pas.

Bien que le cirque d'Ingrid m'ait passablement énervée, je dois avouer que voir mon cousin et la peste m'a redonné du courage.

Mme Pouméroulie – Bien, tout le monde a son sujet mainte-nant : « Le langage traduit-il nos pensées ? » Prenez le temps de la réflexion avant de vous jeter sur vos stylos. C'est le moment de ne pas trahir votre pensée par un langage inapproprié !

Je suppose que c'était de l'humour.

Mme Pouméroulie – À tout à l'heure, je reviens vous surveiller à dix heures.

Et elle est sortie après avoir chuchoté un « Merci Edmond ! » auquel Ed a répondu en lui lançant un regard que je ne lui connais-sais pas, genre : « T'inquiète poulette, j'assure comme une bête. »

En plus d'être des êtres humains, les profs auraient-ils aussi une libido qui les inciterait à draguer leurs collègues ?

Bon, j'arrête avec la vie sexuelle des profs et je me consacre à mon sujet. Tout d'abord je fais comme Léa m'a appris, je définis tous les mots de la phrase : langage, traduit, pensées. Et, quand je suis sûre d'avoir bien compris le sens général, je jette toutes les idées qui me viennent sur le papier.

Le langage c'est... euh... Le langage c'est la capacité à... Mince, je ne me rappelle plus.

Le langage c'est...

Mais qu'est-ce qui m'arrive ? Je ne me souviens plus du cours. Pourtant, je le savais ce matin. Là, c'est le trou noir.

Le langage c'est le... ça va revenir... Il faut juste que je me concentre.

Si Brice pouvait arrêter de gratter, ça m'arrangerait. Il a déjà écrit au moins une copie double en six minutes trente.

Un quart d'heure plus tard, j'en étais toujours au même point, c'est-à-dire nulle part. Je répétais en boucle : « Le langage c'est... »

Lorsque je me suis rendu compte que trois quarts d'heure s'étaient écoulés à réciter comme un mantra « Le langage c'est... », j'ai paniqué.

Mon cœur s'est mis à battre façon grosse caisse dans une fanfare militaire, une espèce de ballon géant a gonflé au niveau de mon plexus solaire et ma bouche est devenue complètement sèche.

Le langage c'est...

J'aurais dû prendre une bouteille d'eau.

Tant pis, je passe au mot suivant : traduit. Traduire c'est quand on veut... traduire. Je ne sais pas moi, du français en anglais par exemple. Mais ça n'a aucun rapport avec le sujet. Je raconte n'importe quoi.

De toute façon, il faut que je définisse le mot langage d'abord, sinon je ne peux pas avancer.

Le langage c'est...

J'ai regardé ma montre. Neuf heures et quart.

J'aurais mieux fait de ne pas venir. Maintenant, j'ai la certitude que je vais louper mon bac. Le jour J, il va se passer exactement la même chose. Et pas seulement en philo, dans toutes les matières !

Je suis nulle comme fille.

Allez Justine, fais un effort. C'est comme à la danse quand t'es à la barre. Si ton mental lâche, ton corps ne suit pas.

Mais là, c'est ma tête qui bloque.

Respire.

Je n'y arrive plus. Le ballon m'en empêche.

Le langage c'est…

Pense à quelque chose d'autre durant quelques minutes, et après il n'y aura plus de problème, toute cette peur aura disparu. Souviens-toi de samedi, quand Macha a balancé qu'elle avait aidé Thibault à rendre jalouse la fille qu'il aime, c'était bien, non ? Rappelle-toi l'état de totale félicité dans lequel tu as baigné. C'est cet état que tu dois à tout prix retrouver.

Le langage c'est…

Et dimanche, quand tu as ouvert le carton et que Nicolas a jailli comme un diablotin. Formidable, non ?

Et la soirée qui a suivi où le club des CIK+I s'est retrouvé comme avant, c'était le bonheur, n'est-ce pas ?

Tu te souviens que Thibault s'est arrangé pour t'embrasser langoureusement dans la cuisine et que si Jim n'avait pas renversé le plateau qu'il rapportait à ce moment-là, vous y seriez encore ?

Et la girafe géante en peluche que ton prince t'a offerte pour tes dix-sept ans, tu l'as oubliée ? Ce n'est pas rien ça, un doudou qui occupe la moitié de sa chambre donné par le garçon qu'on aime. Surtout quand, en la tendant, il vous dit : « Elle te tiendra compagnie quand je ne serai pas avec toi. »

Le langage c'est…

Je trouve que c'était vraiment mignon de sa part d'ajouter : « Je t'ai offert une girafe parce que c'est grâce à cet animal que je suis tombé amoureux de toi. Tu te rappelles quand on s'est rencon-

308

trés au zoo la première fois? Tu cherchais à sauver Patou et on était tous venus pour t'aider. Je me souviendrai toujours de ton air perdu et de tes yeux qui avaient pleuré. J'ai craqué tout de suite. »

Le langage c'est...

« Mais je dois avouer que lorsque, quelques jours plus tard, tu t'es planquée derrière mes volets pour m'espionner, ça a été un des moments les plus drôles de ma vie. Tu ne le savais pas mais j'étais juste derrière la porte-fenêtre et j'entendais tout ce que tu disais à Léa. J'ai adoré que tu sois capable de ça pour moi. »

La porte de la salle s'est ouverte doucement et Mme Pouméroulie est apparue. Pourquoi elle revient déjà?

« Et quand je suis sorti dans le jardin et que Léa planquée de l'autre côté te hurlait dans le combiné : "Allô Houston ??? Avez-vous la pintade hystérique dans votre ligne de mire avant plumage complet? Allô, allô Justine? Il se passe quoi? T'as fait pipi dans ta culotte à cause de la princesse qui pue des pieds? Ça va être vraiment dur de vamper le nouveau dans cet état." Tu vois, je me souviens de tout comme si c'était hier! Et le jour où... »

Mais il va se taire, l'amoureux nostalgique?! Il ne comprend pas que je suis en plein Waterloo de la dissert de philo!

J'ai regardé ma montre. Dix heures.

Oh NON!!! Je sèche sur la définition du langage depuis deux heures!

« Et la fois où tu as cru que j'avais envoyé le fameux bouquet de fleurs à Léa et que tu nous as demandé pardon pour ta méprise, tu étais craquante... "Léa et Thibault, je voudrais vous dire que je regrette la façon dont je me suis conduite hier. Je ne sais pas ce qui m'a pris de vous parler comme ça. J'ai cru que vous m'aviez trahie et ça m'a rendue complètement dingue. Et maintenant, je ne sais plus comment me faire pardonner". »

Dans certains cas, la fuite vaut mieux que la lutte. Je rends ma copie et c'est tout.

– Je vous prie de bien vouloir m'excuser madame, est-ce que je peux remettre ceci à Justine Perrin de la part de la CPE ?

Mais c'est pas vrai ! Thibault, tu ne pourrais pas me laisser tranquille ? Je suis en pleine cata, tu ne comprends pas ?

Thibault ? Le vrai Thibault ? Qu'est-ce qu'il fait là ? Je me suis frotté les yeux au cas où mon imagination me jouerait des tours.

Mme Pouméroulie – De quoi s'agit-il ?

Thibault – C'est son carnet de correspondance.

N'importe quoi, mon carnet de correspondance est dans mon sac.

Mme Pouméroulie – Très bien, allez le lui donner.

Mon prince s'est avancé vers moi avec sa classe habituelle et a déposé un carnet de correspondance sur ma table. D'un léger mouvement du menton il a désigné une feuille qui en dépassait.

Il a remercié la prof, puis il est ressorti sans un regard.

J'ai failli me lever en courant et lui hurler : « Attends-moi, je ne veux pas rester ici toute seule ! Je n'arrive pas à écrire le moindre mot, j'ai besoin d'aide. Si tu m'aimes, tu dois faire quelque chose ! Emmène-moi ou débrouille-toi pour me donner la définition du langage. »

Et là, coup de tonnerre dans un ciel bleu d'été... Et si ma prière avait été exaucée avant que je la formule ?

Et si la feuille qui dépasse du faux carnet de correspondance avait un lien avec la dissert d'aujourd'hui ?

Je crois que ces deux heures à réfléchir dans le vide m'ont grillé des neurones. Même avec tout l'amour du monde, comment Thibault pourrait-il traiter un sujet qu'il ne connaît pas ?

310

Nicolas

Lisez ce qui suit… Je ne savais pas que c'était si cher payé quand on truandait !

Connais-tu les sanctions en cas de fraude à l'examen du bac ?

En fonction du degré de « tricherie », cela peut aller du simple blâme à l'interdiction de repasser le bac pendant cinq ans, voire à l'interdiction définitive (à vie) de s'inscrire dans l'enseignement supérieur et de passer un examen dans l'enseignement supérieur.

Aujourd'hui, 21h44 · J'aime · Commenter

Jim Ça ne rigole pas !!! On n'a pas intérêt à se faire piquer.

Aujourd'hui, 21h47 · J'aime

Léa Mieux que ça ! On n'a pas intérêt à essayer du tout…

Aujourd'hui, 22h07 · 1 personne aime ça

Je vous rappelle que ces salles de contrôle sont de véritables bunkers et que personne, en dehors des victimes, n'y a mis les pieds ce matin.

Personne ? Et Ingrid ?

Ingrid a parlé à Ajoupa et elle est allée directement au fond de la classe. Elle n'a absolument pas pu voir les sujets. En plus, elle était bien trop occupée à vérifier qu'elle exerçait son sex power sur tous les mâles à la ronde. D'ailleurs elle a dû être contente, tout le monde avait les yeux braqués sur elle.

Mais alors, personne ne prêtait attention à Nicolas? Il a pu tranquillement lire le sujet sur la table proche de la porte...

Ah... Et quand bien même? Qu'est-ce que Nicolas et Thibault auraient fait d'un sujet de philo? Je vous rappelle qu'il y a encore deux heures, ils avouaient ne rien comprendre à cette matière! Seule Léa pourrait rédiger un plan détaillé en deux heures de temps.

LÉA!!!

Mais bien sûr, c'est une machination montée par ma meilleure amie pour me sauver de la feuille blanche! Je comprends tout maintenant! Elle a envoyé Ingrid aveugler la population pendant que Nicolas s'arrangeait pour noter le sujet.

Ils l'ont ensuite apporté à Léa, qui l'a traité sur une feuille pendant les deux heures de cours. Au début de la pause, elle l'a remise à Thibault qui, avec son sang-froid d'ambassadeur, a inventé un stratagème pour me la donner sous les yeux du prof.

Vous avez suivi ou je réexplique?

Donc, ça signifie que j'ai là, devant moi, mon devoir tout fait!

MAIS ILS SONT FOUS? ÇA S'APPELLE UNE ANTISÈCHE ET C'EST PASSIBLE DU CONSEIL DE DISCIPLINE!

Si jamais la prof a l'idée de regarder mon carnet, je suis fichue.

Oui mais, en même temps, si j'ai le courage de sortir la feuille, je cartonne à mon devoir sur table.

Qu'est-ce que je dois faire?

Mon cœur, qui avait repris un rythme normal depuis quelques secondes, s'est emballé à nouveau.

J'ai trop peur de me faire prendre.

Il a vraiment été courageux mon Thibault d'entrer dans la salle et de me remettre le carnet sans trembler le moins du monde. Moi, je n'aurais jamais osé.

Allez courage, Justine ! Il suffit juste d'attendre le moment où la prof va baisser la tête sur ses copies à corriger et tu tires subtilement la feuille de Léa. Tu la glisses sous tes feuilles de brouillon et tu recopies, ni vue ni connue.

Un... deux... Non, c'est pas la peine de dire trois, je n'y arriverai pas. Le risque me paraît démesuré.

Je préfère avoir un zéro à mon devoir que de me retrouver dans le bureau de Présario avec une fatwa disciplinaire lancée contre moi.

Et tu penses à tes amis qui ont transgressé les règles pour que tu réussisses ? Tu vas oser sortir maintenant de la salle et leur avouer que tu as rendu feuille blanche malgré tout ce qu'ils ont fait pour toi ?

Ça y est !!! Je me souviens ! Le langage est la faculté que les hommes possèdent d'exprimer leur pensée et de communiquer entre eux au moyen d'un système de signes conventionnels vocaux et/ou graphiques constituant une langue. Le langage n'appartient qu'à l'homme parce qu'il est le seul à le penser. L'animal peut éventuellement émettre des sons mais il ne parle pas.

Je ne saurais dire si c'est par peur d'avoir à utiliser l'antisèche de Léa ou grâce au bonheur de me sentir protégée par mes amis, mais ma leçon sur le langage m'est revenue d'un coup dans son intégralité. Je me suis mise à construire le plan de ma dissert sans trop de difficultés.

Lorsque la cloche a sonné à midi, je terminais d'écrire à toute allure une conclusion qui certes, ne restera pas dans les annales de la philosophie occidentale, mais qui tenait à peu près la route.

J'ai rangé dans mon sac mon faux carnet de correspondance que je n'avais pas ouvert et je me suis levée pour rendre ma copie à ma prof.

J'étais la dernière élève dans la salle.

Mme Pouméroulie – Alors, Justine?

Justine – Ça va à peu près. J'ai eu du mal à démarrer mais après, ça a été.

Mme Pouméroulie – Le libre arbitre n'est pas toujours un cadeau, n'est-ce pas?

C'est quoi ça? Un nouveau sujet?

Mme Pouméroulie – Si l'on réfléchit en terme de catégories morales, il est bien difficile de choisir entre le bien et le mal, non?

Euh, je ne voudrais pas être désagréable, mais ça fait quatre heures que je réfléchis et si elle a envie de discuter sur la notion de libre arbitre, on se fixe rendez-vous un autre jour.

Mme Pouméroulie – Prenons un exemple. Si une loi est posée et que l'action d'un individu est entravée par cette loi, peut-il la transgresser?

Elle se fâche si je demande à Brice de venir faire le contradicteur? Non, parce que là, j'ai vraiment faim.

Mme Pouméroulie – Continuons plus avant. Et si cet individu est sûr de ne pas être puni pour ce manque d'observation de la loi, est-ce que cela doit le conforter dans son désir de transgression?

Quelqu'un pourrait la débrancher? Je vais craquer.

Mme Pouméroulie – Je vois dans vos yeux, Justine, que vous ne me suivez pas. Soyons plus pratiques alors. Imaginons une élève qui aurait à écrire une dissertation de philosophie et n'y parviendrait pas. Grâce à une aide extérieure, elle aurait soudain la possibilité d'accéder à un devoir déjà réalisé. Quelle conduite devrait-elle adopter, selon vous?

J'imagine que toute ressemblance avec une personne existant ou ayant existé est fortuite.

Mme Pouméroulie – Vous avez choisi le respect de la règle. Il serait intéressant de savoir ce qui a motivé votre choix : la peur de la punition ou le respect du droit moral ?

Justine – Euh... C'est...

Mme Pouméroulie – Je n'attends pas de réponse, elle ne concerne que vous. Courir vers sa faute ne relève pas seulement d'un problème moral, c'est aussi une posture existentielle qui n'est pas dénuée d'intérêt pour celui qui la choisit en conscience.

Je n'ai rien compris à ce qu'elle vient de me dire, là. En français courant, ça signifie que je passe en conseil de discipline ou pas ?

Si elle a saisi le stratagème, pourquoi elle ne me menace pas ? Elle est prof quand même... Eddy Ajoupa, lui, n'hésiterait pas une seconde dans une situation pareille. Je me retrouverais immédiatement pieds et poings liés, couverte de goudron et de plumes.

Mme Pouméroulie – Bonne fin de journée Justine.

Quoi, j'ai vraiment le droit de m'en aller ?

Mme Pouméroulie – Vous vouliez ajouter quelque chose ?

Justine – Euh... Non.

Mme Pouméroulie – Bien, au revoir alors !

Justine – Au revoir madame.

J'ai ramassé mes affaires aussi vite que j'ai pu et je suis sortie de la salle.

Les autres m'attendaient, en embuscade dans les escaliers.

Nicolas – Ah ! La voilà !

Ingrid – Elle s'est maquillée à la craie ou quoi ?

Léa – C'est vrai qu'elle est très blanche.

Thibault – Ça va, Justine ?

Si on excepte mon insomnie de la nuit dernière due à l'angoisse, mes deux heures de bug, ma crise de panique à l'idée d'utiliser l'antisèche de Léa et l'embrouille philosophique de Mme Pouméroulie, on peut dire que je vais bien.

Nicolas – Putain raconte...

Léa – Je crois qu'on ferait mieux d'aller au *Louis XVI* lui faire avaler quelque chose, elle n'a pas l'air dans son état normal.

Nicolas – Oh non ! Pas le *Louis XVI*, il est pourri ce troquet !

Léa – Peut-être mais c'est le plus proche d'ici.

Thibault – Ne discute pas, Nicolas, Léa a raison.

Nicolas – Bon ben, j'appelle Jim pour lui dire de ne pas m'attendre.

Cinq minutes plus tard, j'avalais un jambon beurre sous l'œil inquiet de l'association de malfaiteurs.

Nicolas – Tu nous expliques maintenant pourquoi t'es dans cet état alors qu'on t'a livré ta dissert en deux heures chrono et qu'on a su par un mec de ta classe qu'il y avait eu zéro incident ?

Léa – Laisse-la respirer... Elle commence tout juste à reprendre des couleurs. Vas-y Justine, bois un peu de Coca.

Ingrid – En attendant qu'elle se remette, vous voulez que je vous rejoue mon entrée dans la salle de contrôle ?

Nicolas – C'est bon Ingrid, moi j'y ai déjà eu droit une fois en live et trois fois en redif...

Léa – Tu as été parfaite ! Tu possèdes des dons artistiques exceptionnels.

C'est pour ça qu'elle a été virée d'*Étoile naissante*, ils ont tout de suite réalisé qu'elle était la future vedette internationale qui manquait à notre génération.

Bon, j'arrête de faire ma jalouse, je dois avouer qu'elle a bien joué son rôle. C'est juste que je n'ai pas envie que Thibault voie ses bas plumetis quand elle se penche.

Nicolas – Eh Léa, maintenant que Justine a avalé son sandwich et qu'elle a bu son Coca, on peut l'interroger pour savoir ou il faut encore attendre qu'elle ait fait son rot et sa petite sieste ?

Justine – Je n'ai qu'une chose à vous dire : vous êtes de grands malades.

Nicolas – On a eu raison de patienter pour entendre ça !

Justine – J'ai failli mourir de peur. Qui a eu cette idée tordue ?

Tous les regards se sont tournés vers mon prince.

Thibault – Désolé, c'est moi.

Ingrid – Enfin, c'est lui qui a eu l'idée du scénar. Après chacun y a mis son talent ! J'étais en totale impro quand je suis entrée dans ta salle. Je me suis dit : allez Ingrid, caméra, on tourne. J'ai avancé vers Ajoupa et...

Thibault – Alors ce n'était pas une bonne idée ?

Mon prince avait l'air si sincèrement désolé que j'ai quitté aussitôt le ton du reproche.

Justine – Si, c'était une très bonne idée même si j'ai eu la trouille de ma vie. Grâce à vous, j'ai rendu mon devoir de philo.

Léa – Mon plan était assez détaillé ?

Justine – Je ne sais pas. Je ne l'ai pas utilisé.

Léa – Quoi ?!

Et comme ils étaient suspendus à mes lèvres, j'ai raconté à mes amis ma folle matinée.

Nicolas – Mais si ta prof de philo a compris que Thibault avait apporté une antisèche, pourquoi elle t'a pas chopée ?

Léa – Elle le lui a expliqué : elle lui a laissé le choix de courir vers sa faute.

Nicolas – En français, ça donne quoi ?

Léa – Tu connais la notion de libre arbitre. C'est la possibilité de commettre le Bien ou le Mal, comme Adam et Ève pour le fruit défendu. Si Dieu avait vraiment voulu que l'homme ne commette pas de faute, il lui suffisait de ne pas planter l'arbre de la connaissance.

Nicolas – Alors pourquoi il l'a fait ?

Léa – Pour nous laisser le choix de nos destinées, pour qu'on décide de faire le Bien ou le Mal. Madame Pouméroulie a renouvelé l'expérience avec Justine.

Nicolas – Oh la prise de tête... Tiens au fait, à propos de choix et de décision, Jim nous rejoint. Il a quitté Yseult.

Ingrid – Ah bon ? Pourquoi ?

Nicolas – Je ne sais pas. Peut-être qu'elle se la pète depuis qu'elle participe à son émission et que ça le gonfle.

Léa m'a regardée à la dérobée. Je lui ai fait signe que je n'étais pas au courant.

Nicolas – En tout cas, je suis sûr qu'il y a déjà blonde sous roche.

Thibault – Pourquoi ?

Nicolas – Quand il a su qu'on était au *Louis XVI*, il m'a dit avec la voix du type qui a un scoop à annoncer : « J'arrive... Vous allez être sur le cul. »

Qu'est-ce qu'il a l'intention de raconter ? Si Jim parle de notre aventure, c'est la fin de mon histoire avec Thibault et la mort du club des CIK+I.

J'ai supplié Léa du regard pour qu'elle trouve une solution expresse de sorcière.

Léa – Je crois que vous nous raconterez le scoop de Jim plus tard parce que Justine et moi on doit y aller.

Nicolas – Vous ne l'attendez pas ? Il arrive.

Léa – Non... Impossible ! J'ai un rendez-vous avec un beau garçon tout à l'heure et je dois me refaire une beauté.

Nicolas – C'est qui ? Le théâtreux ?

Léa – Non. Quelqu'un que tu ne connais pas.

Et tandis que Nicolas grommelait dans son coin « C'est qui encore ce con ? », Léa me chuchotait discrètement à l'oreille :

Léa – Dépêche-toi de te lever, il faut récupérer Jim avant qu'il ne lâche sa bombe.

Justine – Qu'est-ce qu'on fait?

Léa – On doit l'intercepter avant qu'il arrive au café alors on se met du côté de la rue des Maraîchers.

Justine – T'es sûre?

Léa – Oui, il arrive du *Paradisio*, il va prendre la rue de Vincennes pour venir jusque-là.

Justine – C'est un vrai cauchemar.

Léa – Il va falloir que tu aies une discussion sérieuse avec lui. Il n'est pas question de laisser planer une ambiguïté pareille.

Justine – Il n'y a pas d'ambiguïté, j'aime Thibault.

Léa – Oui, mais tu as embrassé Jim.

Justine – C'était une erreur un soir de cafard.

Léa – Une erreur récurrente ces derniers mois parce que, si je me souviens bien, vous vous êtes aussi sauvagement embrassés le jour où on a perdu Théo au parc.

Justine – Ce n'était pas un baiser, il me réanimait!

Léa – Pour une morte, tu étais drôlement vivante. Tu lui as passé les bras autour du cou et tu l'as empêché de décoller ses lèvres des tiennes.

Justine – Oui, bon d'accord. Mais c'était avant que je connaisse Thibault!

Léa – Exact. Il n'en reste pas moins que tes relations avec Jim sont floues et ça, depuis la classe de quatrième.

Justine – Peut-être mais jusqu'à maintenant, il n'y avait pas de problème.

Léa a dodeliné de la tête d'un air agacé.

Justine – J'y peux rien. J'aime Thibault, mais Jim c'est Jim.

Léa – Et passer de l'un à l'autre, c'est passer de l'un à l'autre...

Justine – Ça ne se reproduira plus, je n'aimerai que Thibault toute ma vie. Enfin, j'essaierai...

Léa – Le souci, c'est qu'il n'y a pas que toi dans l'histoire, il y a les autres. Et tu ne peux pas les faire souffrir.

Justine – Tu crois que je fais de la peine à Jim ?

Léa – Jim connaissait très bien tes sentiments pour Thibault et il a quand même pris le risque de t'embrasser l'autre soir. En revanche, là où tu es responsable, c'est si tu ne mets pas les choses au point maintenant.

Justine – Qu'est-ce que je dois lui dire ?

Léa – Justine, je ne vais pas t'écrire tes répliques ! Si tu as su te jeter dans ses bras, tu sauras comment en sortir en douceur.

Justine – Léa chérie...

Léa – Arrête de me faire ta tête de merlan frit, ça ne marche plus !

Justine – Steuplaît !!!

Léa – Mais quel boulet...

J'ai miaulé en frottant ma tête contre l'épaule de Léa. Elle est incapable de résister à mon imitation de Virgule, le chat de sa voisine.

Léa – STOP ! C'est bon, t'as gagné. Alors je serais toi, je commencerais par lui expliquer la confusion dans laquelle vous vous trouvez actuellement : votre histoire d'amour en quatrième qui ne

Nicolas

Léa, tu sais cette expression que tu as piquée à ton père et que je trouve super ridicule, eh bien elle existe !!! Je l'ai trouvée sur le Net.

Qui a cuit un poisson à la poêle a pu constater que cette pauvre bête a en général la bouche ouverte et les yeux exorbités, pareils à des billes blanches.

Si cette expression date du XIXe siècle (« l'œil de merlan frit » est cité par le lexicographe Loredan Larchey en 1865), c'est avec le cinéma muet qu'elle a pris tout son sens. Les mimiques des acteurs étaient exagérées et lorsque quelqu'un ouvrait des billes rondes, les yeux chavirés en une ridicule extase supposée symboliser la transe amoureuse, cette personne était comparée à un merlan frit.

Aujourd'hui, 10h24 · J'aime · Commenter

Léa Ah mais c'est atroce, je ne le dirai plus jamais !!!

Aujourd'hui, 10h54 · J'aime

Jim Moi, je trouve ça super fun...

Aujourd'hui, 11h04 · J'aime

s'est pas terminée de façon claire et nette à cause de Nicolas, votre amitié ambivalente toutes ces années, et surtout vos nouvelles histoires d'amour qui ont battu de l'aile ces derniers temps.

Justine – Et ça suffira pour qu'il me désaime?

Léa – Je ne sais pas, mais s'il y a une chance pour que ses sentiments soient juste un accès de nostalgie en période de disette amoureuse, il faut essayer de le lui faire comprendre.

J'ai éclaté de rire.

Justine – Eh ben merci! À t'écouter, je serais seulement un ersatz d'Yseult!

Léa – Il vaudrait mieux que ce soit ça. Parce que si Jim t'aime vraiment avec toute la force dont il est capable et que toi, tu aimes Thibault, il va y avoir de la casse.

La remarque de Léa m'a immédiatement fait perdre le sourire.

Léa – Eh oui, c'est comme ça, quand on a apprivoisé un renard, on est responsable de lui.

Justine – Un renard?

Léa – Ce n'est pas de moi, c'est dans *Le Petit Prince* de Saint-Exupéry!

Justine – Et toi, t'es responsable de qui?

Léa – De Peter, d'Eugénie, de ma mère, de toi, de Jim et de Nicolas.

Justine – Pas de Thibault?

Léa – Avec une furie comme toi à côté? Je n'essaierais même pas d'approcher pour lui tendre un bout de fromage!

Justine – C'est vrai?

Léa – Non.

Justine – Eh, t'as oublié Ingrid dans ta liste!

Léa – Je ne l'ai pas oubliée, je ne l'y ai pas mise c'est tout.

Justine – Yes !

Léa – Ça ne veut pas dire que je ne l'aime pas, mais on n'apprivoise pas tous les gens qu'on rencontre, sinon ça n'aurait plus de sens.

Léa a regardé sa montre.

Léa – Qu'est-ce qu'il fabrique, Jim ? Ça fait plus de dix minutes qu'il a appelé.

Justine – Tu crois qu'il est entré au café sans qu'on le voie ?

Léa – Je ne crois pas. À moins que...

Justine – À moins que quoi ?

Léa – Qu'il ne soit pas venu directement du *Paradisio* et qu'il soit entré de l'autre côté.

Justine – Oh non !!! Qu'est-ce qu'on décide ?

Léa – Je vais appeler Ingrid et lui demander conseil à propos de ma tenue pour mon fameux rendez-vous galant.

Justine – Et comment tu sauras si Jim est là ?

Léa – Tu penses bien que s'il est arrivé, Ingrid va se dépêcher de me faire un radio- reportage.

Justine – Génial !

Ma meilleure amie a sorti son portable de son sac.

Léa – Allô Ingrid ? C'est Léa... Je t'appelle pour un conseil vestimentaire. Ben oui, tu es notre conseillère fashion...

Pas pour moi, merci. Je ne suis absolument pas tentée par la pouf attitude.

Léa – Je ne te dérange pas là ? Tu dois être en pleine discussion avec les garçons.

Qu'est-ce qu'elle est forte cette Léa... Elle va exactement savoir ce qui se passe, mine de rien.

Léa – Ah bon ! Mais où ça ? Depuis combien de temps ?

Quoi? Quel est le problème encore?

Léa – Donc ils sont où, maintenant?

C'est fichu. Thibault et Nicolas sont avec Jim, il va tout balancer sans qu'on ait eu le temps d'intervenir.

Léa a raccroché après avoir demandé à Ingrid s'il valait mieux qu'elle mette son top en dentelle ou un tee-shirt noir sous sa robe londonienne.

Justine – Alors?

Léa – Jim est tombé en panne et il a appelé les garçons pour qu'ils viennent l'aider à pousser sa voiture jusqu'à chez lui. Ils sont partis à l'instant.

Justine – Qu'est-ce qu'on fait?

Léa – On a cinq minutes avant qu'ils arrivent. Appelle immédiatement Jim pour lui dire que tu veux lui parler seul à seule. Insiste pour qu'il ne révèle rien aux autres avant votre discussion.

J'ai composé son numéro à la vitesse de la lumière.

Léa – Il répond?

Justine – Attends, ça sonne. Mince, boîte vocale... Je recommence.

Peine perdue. Je suis tombée dix fois de suite sur sa boîte vocale.

Justine – Yes! Ça sonne. Allez Jim, décroche!!! Oh non, c'est de nouveau la boîte vocale.

Léa – Il a dû ranger son portable dans sa poche après avoir téléphoné. Il ne l'entend pas... Tant pis, laisse un message, mais mets le paquet.

Mon cœur s'est mis à battre à cent à l'heure. Qu'est-ce que je dois dire?

Justine – Euh... Allô Jim, c'est Justine, il faut que je te parle.

J'ai raccroché aussitôt. Léa a semblé agacée.

328

Léa – Formidable. Tu as été super convaincante. Grâce à ton intervention brillante, le drame a été évité.

Justine – Désolée, je n'ai pas réussi à faire mieux.

Léa – Bon, je m'en charge.

Et joignant le geste à la parole, elle a téléphoné à Jim. Quel talent! En trois phrases à peine, elle lui a intimé l'ordre de me rejoindre au plus vite à la maison bleue afin de discuter de nos sentiments réciproques. Elle l'a prié de ne pas détruire l'amitié qui nous unissait tous en parlant trop vite aux autres.

Justine – Et maintenant?

Léa – On va chez toi attendre Jim.

Justine – Tu crois qu'il viendra?

Léa – Mais oui...

Une fois arrivées, Léa est allée préparer un thé dans la cuisine pendant que je m'allongeais sur mon lit. Le manque de sommeil, les angoisses philosophiques conjuguées à celles de mes amours, m'avaient sérieusement perturbée. J'avais froid et je me sentais fébrile.

Justine – J'ai mal au cou. J'ai l'impression d'avoir un filin d'acier qui m'empêche de bouger la tête.

Léa – Tu veux que je te masse la nuque avec les huiles essentielles au lavandin de ta mère?

Justine – Ça pue!

Léa – Arrête, on dirait Théo. Je vais les chercher dans la salle de bains.

Cinq minutes plus tard, ma sorcière bien-aimée s'occupait de mes cervicales avec attention.

Justine – Comment je ferais sans toi?

Léa – Tu te débrouillerais. Je crois que tu es la plus maligne d'entre nous.

Justine – Pourquoi tu dis ça?

Léa – Parce que même avec tes gaffes, tes maladresses et ton manque de confiance en toi, tu es celle qui séduit le plus. Avec ta peur de ne pas être à la hauteur et ta façon désarmante d'avouer ta peur, tu nous engages à t'aimer et à te protéger. Si les filles qui font tout pour être parfaites savaient à quel point ça ne sert à rien, elles feraient comme toi, elles resteraient nature.

Justine – Et c'est mal?

Léa – Non!!! Tu te livres entièrement, sans calcul et ça fonctionne parce que c'est touchant. Regarde les efforts que déploie la pauvre Ingrid pour plaire aux autres. Résultat, pas un seul garçon ne tombe amoureux d'elle et elle n'a aucune amie véritable. Alors que toi, tu as Jim, Thibault, Brice et je ne parle pas de tes amies filles. Moi, par exemple, je te trouve extra.

Cette déclaration d'amitié m'est allée droit au cœur. J'ai caché ma tête dans l'oreiller pour que Léa ne voie pas les larmes au bord de mes paupières. Ben oui, je suis émotive, j'y peux rien. J'ai marmonné en reniflant :

Justine – Moi aussi, je te trouve extra.

Léa – C'est normal, je le suis! Allez mouche-toi et détends-toi un peu.

Justine – Comment on fera quand on sera mariées?

Léa – Je ne t'ai jamais demandé de m'épouser!

J'ai éclaté de rire.

Justine – Je sais! Mais comment on fera quand on sera mariées chacune de notre côté, pour continuer à se voir?

Léa – On se fera des soirées et des week-ends filles.

Justine – Et si mon mari est un macho qui ne tolère pas que je sorte sans lui?

Léa – De qui tu parles? De Thibault ou de Jim?

Justine – Je suis obligée de choisir? Je ne peux pas garder les deux?

Léa – Chacun fait exactement comme il veut.

Justine – Et qui gardera nos enfants pendant qu'on sera parties?

Léa – Leur père, nos mères, une baby-sitter.

Justine – Et on parlera de quoi quand on se verra?

Léa – Comme d'hab... De ce qui nous tient à cœur! Sauf que là, on ajoutera les chapitres boulot, mariage, enfants.

Justine – Et tu m'aideras toujours à régler mes problèmes?

Léa – Et toi, tu me poseras toujours autant de questions? Tu ne veux pas lâcher un peu? Garde tes forces pour l'arrivée de Jim. Tu vas avoir besoin de toute ton énergie.

Je me suis tue mais des tonnes de questions ont continué à tourner dans ma tête.

J'ai fermé les yeux.

J'ai essayé de nous imaginer dans dix ou quinze ans. Moi, je voudrais une maison avec un jardin, mais en ville. Ce qui serait bien, c'est que Léa achète celle d'à côté. On ferait un passage dans le grillage et on irait boire le thé l'une chez l'autre sans rien demander à personne. Si vraiment elle vit avec Peter, il faudra que j'apprenne à l'aimer. Je n'y arriverai jamais!

Justine – Tu crois que tu vas te marier avec Peter?

Léa – J'espère.

Justine – Tu y penses parfois?

Léa – Tout le temps.

Justine – Qu'est-ce que tu imagines?

Léa – Je me vois seule au monde avec lui.

Comment ça seule au monde avec lui? Et moi alors, je serai où?

Voilà, c'est toujours la même chose, il suffit qu'il soit question de Peter pour que je disparaisse. J'ai bien envie de le signaler à Léa afin qu'elle comprenne pourquoi je déteste ce type.

Seulement, c'est la première fois que ma meilleure amie me parle de choses intimes sans limiter mes questions, alors je vais peut-être éviter la crise de jalousie.

Léa – Je nous verrais bien dans une ancienne usine désaffectée qui nous servirait d'appart et de lieu de répétition.

Justine – Mais c'est moche, une usine!

Léa – Non. C'est brut!

Justine – Ah! Et c'est quoi la différence?

Léa – Tu gardes le béton et les murs nus. Après tu crées ton univers : des tapis, des immenses tableaux, des vieux meubles que tu repeins dans des couleurs dingues.

Justine – Et c'est beau ça?

Léa – En tout cas, ça me plairait, et à Peter aussi!

Justine – Comment tu le sais?

Léa – On en a parlé.

Justine – Quand ça?

Léa – Quand on était à Londres.

Justine – Parce que vous avez parlé? Je croyais que vous aviez eu mieux à faire dans sa chambre.

Léa m'a souri.

Léa – On peut parler sérieusement et s'amuser en même temps.

Eh dis donc, elle se lâche Léa. Je crois que c'est la première fois de toute l'histoire de notre amitié qu'elle se confie autant à moi.

Justine – Et à part les projets d'appart, vous avez pensé à quoi?

Léa – À la ville dans laquelle on pourrait vivre. Peter est complètement bilingue, il joue indifféremment en français ou en anglais. Donc on pourrait s'installer à Londres mais aussi à New York.

Justine – New York? Pour les soirées filles, ça va être compliqué.

Léa n'a même pas réagi à ma remarque. Elle était partie dans ses rêves et je n'y avais aucune place.

Léa – Évidemment, il faudra que j'aie fini avant ma formation de metteur en scène. La meilleure est à Strasbourg, je crois.

Strasbourg? Je préfère encore New York.

Léa – Ça serait formidable, non?

Justine – Si on veut manger des saucisses, certainement.

Léa – Pourquoi est-ce qu'on voudrait manger des saucisses?

Justine – C'est pas la spécialité de Strasbourg?

Léa a éclaté de rire.

Léa – Je crois que cette ville a d'autres atouts!

Justine – Si tu le dis!

Léa – De toute façon, je n'y serai qu'une partie de la semaine, après je rentrerai.

Ah quand même, elle se souvient que j'existe.

Léa – Comme Peter restera ici en attendant que j'aie fini mes études... Mais qu'est-ce que j'ai aujourd'hui? Je parle, je parle...

Ça pour parler, elle parle. Je me demande si je ne préfère pas ma Léa secrète.

Léa – Il n'y a rien de fait, tu sais! Juste une parole gravée sur un bijou.

Allons bon!!! C'est quoi encore, ce scoop?

Léa – Si je te dis un secret, tu jures de ne pas le répéter?

Pourquoi je devrais garder un secret qu'elle n'est pas capable de taire elle-même?

Justine – Oui, si tu veux.

Léa a pris un air de petite fille que je ne lui connaissais pas. Décidément, les gens qu'on aime sont ceux qui nous sont le plus étrangers.

Léa – La nuit que j'ai passée avec Peter a été un enchantement !

Bien et donc ?

Léa – Lorsque j'ai ouvert les yeux le lendemain matin, il m'observait avec, dans le regard, un amour infini.

Je rappelle que monsieur est comédien et qu'il n'est pas difficile pour ces gens-là de simuler des sentiments qu'ils n'éprouvent pas le moins du monde.

Léa – Je lui ai souri. Il a sorti de sous son oreiller une petite boîte rose poudré avec un énorme nœud vert céladon.

Évidemment, quand c'est le grand homme qui lui offre un cadeau, tout est merveilleux. J'imagine qu'elle n'a décrit à personne le papier cadeau dans lequel j'avais emballé sa petite libellule en ambre et en argent, le jour de son anniversaire : un collage de paquets de fraises Haribo et de papiers de Carambar.

Léa – J'ai ouvert la boîte le cœur battant. Ce qu'il y avait ?

Justine – Une bague de fiançailles ?

Léa – Non, mieux que ça ! Un médaillon avec un angelot... Tu te rends compte ? Mais le plus important, c'est le message qui était gravé au dos à mon intention : « Les yeux seuls sont encore capables de pousser un cri. »

Hein ?! Et qu'est-ce que ça veut dire ?

Perso, je dirais que ça n'a pas de sens dans la mesure où les yeux ne crient pas, mais ça doit être de la poésie.

Léa – Magnifique non, ce vers de René Char ? Il révèle tout de nous : mon attente, ma souffrance, son désir, nos espoirs.

334

Tout ça dans une si petite phrase! Mais c'était caché où? Il y avait un double fond comme dans les boîtes des prestidigitateurs?

Léa – Regarde, tu es la seule personne à qui j'ai envie de le montrer.

Et elle a sorti de sous sa robe noire un long cordon de velours rouge au bout duquel se balançait un médaillon en or.

Effectivement, la phrase y était gravée en lettres gothiques.

Après me l'avoir montré, elle l'a embrassé du bout des lèvres.

Léa – C'est merveilleux, non?

J'ai acquiescé d'un mouvement de tête. J'adorerais moi aussi avoir un bijou offert par mon homme. Je trouve ça hyper romantique. Un anneau en or blanc par exemple. Je sais exactement comment il serait. Large et épais au centre, fin sur les côtés. Thibault me le glisserait au doigt dans la pénombre d'un lieu qu'on aurait choisi ensemble, et je le porterais toute ma vie à l'annulaire gauche comme une alliance.

Et pour que Jim ne soit pas triste et que je n'aie pas à choisir entre mes deux amours, je porterais exactement le même anneau à la main droite mais en or jaune celui-là! On pourrait faire ça le même jour. Je tendrais mes deux mains à mes deux hommes, enfin une main à chacun de mes hommes, et tout le monde serait content.

Léa – C'est beau l'amour, hein?

Je n'ai pas eu le temps de lui répondre, on a frappé à la porte. Je me suis relevée d'un bond. Jim a fait irruption dans ma chambre, les mains noires de cambouis et le visage convulsé.

Mince, entre les confidences de Léa et ma vie rêvée dans laquelle tout est conciliable, j'avais complètement zappé le dossier Jim versus Thibault.

Il m'a dit avec rudesse :

Jim – Tu voulais me parler, je crois.

Justine – Euh... Oui.

Jim – Je t'écoute.

Justine – Tu ne veux pas te laver les mains avant ?

Jim – Thibault et Nicolas sont déjà dans la salle de bains.

Justine – Ils sont là aussi ? On ne vous a pas entendus arriver.

Je me suis retournée vers Léa, folle d'angoisse.

Léa – Tu as eu mon message, Jim ?

Jim – Oui, mais ça ne m'empêchera pas de dire ce que j'ai à dire. Je ne supporte plus de voir Justine dans les bras d'un autre. Il va falloir qu'elle avoue la vérité à Thibault.

Léa – Plus tard, peut-être qu'elle décidera de le faire, mais pas maintenant.

Comment ça plus tard ?

Léa – Il faut que vous preniez votre temps pour parler ensemble et savoir réellement quels sont vos sentiments. Je te demande en amie de me faire confiance.

Jim a semblé touché par les paroles de Léa. Il a quitté son air colérique et m'a demandé doucement :

Jim – Mais après, tu lui avoueras ?

– Qu'est-ce que tu dois avouer ?

Nicolas, adossé au chambranle de la porte de ma chambre, nous regardait bizarrement.

Nicolas – Qu'est-ce qu'il y a encore comme embrouille ?

Justine – Rien.

Mon cousin a souri.

Nicolas – Ne tente jamais une carrière de comédienne, Justine, t'es pas crédible une seconde quand tu mens.

À cet instant, Thibault est entré.

Thibault – Justine veut devenir comédienne ?

Justine – Non, pas du tout.

Thibault – Ah bon, j'avais cru comprendre !

Un long silence s'est installé.

Nicolas – Bon, c'est quoi le malaise ? Qu'est-ce que Justine doit avouer et à qui ?

Thibault – Pourquoi est-ce que Justine devrait avouer quelque chose à quelqu'un ?

Re-silence hyper pesant.

Nicolas – Jim, tu craches le morceau, puisque tu as l'air d'être dans le coup.

Léa – Vous ne voulez pas qu'on aille boire quelque chose dans la cuisine ?

Nicolas – Aïe !!! Si la sorcière tente désespérément d'éviter le dialogue, c'est qu'il y a un gros problème. En général, elle est pour le règlement immédiat des conflits.

Thibault, qui n'avait apparemment pas perçu la gravité de la situation, s'est approché de moi en souriant.

Thibault – Tu en fais une tête ? Quelque chose ne va pas ?

Comme je ne répondais pas, il s'est penché pour m'embrasser. Jim a hurlé :

Jim – Je crois qu'il vaudrait mieux que tu parles, Justine.

Thibault – Qu'elle parle de quoi ?

Léa a tenté de calmer le jeu :

Léa – Je crois que Jim et Justine ont un problème à régler ensemble. Nous devrions les laisser seuls un instant.

Nicolas – Qu'est-ce qui se passe à la fin ?

Léa – Des bricoles... Tu sais bien qu'il peut parfois y avoir des petits conflits entre deux amis. Regarde, nous, par exemple.

Jim – Je crois que le terme « ami » est mal choisi.

Nicolas – Alors là, tu exagères Jim. Je ne sais pas pourquoi vous êtes fâchés tous les deux, mais tu ne peux pas remettre votre amitié en question comme ça.

Jim – Bon, je crois que ce petit jeu a suffisamment duré. Maintenant tu parles, Justine, ou c'est moi qui le fais.

Thibault – Tu m'expliques ce qui se passe, Justine ?

Léa – STOOOOP !!! Est-ce que tous les gens présents ici me font confiance ?

Après un moment de surprise créé par le hurlement de Léa, tout le monde a répondu oui.

Léa – Bien. Alors je souhaiterais que Nicolas et Thibault viennent boire un verre avec moi dans la cuisine.

Léa a semblé tellement sûre d'elle que les deux garçons l'ont suivie sans protester. Je me suis retrouvée seule dans ma chambre avec Jim. On s'est regardés un long moment comme si on était étrangers l'un à l'autre avant que j'ose prendre la parole.

Justine – Ça va ?

Oui, bon d'accord, pas terrible la réplique, mais je n'ai pas trouvé mieux. Jim a semblé très mécontent.

Jim – Je ne crois pas que ça aille, non. À quoi tu joues, Justine ?

Justine – À rien.

Jim – Quand est-ce que tu comptes parler à Thibault ?

Justine – De quoi ?

Jim – Tu te moques de moi ?

Justine – Jim, tu sais l'amitié que j'ai pour toi.

Jim est devenu rouge violacé et s'est mis à crier.

Jim – Ton amitié ? Ton amitié ! C'est tout ce que tu as à m'offrir ?

Ses hurlements m'ont tétanisée. Sa voix faisait trembler les murs de ma chambre.

Nicolas a déboulé comme un fou, suivi de près par les autres.

Nicolas – Maintenant ça suffit !!! Vous m'expliquez exactement ce qui se passe ?

Thibault – Ça n'est pas la peine. J'ai compris.

Nicolas – Qu'est-ce que tu as compris ?

Thibault m'a regardée droit dans les yeux et a prononcé d'une voix d'outre-tombe :

Thibault – Justine, y a-t-il quelque chose entre Jim et toi ?

J'ai murmuré :

Justine – Non.

Thibault – Tu es sûre ?

Justine – Non.

Nicolas a marmonné assez fort pour que tout le monde l'entende :

Nicolas – Putain, c'est pas vrai, ils ont remis le couvert ces deux cons !

Jim – Tu ne te mêles pas de ça Nicolas, tu as fait assez de dégâts comme ça il y a quelques années. Justine et moi, on est seuls à décider.

Thibault – Excuse-moi Jim, mais je crois que j'ai mon mot à dire. Et puis, si ça ne te dérange pas, j'aimerais autant entendre Justine.

Je ne m'appelle pas Justine, je n'habite pas la maison bleue, je n'ai pas pour petit ami un garçon prénommé Thibault, je ne l'ai pas trompé un soir de cafard avec Jim, un vieux copain qui me trouble depuis toujours. Mon cousin Nicolas n'est pas le meilleur ami de ce type-là. Je suis une pâquerette plantée dans un champ.

Ma vie est simple : je bouge au gré du vent et des gouttes de pluie me désaltèrent. Comme je suis bien. Je déploie mes pétales au soleil levant et je...

Jim – JUSTINE !!!

Justine – Oui.

Les pâquerettes ont une toute petite voix, c'est pour ça que j'ai dit un tout petit oui.

Jim – JUSTINE, JE TE PARLE.

À côté de moi, il y a un coquelicot. C'est joli les coquelicots. Ce rouge profond et ce cœur noir. Léa m'a attrapée par un pétale, euh pardon, par un bras et m'a chuchoté à l'oreille :

Léa – Justine, il va falloir que tu sortes de ton mutisme et que tu assumes tes responsabilités. Tu as en face de toi deux garçons qui en prennent plein leur ego et qui ne sont pas près de lâcher l'affaire. Et je ne parle pas du conflit cornélien du cousin qui ne sait plus s'il doit défendre l'honneur de sa famille ou celui de son meilleur ami. Je pensais pouvoir temporiser, mais ce n'est plus possible. Il va falloir que tu dises quels sont tes sentiments avec le plus de tact possible.

Elle a raison, ma sorcière bien-aimée, il faut que j'assainisse la situation avec délicatesse.

Justine – Thibault, je t'ai trompé avec Jim le soir où Nicolas est parti de la maison bleue.

Crueléa m'a massacrée du regard et a dit tout bas :

Léa – Il n'y a pas de doute, tu es vraiment la reine des diplomates.

Thibault – Et que s'est-il passé exactement ?

Justine – Trois fois rien. Un baiser qui n'avait aucun sens.

Bon, là Léa va être fière de moi, j'ai trouvé THE argument qui devrait rassurer mon prince sur mon amour.

Jim – Comment ça, un baiser qui n'avait aucun sens ?

Justine – Sur le moment, c'était un baiser merveilleux, Jim, et...

Thibault – Je n'ai pas envie d'en écouter davantage. Si Jim t'embrasse merveilleusement bien, je lui cède le terrain.

Jim – Justine n'est pas un terrain, c'est un être humain qui fait ses choix en fonction de ce qu'elle ressent. Si mon baiser ne l'a pas laissée indifférente, c'est qu'il doit y avoir des raisons.

Thibault – De quel baiser parles-tu ? De celui qu'elle qualifiait à l'instant de « qui n'avait aucun sens » ?

Jim – Décidément, en amour comme au poker, tu es mauvais perdant, Thibault !

Thibault – Pardon ? Tu peux répéter ce que tu viens de dire ?

Jim – Tu n'aimes pas perdre et cela, quel que soit le domaine... Ça pose un problème au petit bourge qui a peur de son ombre et qui passe son temps à mentir sur ses activités nocturnes ?

Thibault s'est rué sur Jim sans crier gare et lui a décroché un direct du droit.

Thibault – Oui, ça me pose un problème surtout quand la remarque vient d'un pauvre type qui n'a pas été fichu de passer son brevet et qui joue les racailles alors qu'il est le fils d'un grand neurologue.

Léa – THIBAULT !!!! Putain, mais t'es devenu fou ?

Je rêve ou quoi ? C'est bien Léa qui vient de parler ? Et folle de rage, elle s'est ruée sur Thibault et lui a balancé une gifle d'une force incroyable.

Nicolas est intervenu. Il a attrapé Léa par les épaules et l'a plaquée au sol. Puis il l'a l'embrassée non stop.

Jim, que le coup de poing surprise de Thibault avait propulsé à l'autre bout de ma chambre, est revenu à la charge. Il s'est rué sur Thibault et lui a fait une prise de judo de la mort.

Oh ce qu'il est fort...

Les deux garçons ont roulé par terre à mes pieds.

Un cri strident m'a explosé les tympans. Durant un dixième de seconde, le temps s'est suspendu et le combat a cessé. Ingrid, sur le pas de ma chambre, observait horrifiée la scène et ne s'arrêtait plus de crier.

Le répit a été de courte durée. Les activités ont repris de plus belle. Jim contre Thibault et Nicolas tout contre Léa !!!

Ingrid – Pardon Justine, laisse-moi passer.

Ingrid m'a poussée gentiment. Mais pourquoi rapporte-t-elle un seau plein d'eau de la cuisine ?

Elle s'est placée juste au-dessus de la bande des quatre et, sans l'ombre d'une hésitation, a versé sur eux l'intégralité de son contenu. Le résultat a été immédiat ! Ils se sont relevés instantanément en s'ébrouant comme des chiots.

Ingrid – Et voilà le travail !

Cette fille est un génie. Si vous m'entendez un jour dire du mal d'elle, rappelez-moi cette scène et je m'excuserai aussitôt. Bon d'accord, je vais devoir éponger, mais il fallait la trouver, l'idée.

Thibault a posé sa main sur sa pommette gauche gonflée et rougie. Jim, de son côté, a essuyé sur la manche de son tee-shirt le sang qui coulait de sa lèvre. Nicolas et ma meilleure amie se sont relevés l'air de rien. Tiens, il n'était pas waterproof le mascara de Léa...

Un silence pesant a envahi ma chambre.

Nicolas – Bon, maintenant que vous avez suffisamment joué aux cons, vous allez peut-être vous serrer la main ? Vous n'allez quand même pas rester fâchés à cause d'une meuf ?

Vu les regards furieux qu'ils échangent, ça m'étonnerait que le drapeau blanc soit levé.

Nicolas – Vous vous serrez la main ou je vous en colle une à chacun?

Et alors que Nicolas les avait presque convaincus de fumer ensemble le calumet de la paix, on a entendu Ingrid chuchoter à Léa :

Ingrid – Justine a couché avec Jim ou quoi?

Mais quelle gourde! Je la hais, je l'exècre, je la vomis. Quoi, je la trouvais géniale il y a deux secondes? Pas du tout.

Thibault a regardé Jim, blême, et il a dit d'une voix tremblante :

Thibault – Tu as couché avec Justine???

Jim – Mais non, je l'ai juste embrassée! Un petit baiser de rien du tout.

Comment ça de rien du tout? Rien que d'y penser, j'ai des frissons partout.

Nicolas – Allez, serrez-vous la main et on oublie cette histoire.

On ne peut pas complètement l'oublier. Je rappelle que ces deux garçons se sont battus pour moi et que je n'ai pas encore annoncé qui était le gagnant.

Nicolas – Des meufs, il y en a des tonnes. Vous n'allez pas vous prendre la tête pour la seule qui vive ici. Si vous voulez, j'ai des numéros plein mon portable.

Oh le traître, il cherche à détruire l'amour sublime que j'ai pour... Euh... que j'ai pour...

Excusez-moi, je suis obligée de reformuler ma phrase, j'ai un peu de mal à la terminer.

Oh le traître, il cherche à détruire l'amour que Jim et Thibault ont pour moi.

Nicolas – Faites un effort, les gars.

Jim, le visage grave, a tendu la main à Thibault.

Ah ben, il ne tient pas à moi tant que ça. Il y a cinq minutes, il était prêt à tout pour me garder, et maintenant il est à deux doigts d'aller vivre au rez-de-chaussée.

Thibault a souri et a serré chaudement la main de Jim.

Thibault – Désolé... Je ne suis pas très fier de ce que je viens de faire.

Jim – Moi non plus. On s'est vraiment conduits comme des gamins.

Ingrid a applaudi.

Ingrid – Bravo les garçons !

Nicolas – Allez, on va fêter ça ! Je vous invite à boire une bière entre potes. Salut les filles...

Mais non, il n'en est pas question ! Je n'ai toujours pas dit qui était le gagnant !

Et puis de quoi il se mêle, mon cousin ? Jim et Thibault ont bien le droit de se battre pour moi. C'est notre histoire, pas la sienne.

Pour les empêcher de sortir de ma chambre, j'ai couru vers eux. Les murs et le sol sont devenus totalement mous. J'ai quand même essayé d'attraper Jim, mais il s'est envolé et s'est collé au plafond. J'ai alors tenté de coincer Thibault, mais il s'est mis à rebondir comme un ressort à travers la pièce. Nicolas a ri comme un fou. J'ai pris un marteau et je lui ai tapé dessus. Sa tête s'est enfoncée dans le parquet.

Ingrid affolée a cherché à me retirer l'outil des mains, je l'ai regardée avec une telle intensité qu'elle a fondu, et il n'est bientôt plus resté d'elle qu'une petite flaque.

L'*étymologie* du mot
CAUCHEMAR

« La mara », « mare » ou « cauque-mar », est un spectre femelle malveillant dans le folklore scandinave apporté en France par les Normands.

Le mot « caucher » viendrait de l'ancien français et signifierait « presser, fouler ».

On attribuait à la mara la capacité de se dématérialiser – d'être capable de passer par le trou d'une serrure ou sous une porte – et de s'asseoir sur le buste de sa victime endormie, faisant naître ainsi ses cauchemars. Le poids de la mara pouvait aussi provoquer des difficultés à respirer voire des suffocations.

Léa a crié :

Léa – Calme-toi Justine, tout va bien, calme-toi Justine.

Sa voix a transpercé des couches de ouate bleutée.

J'ai ouvert les yeux.

J'étais sur mon lit et ma meilleure amie me tenait par les épaules.

Léa – Qu'est-ce qui t'arrive ? Tu t'étais tranquillement endormie après que je t'ai massé la nuque et soudain tu t'es mise à hurler.

Justine – Où est Jim?

Léa – Il n'est pas encore arrivé.

Justine – Les garçons ne sont pas venus ici? Il n'y a pas eu une dispute terrible?

Léa – Pas du tout.

Justine – Jim et Thibault ne se sont pas battus? Jim n'avait pas la lèvre qui saignait?

Léa – Mais tu délires!

Justine – Et Nicolas ne t'a pas plaquée au sol en t'embrassant comme un fou?

Léa – Tu as fait un horrible cauchemar ou quoi?!?

Justine – Apparemment, oui... J'ai dû m'endormir juste après notre discussion sur ton médaillon.

Léa – Quel médaillon?

Justine – Celui de Peter où il a fait graver « Les yeux seuls sont encore capables de pousser un cri ».

Léa – Tu connais ce vers de René Char, toi? Bravo! Mais Peter ne m'a jamais offert de médaillon. Dommage d'ailleurs.

J'ai regardé le décolleté de Léa. Pas l'ombre d'un ruban rouge.

Justine – Et la boîte rose poudré avec le nœud vert céladon?

Léa – Tu ne vas pas bien, toi.

Justine – Et ton usine désaffectée à New York avec des grands tapis et des meubles peints dans des couleurs dingues?

Léa – Ouh là... Je crois que je vais appeler un médecin.

Justine – Alors tu ne vas pas partir à Strasbourg?

Léa – Je te jure que tu commences sérieusement à m'inquiéter, Justine!

Je me suis jetée dans les bras de ma meilleure amie. J'étais tellement soulagée que tout cela ne soit pas la réalité.

Mais avant de me réjouir pour de bon, je lui ai demandé :

Justine – Léa, tu crois aux rêves prémonitoires ?

Léa – J'y crois. N'oublie pas que je suis un peu sorcière.

Justine – Et tu crois qu'une amie de sorcière peut faire des rêves prémonitoires ?

Léa – Oui, bien sûr. C'est amicalement transmissible !

On a frappé à la porte. Je me suis relevée d'un bond. Jim a fait irruption dans ma chambre, les mains noires de cambouis et le visage convulsé.

Il m'a dit avec rudesse :

Jim – Tu voulais me parler, je crois.

Justine – Euh... Oui.

Jim – Je t'écoute.

Justine – Tu ne veux pas te laver les mains avant ?

Jim – Thibault et Nicolas sont déjà dans la salle de bains.

Justine – Ils sont là aussi ? On ne vous a pas entendus arriver.

Je me suis retournée vers Léa, le cœur battant. Elle m'a touché tout doucement le bras pour que je me calme.

Noooooonnnnnn !!!!!!!!!

Retrouvez Justine et la bande des CIK + 1
dès le 23 mai 2012
dans le volume 4

À bientôt pour la suite...

L'auteur

Après avoir passé toute son enfance à rêver au milieu des livres dans la librairie de son père ou dans l'imprimerie de son grand-père, Sylvaine Jaoui a décidé une fois pour toutes que la vie était un roman. Elle s'est donc mise à raconter des tas d'histoires à dévorer entre deux tranches de carton.

Aujourd'hui, si vous ne la trouvez pas en train d'écrire sur la table de sa cuisine, vous avez quatre possibilités : soit elle écoute son amoureux lui jouer du piano, soit elle regarde des séries avec ses filles en mangeant des ours en chocolat, soit elle négocie avec les taupes de son jardin pour qu'elles aillent plutôt chez le voisin, soit elle est dans son lycée, lisant des romans à sa tribu d'ados.

L'illustratrice

Lorsqu'elle est née, la petite Colonel Moutarde a déclaré à sa maman qu'elle voulait être dessinateuse. C'est chose faite. Il lui faudra cependant quelques années avant d'être publiée, mais on ne décourage pas facilement un Capricorne.

Elle publie dorénavant chez de grands éditeurs de bandes dessinées (sa passion), en presse et en publicité.

Elle aime par-dessus tout mettre en images de chouettes histoires et ne boude pas pour autant les petits plaisirs de la vie comme de réveiller le chat qui fait la sieste, porter des bijoux gothiques pour effrayer ses enfants et s'acheter des tutus.

Retrouvez toutes nos collections
sur le site www.rageot.fr

Achevé d'imprimer en France en décembre 2011
chez Normandie Roto Impression sas
Dépôt légal : janvier 2012
N° d'édition : 5501 - 01
N° d'impression : 114757